OBIETTIVO PROFESSIONE FOR ENGLISH·
corso di italiano per scopi professiona

Anna **Costantino** • Antonella **Rivieccio**

Obiettivo professione

Corso di italiano per scopi professionali

for English-speakers

Livello A2-B1

Libro
+ cd audio

Bonacci editore

Coordinamento editoriale: Antonella Rivieccio

Per il libro:
progetto grafico e impaginazione: Alessandra Bonacci
foto di copertina: Flavia Magnifici

Per il cd audio:
realizzazione: Sorrisi 413
coordinamento: Chiara Crupi
registrazione e post-produzione: Matteo Schiavio - Tracce Sonore Studio - Roma
voci: Chiara Crupi, Isabella Jorno, Gino Manfredi, Antonio Scalici
voci straniere: Agenzia Speakering

Ringraziamenti
Un ringraziamento particolare a Sally Arbiter, Miles Walsworth-Bell e Celine Rosen.

E a Ken Behan, Luisa Belleri, Alberto Bongi, Rossella Bongi, Francesca Carbonaro, Alessandro Caricato, Roberto Colizzi,
Gabriele Guzzo, Ho Soo Herng, Alessandro Iobbi, Anne Krebiehl, Robert Sternberg, Giancarlo Toniutti e Luca Colizzi,
per il loro gentile contributo.

Alle aziende e ai professionisti che hanno cortesemente concesso la pubblicazione del materiale: Alessi SpA; Federazione dei Distretti
Industriali; Fiera Milano; Hotel Town House 70; Luisa Carrada 'Il Mestiere di scrivere'; RCS Libri; Thomson Reuters; Tiscali SpA;
Harvard Business Review Italia - Strategiqs Edizioni.

Bonacci editore
Via degli Olmetti 38
00060 FORMELLO (Roma)
tel: (++39) 06.90.75.091
fax: (++39) 06.90.40.03.26
e-mail: info@bonacci.it
http://www.bonacci.it

1/1 1ª ristampa della 1ª edizione

Printed in Italy
© Bonacci editore, Formello 2011
ISBN 978-88-7573-436-7

Finito di stampare nel mese di maggio 2012
dalla CDC Arti Grafiche di Città di Castello (PG)

Introduzione

Obiettivo professione (livello A2-B1) è un corso comunicativo di italiano ideato per le esigenze linguistiche di professionisti e studenti di business stranieri che operano già o si preparano a operare in settori commerciali, finanziari e legali, all'interno di organizzazioni internazionali o sovranazionali. Questo progetto, cui è allegato un CD audio con i testi per le attività di comprensione orale, mira a fornire strumenti per l'acquisizione di competenze linguistiche nella LS/L2. Tali strumenti faciliteranno lo studente nelle interazioni comunicative con clienti e/o colleghi italiani in cui necessiti:

- presentare il proprio lavoro
- socializzare nel corso di incontri ed eventi
- comunicare durante i viaggi d'affari
- comunicare telefonicamente
- scrivere e-mail
- fare presentazioni
- organizzare e partecipare a riunioni
- negoziare
- presentare un'azienda
- descrivere trend e performance aziendali

La padronanza di tali competenze contribuirà al successo di una comunicazione d'affari in italiano, fornendo al contempo una formazione linguistica in grado di aumentare le opportunità di carriera nel mercato del lavoro globale.

Obiettivo professione è stato concepito come un manuale completo per corsi di formazione linguistica in Italia o all'estero, siano questi rivolti a individui o gruppi in istituti di lingua o università. Questo manuale può essere inoltre adottato in corsi d'italiano generale in cui sia richiesta l'acquisizione di conoscenze linguistiche più vicine all'esperienza professionale di un adulto che viaggia e ha scambi con controparti italiane.

Il sillabo di ***Obiettivo professione*** è di tipo funzionale e presenta strutture linguistiche e lessicali applicabili a un ampio spettro di situazioni professionali, che lo studente imparerà a gestire grazie ad attività comunicative ricche di stimoli cognitivi e strategici nonché rilevanti nei contenuti. I **testi di lettura** e **di ascolto**, infatti, si avvalgono di materiale e linguaggio autentico specificamente selezionato e ideato per l'apprendimento di una lingua per scopi professionali. Le attività, che prevedono lo svilupppo progressivo e integrato delle **quattro abilità linguistiche,** si articolano in un'ampia varietà di esercizi di riconoscimento, di comprensione e di produzione scritta e orale.

Lo studente, inoltre, incontrerà una lingua 'viva', che contiene sì, elementi formali – tipici dei registri usati tradizionalmente nel mondo degli affari – ma anche la dinamicità di una realtà in continuo cambiamento. È una lingua, infatti, che si nutre sia di indicazioni verso la sburocratizzazione, in linea con le esigenze avvertite a livello globale di una comunicazione efficiente, che di un uso della terminologia straniera, in particolare inglese, correntemente in uso negli affari.

La grammatica, alleggerita di riferimenti metalinguistici, è presentata in modo induttivo nelle sezioni di introduzione di nuove strutture; e ciò allo scopo di facilitare cognitivamente la scoperta e la comprensione della regola e la sua conseguente applicazione nelle interazioni comunicative di *business*.

Obiettivo professione dedica uno spazio importante alla competenza comunicativa interculturale, elemento essenziale dell'interazione di business. Nelle sezioni di ***Cultura in azione*** sono stati selezionati temi vicini alla *reale* esperienza del professionista *globale* con l'obiettivo di avviare lo studente alla presa di consapevolezza delle differenze comportamentali presenti nella comunicazione interculturale. Tali temi sono stati volutamente inseriti nella cornice comunicativa della discussione e del confronto di gruppo e/o di coppia, per evitare la trappola della facile generalizzazione, cui le trattazioni discorsive dell'elemento cultura tendono a condurre lo studente di lingua straniera. L'incoraggiare la discussione e il confronto tra le diverse esperienze e percezioni di un'altra cultura rappresenta il valore aggiunto di *Obiettivo professione*, in quanto consente allo studente di acquisire strumenti, non solo linguistici, per la gestione e soluzione di possibili conflitti e incomprensioni interculturali, uno dei maggiori ostacoli al successo della comunicazione d'affari.

Il corso prevede una durata tra le 60 e le 90 ore di lezione.

Obiettivo professione comprende:

- **12 Unità** corredate da supporto audio; attività mirate allo sviluppo della consapevolezza interculturale, presenti nelle sezioni di **Cultura in azione**;
- **8 Report** che contengono prevalentemente approfondimenti tematici su tendenze del mondo degli affari italiano. I *Report* sono separati dalle unità, offrendo così sia allo studente che all'insegnante flessibilità contenutistica e materiale di lavoro aggiuntivo;
- **2 Workshop**, rispettivamente **Forme e Usi** e **Lessico**. In queste sezioni lo studente avrà modo di fare pratica delle strutture grammaticali e lessicali presentate nel corso, comodamente sotto la guida dell'insegnante in classe o autonomamente;
- **8 Testi** pensati come attività di lettura e comprensione legati a contenuti presenti nelle unità; come i *Report* si prestano a essere affrontati come flessibili attività di approfondimento per il lavoro guidato dall'insegnante e quello autonomo;
- **Trascrizioni** delle registrazioni audio;
- **Soluzioni** degli esercizi;
- **Glossario** in inglese della terminologia contenuta nelle Unità, nei *Report,* nei *Workshop* e nei *Testi*;
- **CD audio**, allegato al libro, contenente le registrazioni per le attività di comprensione orale.

Legenda

 Attività di ascolto

 Attività di lettura

 Attività di scrittura

 Attività orale

Quando nelle istruzioni degli esercizi si fa riferimento al "box colorato", si intende il box **Funzioni** azzurro.

Syllabus

UNITÀ	FUNZIONI	LESSICO E AREE TEMATICHE	GRAMMATICA
Unità 1 **Incontri d'affari** • Alla reception di una società	• Saluti • Registrazione alla reception • Presentarsi • Spiegare il motivo della visita • Fare lo spelling • Presentare due persone • Indicare la direzione • Invitare ad accomodarsi • Richiamare l'attenzione • Convenevoli • Scusarsi per il ritardo • Socializzare 1 • Offrire da bere	I titoli Il biglietto da visita **Cultura in azione** ▶▶▶ I livelli di formalità Espressioni con *essere* e *avere*	Titoli che terminano in -*re* Presente indicativo irregolare dei verbi *venire* e *stare* Preposizioni di tempo *da* e *per*
Unità 2 **Presentare il proprio lavoro** • La routine lavorativa • Dopo il lavoro, dopo lo studio	Parlare del proprio lavoro • Parlare della propria routine lavorativa • Presentare il proprio lavoro Parlare del tempo libero	Professioni, settori, compiti e mansioni Verbi standard e formali per parlare di compiti e mansioni 1 Attività del tempo libero 1 Niente / qualcosa di	Presente indicativo dei verbi regolari (forme e usi) Presente indicativo dei verbi irregolari *fare, andare, uscire, bere* Espressioni di frequenza (*sempre, spesso, raramente, qualche volta, a volte, ogni tanto, di solito, mai*)
Unità 3 **Socializzare** • La conversazione leggera • Al bar • In un locale • Al ristorante • Nel tempo libero	Al bar • offrire • ordinare • accettare / rifiutare cortesemente • pagare In un locale • richiamare l'attenzione • richiedere il tavolo prenotato • apprezzare cibi e piatti • chiedere consigli • chiedere la descrizione di un piatto Socializzare con clienti / colleghi 2 • parlare del tempo libero • mantenere in equilibrio la conversazione • riportare notizie • mostrare apprezzamento / interesse • esprimere gusti e preferenze • parlare di hobby / preferenze / interessi • parlare della famiglia • cominciare a parlare di affari Esprimere accordo e disaccordo	La conversazione leggera Il menù al bar L'aperitivo Drink e spuntini **Cultura in azione** ▶▶▶ Fare i complimenti La Puglia **Cultura in azione** ▶▶▶ I pranzi d'affari	Pronomi indiretti Verbi che richiedono il pronome indiretto (*piacere, interessare, andare, sembrare, stare bene / male, mancare, servire*) Struttura impersonale passivante *si* Possessivi

UNITÀ	FUNZIONI	LESSICO E AREE TEMATICHE	GRAMMATICA
Unità 4 **In hotel** • Prenotare una camera • Registrazione alla reception • Richieste e reclami in hotel e al ristorante	Prenotare una camera on-line Fare la registrazione alla reception • richiedere la camera prenotata • richiedere un documento d'identità • confermare il periodo di soggiorno • chiedere / dare informazioni • informarsi sugli orari • offrire / richiedere un servizio • chiedere informazioni Reclamare e richiedere cortesemente	Tipi di alloggio I servizi di un hotel Il materiale informativo di un hotel **Cultura in azione** ▶▶▶ La mancia	Presente indicativo dei verbi irregolari *rimanere, salire, dare, dire* Presente dei verbi servili *dovere, potere, volere*
Unità 5 **In viaggio** • In aereo • All'aeroporto • Gli impegni della settimana • Attività lavorative al passato	Fare il check-in all'aeroporto Prendere appuntamenti Al noleggio auto • dare il modulo / numero della prenotazione • controllare i dettagli della prenotazione • richiedere la patente di guida e un documento • confermare il mezzo di pagamento scelto Al duty-free • richiedere un articolo • chiedere il prezzo • assistere il cliente Richiedere informazioni Parlare di attività passate al lavoro	Attività del tempo libero 2 Viaggi ad alta quota Lessico per l'aeroporto L'ora, l'orario, i giorni della settimana, espressioni di tempo di routine Numeri ordinali Numeri cardinali Viaggi d'affari o videoconferenza? Lessico legato alle operazioni in aeroporto Compiti e mansioni al lavoro 2	Pronomi diretti e pronome partitivo *ne* Il passato prossimo (forme e usi) Interrogativi 1 Espressioni di tempo con il passato 1 Pronomi diretti e partitivo *ne* con il passato prossimo
Unità 6 **In città** • Le indicazioni stradali • In taxi	Chiedere e dare le indicazioni stradali Chiedere e dare informazioni su autobus e metropolitana Chiedere e dire quanto tempo è necessario	Luoghi pubblici Verbi per dare e chiedere indicazioni stradali Comuni espressioni di luogo Comportamenti alla guida **Cultura in azione** ▶▶▶ I regali d'affari	Preposizioni semplici e articolate 1 *Ci vuole / vogliono* Imperativo formale singolare *Lei* (forme e usi)
Unità 7 **Al telefono** • L'ascolto in una lingua straniera • Una comunicazione telefonica efficace • Strategie d'ascolto • Possiamo fissare la videoconferenza?	Al telefono • chiedere di parlare con un ufficio / con qualcuno • presentarsi • fare attendere in linea • rispondere positivamente • dire che il numero o l'interno è sbagliato • passare la persona desiderata • spiegare il motivo della telefonata • scusarsi e dare informazioni • chiedere il nome dell'interlocutore • chiedere di lasciare il messaggio • lasciare e prendere un messaggio	Verbi che si usano al telefono con i pronomi di cortesia *La* e *Le* Verbi per fissare un appuntamento	Pronomi combinati per *tu* e *Lei* Imperativo informale singolare *tu* (forme e usi) Imperativo *voi* I pronomi di cortesia *La* (diretto) e *Le* (indiretto) 1

UNITÀ	FUNZIONI	LESSICO E AREE TEMATICHE	GRAMMATICA

Unità 8
Le e-mail
• E-mail o telefonate?
• Scrivere e-mail
• Gradiremmo ricevere il catalogo
	Scrivere e-mail
	• saluti di apertura e di chiusura
	• formule per
	  · far riferimento a contatti precedenti e futuri
	  · spiegare il motivo della e-mail
	• richiedere
	• ringraziare
	• scusarsi
	• invitare
	• inviare documenti
	• sollecitare
		La netiquette e le e-mail
		Lessico della corrispondenza elettronica
		E-mail
		Lessico commerciale 1 e 2
		Verbi che si usano nella corri-spondenza con i pronomi di cortesia *La* e *Le*
		Appendice: modello di lettera italiana; modello di fax
			Pronomi di cortesia *La* (diretto) e *Le* (indiretto) 2
			Connettivi 1
			Futuro semplice (forme e usi)

Unità 9 **Fare presentazioni** • La struttura di una presentazione • Presentare un prodotto, un servizio	Presentarsi e introdurre l'argomento di una presentazione Organizzare la presentazione • organizzare la presentazione • menzionare il supporto visivo e le attrezzature tecniche • terminare una parte della presentazione • passare al punto / all' argomento successivo • introdurre un esempio • evidenziare un'idea • riassumere Concludere una presentazione e ringraziare Invitare a fare domande / fare domande / interrompere Presentare un servizio / prodotto / corso	La tecnica del volo Lessico delle presentazioni Lessico legato a prodotti e servizi Consigli tecnici per una presentazione	Nomi maschili che terminano in *-ma* Connettivi 2 Condizionale semplice (forme e usi) Pronomi relativi *che* e *cui*
Unità 10 **Riunioni** • Partecipare a riunioni • La riunione come luogo di negoziazione	In riunione • dare il benvenuto ai partecipanti • dichiarare l'obiettivo / presentare l'ordine del giorno • introdurre un relatore • nominare il segretario • iniziare la discussione • chiedere di intervenire • concludere un incontro Negoziare • esprimere opinioni • accordo / disaccordo / obiettare • fare una proposta • chiedere un chiarimento	Il bar agevola la "corporate identity" Lessico delle riunioni 1 e 2 Organizzare, convocare e gestire una riunione **Cultura in azione** ▶▶▶ Riunioni di lavoro in Italia	Connettivi 3, standard e formali Presente indicativo dei verbi irregolari *condurre* e *porre* Congiuntivo presente (forme e usi)
Unità 11 **Profilo aziendale 1** • Presentare un'azienda • Performance finanziaria aziendale • Bollettini finanziari	Presentare un'azienda • storia • sede e distribuzione • settore prodotti e servizi • posizione internazionale • filosofia aziendale e valori Descrivere la performance finanziaria aziendale Descrivere un grafico	Tipi di società Un profilo aziendale: Tiscali S.p.A. Lessico del profilo aziendale Lessico commerciale 3 Decimali e percentuali Numeri ordinali (1.000 -) Lessico per parlare di *trend* e *performance* aziendali Lessico per confrontare dati e cifre	Verbi con il doppio ausiliare nelle forme composte Preposizioni articolate 2 I comparativi di maggioranza e minoranza - aggettivi irregolari (*migliore, peggiore, maggiore, minore*) Interrogativi 2

UNITÀ	FUNZIONI	LESSICO E AREE TEMATICHE	GRAMMATICA
Unità 12 **Profilo aziendale 2** • Storia del marchio • Lavorare in team	Raccontare la storia di un marchio Parlare delle qualità personali al lavoro	Una fabbrica del design italiano: Alessi Il Piemonte L'organigramma Lessico delle funzioni aziendali Lessico delle qualità personali al lavoro **Cultura in azione** ▶▶▶ Gli stili manageriali Una leadership basata sul consenso	Imperfetto (forme e usi) Uso del passato prossimo e imperfetto Espressioni di tempo con il passato 2 *Stare* + gerundio

REPORT

Il business della tavola	**Il business della moda**
I marchi delle auto e delle moto	**Il business del turismo**
I distretti industriali	**Le fonti energetiche**
I mass-media	**Il design italiano**

WORKSHOP

Forme e usi	**Lessico**

TESTI

Le banche d'affari	**Beauty farm per manager e non solo**
L'avvocato d'affari	**Milano**
Le istituzioni in Italia	**Standard o burocratico?**
La Fiera di Milano	**Eventi di networking**

Presentarsi

 Lavorate in coppia e presentatevi.
Work in pairs and introduce yourselves.

> **mi chiamo** Paolo Alberti
> **sono** italiano, di Roma
> **abito** a Milano
> **sono** consulente aziendale

> **sono** Arianna Cari
> **sono** italiana, di Bologna
> **studio** scienze della comunicazione

- nome, cognome
- nazionalità
- città
- residenza
- professione
- corso di studi

Alla reception di una società

 Ascolta le conversazioni e abbina i biglietti da visita alle persone che parlano.
Listen to the dialogues and match the business cards below to the speakers.

 1

Alessi SpA

Dott.ssa Laura Benta
Direzione Comunicazione
e Relazioni Esterne

Via Privata Alessi, 6
28882 Crusinallo di Omegna (VB)
Tel.: 0323 868611

2

 tiscali.

Luca Bernardis
Responsabile commerciale

loc. Sa Illetta
SS 195, Km 2300
09122 Cagliari - Italy

3

Oldin&Partners

Andrew Jenkan
Avvocato

Berkeley Square
London
Email: andrewjenkan@op.com

A .... B .... C ....

> **SpA** o **S.p.A.** è la forma abbreviata
> per **Società per Azioni**.
> *Vedi unità **11**.*

Ascolta nuovamente i dialoghi e completa le frasi con le parole nel box.

Listen to the dialogues again and complete each sentence using the words in the box.

firmare	appuntamento	dica	subito	dello	si accomodi
	a dopo	incontrare	ArrivederLa	La ringrazio	

A

Receptionist	Buongiorno, mi _____.
Andrew	Buongiorno. Sono Andrew Jenkan _____ Studio legale Oldin.
	Ho un _____ con il dottor Ferri.
Receptionist	Un attimo, per favore. Scusi, come si scrive il Suo nome?
Andrew	J-e-n-k-a-n. (i lunga-empoli-napoli-kappa-ancona-napoli)
Receptionist	Grazie. Prego, ____ _____.
Andrew	Grazie.

B

Receptionist	Buongiorno. Prego.
Luca	Buongiorno. Sono Luca Bernardis della Tiscali.
	Devo _____ la dottoressa Carli.
Receptionist	Come, scusi? Può ripetere il Suo nome?
Luca	Si, Bernardis. Luca Bernardis.
Receptionist	Grazie. Vuole _____ il registro, per favore?
Luca	Certo.
Receptionist	Ecco il Suo pass. L'assistente della dottoressa Carli arriva _____.
	Da questa parte, prego.
Luca	_____ _____.

C

Architetto Borghi	Ah, buonasera dottoressa Benta. Come va?
Dottoressa Benta	Bene, grazie. E Lei, architetto?
Architetto Borghi	Bene, grazie. Sono qui per la conferenza.
Dottoressa Benta	Sì, certo. La sala conferenze è al primo piano.
Architetto Borghi	Sì, sì, grazie. A dopo.
Dottoressa Benta	Prego. _____ .
Architetto Borghi	Sì, ____ _____.

> In Italia la **stretta di mano** all'arrivo e quando si va via, è comune in tutti gli incontri d'affari.

Leggi ora i biglietti da visita nuovamente e indica il numero del biglietto dove mancano le informazioni della lista. Indica con una 'x' l'informazione contenuta in tutti i biglietti.

Now read the business cards again and write the card number with the missing information in the list. Insert 'x' for the information which is provided on all cards.

- intestazione — x
- nome e cognome —
- professione / ruolo aziendale —
- ufficio / dipartimento —

- indirizzo completo —
- indirizzo email —
- numero di telefono — *n. 2, n. 3*

Fare lo spelling

Scusi, come si scrive il Suo nome?

Lavorate in coppia. Chiedete a turno come si scrive il vostro nome e cognome.
Work in pairs. Take turns to ask how to spell each other's names.

Le lettere italiane

a	a	h	acca	q	qu
b	bi	i	i	r	erre
c	ci	l	elle	s	esse
d	di	m	emme	t	ti
e	e	n	enne	u	u
f	effe	o	o	v	vu/vi
g	gi	p	pi	z	zeta

Le lettere straniere

j	i lunga
k	kappa
w	doppia vu
x	ics
y	ipsilon

Osserva
In italiano, per scandire le parole, si usano i nomi di città, generalmente italiane.

Nomi di città
Ancona, Bologna, Como, Domodossola, Empoli, Firenze, Genova, Hotel, Imola, Livorno, Milano, Napoli, Otranto, Palermo, Quarto, Roma, Savona, Torino, Udine, Verona, Zara.

Lavorate in coppia. Preparate un dialogo secondo le indicazioni. Scegliete la situazione e utilizzate il linguaggio nel box colorato.
Dopo fate un role-play. A è il/la receptionist e B il visitatore.
Work in pairs. Prepare a dialogue following the instructions below. Choose the situation.
Then role-play the conversation using the language in the coloured box.
*Student **A** is the receptionist. Student **B** is the visitor.*

A - receptionist

- Saluta il visitatore.
  Welcome the visitor.

- Chiedi di ripetere il nome.
  Politely ask the visitor to repeat their name.

- Chiedi al visitatore di firmare il registro.
  Ask the visitor to sign the visitors' book.

- Consegna il pass.
  Hand over the badge.
  · Invita il visitatore a seguirti.
    Show the visitor the way.
  · Invita il visitatore ad accomodarsi.
    Ask him/her to take a seat.

B - visitatore

- Saluta il/la receptionist. Presentati e spiega il motivo della visita.
  Reply, introduce yourself and explain the purpose of your visit:
  · Incontro con il dottor Marchi
  · Riunione con il team dell'Ufficio Progettazione
  · Conferenza 'FAO'

- Ripeti il tuo nome.
  Repeat your name.

- Rispondi.
  Reply.

- Ringrazia il/la receptionist.
  Thank the receptionist.

saluti
greetings
- Buongiorno / Buonasera
- Arrivederci (formale/informale)
  ArrivederLa (formale per una sola persona)
- A dopo / Ci vediamo (formale/informale)

registrazione alla reception
sign in at reception
spiegare il motivo della visita
explaining the purpose of your visit
- Ho un appuntamento / una riunione
- Devo incontrare la dottoressa Carli
- Sono qui per la conferenza ...

chiedere al visitatore di firmare il registro
politely ask the visitor to sign the visitors' book
- Vuole firmare il registro, per favore? (formale)

consegnare il pass
handing over the badge
- Ecco il Suo pass.

indicare la direzione
showing the way
- Da questa parte, prego.

invitare ad accomodarsi
offering a seat
- Prego, si accomodi. (formale)

chiedere come si scrive una parola
asking how to spell a word
- Scusi (formale) / Scusa (informale), come si scrive ...?

presentarsi
introducing yourself
- Sono ... / Mi chiamo ...
- Sono dello Studio legale Oldin / della Tiscali / della Alessi

convenevoli
exchanging pleasantries
- Come va? / Come sta (formale) / stai? (informale)
- Bene. / Abbastanza bene. / Non c'è male, grazie. E Lei? / E tu?

formula di cortesia per mostrarsi disponibili
polite expression to show attention
- Sì, dica (formale). / Sì, prego.

formula di cortesia per richiamare l'attenzione
polite expression to draw attention
- Scusi (formale)
- Scusa (informale)

ringraziare / rispondere
thanking / replying
- La ringrazio (formale). / Ti ringrazio (informale).
- Prego, si figuri (formale). / Figurati (informale).

chiedere di precisare
checking and clarifying
- Come, scusi? Può ripetere, per favore? (formale)
- Come, scusa? Puoi ripetere, per favore? (informale)

turno di parola
turn-taking
- E Lei? / E tu?

- Come sta?
- Come stai?

presente irregolare stare	
io	sto
tu	stai
lui/lei/Lei	sta
noi	stiamo
voi	state
loro	stanno

"La domanda "Come va?", "Come sta?", è convenzionale:
non si risponde mai sinceramente, precisamente, diffusamente,
con dettagli clinici e personali." :-)
Galateo, Vizi e virtù del bon ton, Dweb

Cultura in azione ▶▶▶ *I livelli di formalità*

Possiamo darci del 'tu'?

Lavorate in coppia e rispondete alle domande.
Work in pairs and answer the questions.

1. Esiste una forma di cortesia simile al 'Lei' nella tua lingua?

2. Se sì, con chi la usi?
   • nell'ambiente di lavoro con il mio capo, con una persona più avanti nella carriera
   • con i colleghi
   • all'università con il mio professore
   • in generale con persone più grandi d'età, con una persona che incontro per la prima volta

Leggi il testo e indica se le affermazioni sono Vere o False.
Read the text and decide whether the following statements are True or False.

I Francesi usano *Vous*, i Tedeschi *Sie*, gli Inglesi e gli Americani semplicemente *you*. E gli Italiani?

Nell'ambiente di lavoro tra colleghi giovani si usa il 'tu' e, spesso, anche tra persone meno giovani che hanno frequenti rapporti di lavoro. Secondo le regole dell'etichetta aziendale, sono le persone più grandi d'età e più avanti nella carriera che invitano a darsi del 'tu'.

In Italia nelle aziende è molto frequente rivolgersi a un superiore o a una persona che si incontra per la prima volta con il titolo di dottore o dottoressa; o con il titolo professionale seguito a volte dal cognome. Con titoli professionali come avvocato, ingegnere, architetto, geometra, ragioniere e professore si usa sempre il 'Lei'. Generalmente nei biglietti da visita il titolo di dottore o dottoressa, o il titolo professionale, accompagna il ruolo aziendale.

In Italia il titolo di dottore è il titolo accademico di chi ha finito gli studi universitari e dei medici, naturalmente. Chi ha fatto il dottorato, all'estero conosciuto come PhD, riceve invece il titolo di dottore di ricerca.

	V	F
1. Il 'tu' si usa solo tra colleghi giovani.	☐	☐
2. Sono le persone meno giovani che invitano a darsi del 'tu'.	☐	☐
3. In Italia il titolo di dottore si usa nel mondo del lavoro.	☐	☐
4. Con il titolo di avvocato si usa il 'tu'.	☐	☐
5. Chi completa il dottorato riceve il titolo di dottore di ricerca.	☐	☐

In alcune situazioni formali che non richiedono necessariamente l'uso del titolo, è possibile usare il nome di persona con la forma 'Lei': Giovanna, come sta?

Forme e usi

Lo spelling dei titoli

Osserva l'uso dei titoli nel box e scegli la parola giusta per completare la spiegazione.

Note the use of titles in the box and choose the correct word to complete the explanation below.

1. Quando un titolo termina in **-re**,
   - se non è seguito dal cognome **perde / conserva** la **-e**.
   - se è seguito dal cognome **perde / conserva** la **-e**.
2. I titoli che terminano in **-re** sono di genere
   - **maschile / femminile**.

> Mi scusi, **dottore**.
> Mi scusi, **dottor** Biondi.
> Mi scusi, **dottoressa**.
> Mi scusi, **dottoressa** Verri.

Ora completa le frasi con i titoli nel box, facendo attenzione ai titoli che terminano in -re. In alcune frasi sono possibili più soluzioni.

Now fill in the gaps with the appropriate titles in the box. Note the titles ending in -re. In some sentences several combinations are possible.

ingegnere	ragioniere	~~dottore~~	professore	dottoressa	avvocato

1. ___Dottor___ Ricciardi? Si accomodi, prego.
2. Scusi _____, ho qui il bilancio dell'anno scorso.
3. L' _____ Forte ha ricevuto l'ordine del giorno della riunione?
4. La _____ Micheli non è in ufficio al momento.
5. _____ Valli, ecco la pratica.
6. Sa se il _____ Guidi è relatore alla conferenza?

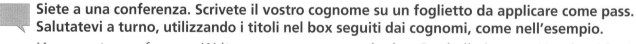

Siete a una conferenza. Scrivete il vostro cognome su un foglietto da applicare come pass. Salutatevi a turno, utilizzando i titoli nel box seguiti dai cognomi, come nell'esempio.

You are at a conference. Write your name on your badge. Say hello in turn. Use the titles in the box, as in the example.

A. Buongiorno / Buonasera, **dottor** Carli. Come va?

B. Bene, grazie e Lei, **professore**?

signor/signore	signora	dottor/dottore	dottoressa
professor/professore	professoressa	avvocato	ingegner/ingegnere
architetto	ragionier/ragioniere	presidente	consigliere	geometra

Socializzare

Lavorate in coppia e completate la griglia in base al livello di formalità (Lei / tu).
Work in pairs and complete the chart according to the degree of formality.

—— formale 'Lei' ——
Molto lieto / Piacere di conoscerLa
Sa?
Prende qualcosa da bere?
Le presento

—— informale 'tu' ——
Scusa
Molto lieto / Piacere di conoscerti
Come stai?
Parli italiano?
Sai?
Dimmi
Ti presento

 Ascolta i dialoghi tra Andrew Jenkan e il dottor Ferri, e tra Elena e Fabio. Indica il loro livello di formalità (Informale/Formale).
Listen to the following dialogues between Andrew Jenkan and dottor Ferri, and Elena and Fabio. Decide if the situation is informal or formal.

A. _____   B. _____

Ascolta nuovamente i dialoghi e dopo completa con le parole nel box.
Listen again and then fill in the gaps with the words in the box.

conoscerti	Molto lieto	sa	molto occupato	volo	Frequento	Come sta
Ti presento	Come stai	Abbastanza bene	Hai voglia	piacere	E studia anche	

A

Andrew	Buongiorno. Andrew Jenkan. _____ _____ Scusi, sono un po' in ritardo.
Dottor Ferri	Si figuri. Carlo Ferri. Molto lieto. _____ _____ ?
Andrew	Bene, grazie. E Lei?
Dottor Ferri	_____ _____ , grazie. Ah, ma Lei parla bene italiano!
Andrew	Grazie. _____ da alcuni anni corsi di italiano. Mi piace molto imparare le lingue.
Dottor Ferri	_____ _____ _____ altre lingue?
Andrew	No, purtroppo non ho tempo. Ma parlo un po' di russo… Ecco, questo è il mio biglietto da visita.
Dottor Ferri	Grazie. Come Lei _____ , siamo a buon punto con la pratica. Ha ricevuto gli ultimi aggiornamenti?

B

Fabio	Ciao Elena! Parliamo sempre al telefono, è un piacere _____ di persona!
Elena	Sì, anche per me. _____ _____?
Fabio	Bene, un po' stanco. Sono sempre _____ _____ . E tu? Com'è andato il _____?
Elena	Bene, grazie.
Fabio	_____ _____ di bere qualcosa?
Elena	Con _____.
Fabio	La riunione comincia alle 12.30. Abbiamo un po' di tempo. Sai che a maggio Rebecca Dixon diventa responsabile dell'ufficio di Milano?
Elena	Ma dai?! Dimmi!
Fabio	Sì... Ah, ecco Riccardo. ...Ciao Riccardo, sei di fretta? Vieni un momento? _____ _____ Elena.
Riccardo	Ah, molto lieto!
Elena	Ah, piacere di conoscerti!

responsabile / dirigente
la persona che svolge funzioni direttive all'interno di un'azienda, di una società.

• Vieni un momento?
Ti presento Elena

**presente irregolare
venire**

io	vengo
tu	vieni
lui/lei/Lei	viene
noi	veniamo
voi	venite
loro	vengono

Lavorate in coppia. Preparate un dialogo formale secondo le indicazioni, utilizzando il linguaggio nel box colorato. Dopo fate un role-play. A è il/la collega italiano/a e B il/la collega straniero/a.

Work in pairs. Prepare a formal dialogue following the instructions below. Then role-play the conversation using the language in the coloured box. Student A is the Italian colleague. B is the foreign colleague.

A - collega italiano/a

• Saluta il/la collega.
Welcome your colleague.

• Rispondi e chiedi com'è andato il volo.
Reply and ask what their flight was like.

• Complimentati per l'italiano.
Compliment them on their Italian.

• Chiedi da quanto tempo studia italiano e se parla altre lingue.
Ask how long he/she has been studying Italian for and if he/she speaks other languages.

• Offri qualcosa da bere.
Offer something to drink.

• Spiega il tuo ruolo all'interno dell'azienda. Sei il nuovo direttore commerciale.
Explain your role in the company. You are the new sales director.

• Ringrazia.
Thank them.

B - collega straniero/a

• Rispondi e scusati per il ritardo.
Reply and apologise for the delay.

• Rispondi che il volo è arrivato in ritardo.
Say that the flight was delayed.

• Rispondi al complimento.
Reply.

• Rispondi.
Reply.

• Accetta il drink.
Accept.

• Dai il tuo biglietto da visita.
Offer your business card.

presentare due persone
introducing two people
- Le presento (formale) / Ti presento (informale) …

dare il biglietto da visita
offering your business card
- Ecco, questo è il mio biglietto da visita.

scusarsi per il ritardo
apologising for the delay
- Scusi / Scusa, sono un po' in ritardo.

socializzare
socialising
- Lei parla / Tu parli italiano / altre lingue?
- Lei studia / Tu studi altre lingue? / Da quanto tempo studia / studi italiano?
- Lei dove abita / Tu dove abiti? Dove esattamente?
- Com'è andato il volo?

offrire qualcosa da bere
offering a drink
- Lei prende / Tu prendi qualcosa da bere?
- Lei ha / Tu hai voglia di bere qualcosa?

formula di cortesia quando si incontra qualcuno di persona per la prima volta
expressing pleasure at meeting someone in person for the first time
- Molto lieto/a / È un piacere conoscerLa (formale) / È un piacere conoscerti (informale).

rispondere
replying
- Si figuri. / Figurati.

rispondere
replying
- Solo un po'. / Sì, abbastanza. / Sì, parlo anche … / No, purtroppo parlo solo …
- Frequento un corso di … da … / Ho frequentato un corso di italiano per …
- Abito a … / in centro / in periferia / fuori città
- Bene. / C'è stato un po' di ritardo. / È arrivato in orario.

accettare / rifiutare
accepting / declining
- Sì, grazie. Con piacere / volentieri. / No, grazie.

Lessico

Espressioni con *essere* e *avere*

Osserva alcune espressioni con *essere* e *avere*.
*Look at some expressions with **essere** and **avere**.*

- Scusi, **sono** un po' **in ritardo**.
- Come Lei sa, **siamo a buon punto** con la pratica.
- **Hai voglia** di bere qualcosa?
- Ciao Riccardo, **sei di fretta**?

essere	avere
• in orario / in ritardo / in anticipo	• voglia di
• d'accordo con	• bisogno di
• di buon / di cattivo umore	• ragione / torto*
• indietro / avanti / a buon punto con	• intenzione di
• di fretta	• fretta
	* avere ragione / torto = *to be right / wrong*

Sottolinea ora nell'esercizio qui sotto l'espressione giusta tra le due proposte.
Now underline the correct expression to complete the sentences below.

a. Sì, Marco, hai ~~torto~~ / <u>ragione</u>. Aspettiamo il rientro di Paola.

b. Bene. Allora, siamo tutti d'accordo?

a. Buonasera, avvocato. La riunione è appena cominciata. Prego, si accomodi.

b. Mi dispiace per il ritardo. Ma l'aereo non è partito in ritardo / orario.

a. Sono arrivato prima questa volta.

b. Ah, anche Laura e Francesco sono in anticipo / orario.

a. A che punto siete con i lavori?

b. Tutto bene, siamo indietro / a buon punto. Finiamo certamente entro le 8.00.

a. Il capo oggi è di buon / cattivo umore.

b. Eh, certo, ha avuto la promozione…

Forme e usi

Le preposizioni di tempo *da* e *per*

> • **Frequento** un corso di italiano **da** sei mesi.

Osserva l'uso delle preposizioni di tempo *da* e *per* negli esempi del box e sottolinea la risposta esatta. In un caso, entrambe le risposte sono corrette.
Note the use of time prepositions da *and* per *in the box and underline the correct answer. In one case, both answers are correct.*

1. Frequento un corso d'italiano **da sei mesi**.

   sei mesi fa   ora

2. Mi trasferisco nella sede di Roma **per un anno**.

   ora   per un anno

3. Ho lavorato nell'ufficio di Milano **per sei mesi**.

   per sei mesi   ora

- **Esempio 1**   La preposizione di tempo **da** si riferisce a un'azione di tempo
  finita nel passato / cominciata nel passato e che continua nel presente.

- **Esempio 1**   La preposizione di tempo **da** richiede il tempo presente / passato prossimo.

- **Esempio 2**   La preposizione di tempo **per** si riferisce a un'azione di tempo limitata e definita
  nel futuro / cominciata nel passato e che continua nel presente.

- **Esempio 3**   La preposizione di tempo **per** si riferisce a un'azione di tempo limitata e definita
  nel passato / cominciata nel passato e che continua nel presente.

- **Esempio 2 e 3** La preposizione di tempo **per** richiede il tempo presente / passato prossimo.

Completa le frasi con la preposizione corretta *da* o *per*.
Complete the sentences with the correct preposition da *or* per.

1. Ho fatto il pendolare __*per*__ sei anni.

   Faccio il pendolare __*da*__ sei anni.

2. _____ quanto tempo hai abitato all'estero?

3. Siamo stati una società leader nel settore _____ 15 anni.

4. Mi sono trasferita nella sede di New York. Lavoro qui già _____ 3 mesi.

5. Non vado in vacanza _____ molto tempo.

Presentare il proprio lavoro

Professioni

 Lavorate in coppia e rispondete alle domande.
Work in pairs and answer the questions.

Di che cosa ti occupi?

Faccio il / la / lo / l'... /
Sono ... / Lavoro come ... /
Mi occupo di pubblicità /...

Che lavoro ti piacerebbe svolgere?

Mi piacerebbe fare il / la / lo / l' ... /
Mi piacerebbe essere ...

avvocato	commercialista	banchiere	biologo
agente di commercio	giornalista	fotografo	ragioniere
ballerino/a	musicista	agente immobiliare	costruttore
architetto	pittore / pittrice	pubblicitario	addetto stampa
scrittore / scrittrice	docente / insegnante	agricoltore / viticoltore	
ingegnere	medico	programmatore	altro ...?
attore /attrice	stilista	funzionario	

Settori

Ora abbina alcune delle professioni del box ai seguenti settori.
Now match some of the professions in the box to the sectors below.

marketing	*pubblicitario*	umanitario	....
vendite	....	diplomatico	....
relazioni pubbliche	....	media	*giornalista*
design	*architetto*	finanziario	....
moda	....	immobiliare / edile	....
import / export	....	legale	*avvocato*
assicurativo	....	informatico	....
telecomunicazioni	*ingegnere*	editoriale	*scrittore*
chimico	....	altro ...?	....

Compiti e mansioni

Completa le due colonne con i compiti che trovi interessanti o meno interessanti al lavoro.
Fill in the appropriate column with the tasks you find engaging or less engaging at work.

leggere relazioni / email / giornali di settore	**organizzare** eventi
redigere / stendere / scrivere relazioni / documenti / contratti	**finalizzare** accordi
gestire / coordinare gruppi di colleghi / portafoglio clienti / risorse finanziarie / progetti	**selezionare** articoli / prodotti / immagini
fare contabilità	**socializzare / andare** fuori con i clienti
preparare bilanci	**fare** presentazioni
prendere appuntamenti	**fare** ricerca
partecipare a riunioni / conferenze / convegni	**aggiornare** banche dati
fornire stime / consulenza / prodotti	**eseguire** progetti
	valutare opportunità / rischi / rendimenti
	altro ...?

—— interessante ——

—— meno interessante ——

Ora lavorate in coppia e discutete.
Now work in pairs and discuss.

Per me è interessante / meno interessante gestire gruppi di colleghi ...

Trovo interessante / meno interessante stendere relazioni ...

Lessico

Scrivi il verbo standard che trovi nel box accanto all'equivalente formale sottolineato.
Write the standard verb from the box next to the underlined formal equivalent.

	dare	fare	fare	scrivere	avere	

1. Svolgere / _____ un lavoro impegnativo.

2. Ottenere / _____ un finanziamento.

3. Eseguire / _____ un progetto interessante.

4. Redigere / _____ relazioni.

5. Fornire / _____ informazioni dettagliate.

Paola
Massimo

track 4

Ascolta prima la descrizione del lavoro di Paola e indica se le affermazioni sono Vere o False.
First listen to the description of Paola's job and decide whether the following statements are True or False.

Dopo ascolta la descrizione del lavoro di Massimo e indica se le affermazioni sono Vere o False.
Then listen to the description of Massimo's job and decide whether the following statements are True or False.

Paola

		V	F
1.	Mi chiamo Paola. Sono francese di origine italiana.	☒	☐
2.	Nel mio lavoro coordino gruppi di colleghi.	☐	☐
3.	Abito a Parigi.	☐	☐

Massimo

4.	Ho 36 anni.	☐	☐
5.	Il mio compito è fare ricerca su Internet sulle leggi di settore.	☐	☐
6.	Nel tempo libero suono il piano.	☐	☐

Ascolta ora la descrizione del lavoro di Paola più volte e completa il testo con i verbi nel box.

Now listen to Paola's description of her job a few times and complete the text with the verbs in the box.

| svolgo | frequento | gestisco | trascorro | offriamo | fornisce | mi occupo |

Mi chiamo Paola e sono francese di origine italiana. Sono venditrice per una società americana di informazione che _____ dati economici e notizie finanziarie. _____ questo servizio principalmente ai professionisti del settore finanziario. La nostra sede centrale è a New York. _____ di vendita: _____ il portafoglio clienti in Italia, Svizzera, Francia e Spagna. Tra i nostri clienti abbiamo molte grandi banche di affari. Lavoro a stretto contatto con i trader per migliorare l'uso del nostro sistema. _____ un lavoro molto interessante che dà la possibilità di imparare cose nuove ogni giorno. Vivo a Londra, ma _____ molto tempo all'estero. Infatti viaggio spesso per lavoro.

Nel tempo libero, per rilassarmi, _____ un corso di yoga, vado in piscina o esco con gli amici.

> Il termine **trader** equivale all'italiano operatore di borsa, operatore finanziario. Il trader si occupa di operazioni di compravendita di titoli.

 Ascolta ora la descrizione del lavoro di Massimo più volte e completa il testo con le parole nel box.

Now listen to Massimo's description of his job a few times and complete the text with the words in the box.

| requisiti | funzionario | decisioni | aggiornamento | leggi |

Mi chiamo Massimo e ho 36 anni. Lavoro a Roma come _____ per il Governo italiano. Nel mio lavoro mi occupo di valutare i _____ di legge per ottenere i fondi della Comunità Europea. Arrivo in ufficio alle 9.00 e discuto con il mio capo in riunione sulle _____ da prendere. Il mio compito è fare ricerca su Internet sulle _____ di settore e di solito comunico telefonicamente con gli uffici legali per verificare dati e informazioni. A volte partecipo a corsi di _____ fuori sede.

Nel tempo libero suono la chitarra jazz e faccio sport. Mi piace andare al cinema. Qualche volta, la sera, con gli amici beviamo qualcosa fuori o, se resto a casa, navigo un po' su Internet.

Forme e usi

Il presente dei verbi regolari

> • **Trascorro** molto tempo all'estero.
> • La nostra società **fornisce** notizie finanziarie.
> • **Gestisco** il portafoglio clienti in Italia.

Completa la tabella con alcune forme dei verbi al presente che trovi nella descrizione del lavoro di Paola. Dopo completala con i verbi nel box.

Fill in the table with some verbs from Paola's job description in the present tense form. Then complete the table with the verbs in the box.

	FREQUENT-ARE	SVOLG-ERE	OFFR-IRE	FORN-IRE (-isc-)
io				fornisco
tu				
lui/lei/Lei	frequenta	svolge		
noi				forniamo
voi	frequentate		offrite	
loro		svolgono		

offro	frequenti	offre	svolgi	fornite	svolgiamo	frequentiamo
offri	fornisci	forniscono	offrono	frequentano	svolgete	

- Nei verbi in -care, -gare (es. cercare, pagare) occorre inserire una 'h' alla seconda persona singolare e alla prima persona plurale. Es.: tu cer**h**i, noi cer**h**iamo.

- Nei verbi in -ciare, -giare, -sciare e -gliare (es. cominciare, viaggiare, lasciare, sbagliare), la 'i' della radice e quella della desinenza si uniscono. Per questo la seconda persona singolare e la prima persona plurale hanno solo una 'i'. Es.: viaggiare → io viaggio, ma tu viaggi, noi viaggiamo.

Gli usi del presente

L'**indicativo presente** si usa per:

- un'azione abituale   **Arrivo** in ufficio alle 9.00.

- un'azione che avviene nel momento in cui si parla   Dove **vai**? **Vai** alla riunione?

- un'azione cominciata nel passato e che continua nel presente   **Frequento** un corso d'italiano da 6 mesi.

- un'azione futura   Domani **parto** per Milano.

Alcuni verbi irregolari al presente

> • Nel tempo libero **vado** in piscina o **esco** con gli amici.
> • Qualche volta con gli amici **beviamo** qualcosa fuori.
> • **Faccio** sport.

Osserva alcuni verbi irregolari al presente che hai incontrato nell'unità.

Note some irregular present tense verbs that you have found in this unit.

	FARE	ANDARE	USCIRE	BERE
io	faccio	vado	esco	bevo
tu	fai	vai	esci	bevi
lui/lei/Lei	fa	va	esce	beve
noi	facciamo	andiamo	usciamo	beviamo
voi	fate	andate	uscite	bevete
loro	fanno	vanno	escono	bevono

Riassumi il testo di Paola e di Massimo alla terza persona singolare del presente.

Write a summary about Paola's and Massimo's text using the 3rd person singular.

Paola **è** francese di origine italiana. _____
_____
_____
_____
_____
_____
_____
_____

Massimo **ha** 36 anni. _____
_____
_____
_____
_____
_____
_____
_____
_____

Prima coniuga i verbi tra parentesi nella colonna A. Poi abbina le frasi della colonna A a quelle della colonna B.

First conjugate the verbs in brackets in column A. Then match column A to column B.

A

1. In ufficio (io - bere) _____ solo un caffè, e tu?

2. Allora, (noi - fare) _____ prima la riunione e dopo la pausa?

3. Stasera Cristina e Alberto (uscire) _____ con i nuovi clienti: (andare) _____ alla mostra e dopo al ristorante.

4. A che ora (tu - fare) _____ la presentazione?

B

a. E verso che ora vanno via?

b. Prima la pausa, grazie.

c. Prima delle 12.00, ma ti faccio sapere meglio domani.

d. Io invece 3…

Le espressioni di frequenza

Osserva l'ordine delle espressioni di frequenza.
Il loro significato può essere neutro o marcato.

Partecipo **sempre/spesso/raramente** a corsi di aggiornamento (neutro).
Partecipo a corsi di aggiornamento **raramente** (marcato).

Qualche volta/A volte/Ogni tanto/Di solito comunico telefonicamente con gli uffici legali (neutro).
Comunico telefonicamente con gli uffici legali **ogni tanto** (marcato).

Non viaggio **mai** per lavoro (neutro).
Non viaggio per lavoro **mai** (marcato).

Ordina ora le espressioni di frequenza nel box.
Now put the expressions of frequency in the box in order.

~~sempre~~
ogni tanto / a volte / qualche volta
raramente
generalmente / di solito
spesso
~~non... mai~~

1. *sempre* _____
2. _____
3. _____
4. _____
5. _____
6. *non... mai* _____

Nel mio lavoro

Scegli una professione o pensa alla tua professione. Completa il grafico con i compiti e le mansioni al lavoro e le espressioni di frequenza.

Choose a profession or use your own and complete the chart with its day-to-day tasks and expressions of frequency.

• *Generalmente faccio ricerca. / Spesso organizzo appuntamenti.*

Presentazione

Ora lavorate in gruppo. Siete in un corso di formazione per presentare il vostro lavoro a un gruppo di nuovi assunti. A turno fate una breve presentazione in base al testo che avete appena preparato. Seguite le indicazioni. Per il linguaggio delle presentazioni e lo schema andate all'Unità 9.

Now work in groups. You are going to introduce your work to a group of new employees on a training course. In turn make a brief presentation based on the text you have just prepared, looking at the items below. For the language of presentations and its structure see Unit 9.

• nome, cognome
• settore
• professione
• società / azienda
• compiti e mansioni

1. Buongiorno / Buonasera _____

2. Sono _____

3. Mi occupo di _____

4. Oggi vorrei presentare / parlare di _____

5. Prima / dopo / infine _____

6. Vi ringrazio per l'attenzione.

Dopo l'ufficio, dopo lo studio

> • Frequento un corso di yoga.
> • Suono la chitarra jazz.

 Lavorate in coppia. Intervistate una o più persone sul tempo libero e prendete nota delle risposte. Poi riferite alla classe.

Work in pairs. Ask each other about your spare time activities and take notes. Then report it to the class.

> Che cosa fai dopo il lavoro / dopo lo studio / nel tempo libero?

> **Una volta alla settimana** frequento un corso di italiano.

• navigare su Internet	
• frequentare un corso d'italiano / fotografia /...	
• visitare mostre	
• andare a concerti	
• uscire con gli amici	
• scrivere blog	
• leggere romanzi	
• andare fuori con i colleghi	
• fare volontariato	
• fare spese	
• praticare sport	
• non fare niente di speciale	
• altro ...?	

"Il blog è un mezzo importante per esprimersi e condividere contenuti ed è sempre più centrale nell'interazione e nella comunicazione tra le persone."
Luca Conti, esperto di social media

(non) fare	niente / qualcosa	di	interessante / speciale / particolare

a. No, sabato non faccio niente di speciale. Mi riposo e vado in palestra.

b. E tu cosa fai questo fine settimana? Qualcosa di particolare?

c. Beh, sì, rivedo degli amici dopo tanti anni. Ci siamo ritrovati attraverso Internet. E tu?

b. No, non faccio niente di interessante: relax assoluto.

La conversazione leggera

 **Prima leggi il testo e dopo discuti in gruppo.**
First read the text and then work in groups and discuss.

> La conversazione leggera o, come la chiamano gli anglo-sassoni, lo *small talk*, nel mondo degli affari permette di socializzare, di costruire un rapporto con il collega, il capo, il cliente, l'investitore. In un locale, al ristorante, per esempio durante un pranzo d'affari, gli argomenti dello *small talk* sono generalmente neutri: tempo libero e interessi, sport, viaggi e vacanze, il tempo e l'attualità.

Tempo libero / interessi
sport
viaggi e vacanze
il tempo
attualità
famiglia
lavoro
cultura /arte
dipende da ...
altro ...?

- Quali sono gli argomenti di cui parli di solito con colleghi / clienti quando vai fuori?
- Nel tuo Paese ci sono argomenti tabù nello small talk?

Al lavoro dove pranzi?

Lavorate in coppia e rispondete alle domande.
Work in pairs and answer the questions.

a. Al lavoro dove pranzi?

b. In genere in ufficio e qualche volta al self-service dell'azienda.

Al lavoro, dove pranzi?	Pranzo in ufficio / al self-service dell'azienda / al ristorante / alla tavola calda...
Che cucina preferisci?	Mi piace / Preferisco la cucina ...
Che cosa bevi a tavola?	Bevo solo ... / Non bevo bevande alcoliche a pranzo.
Fai uno spuntino durante la giornata?	Prendo un tramezzino / una fetta di torta / ...
Prendi un drink prima di cena?	Sì, prendo un aperitivo con / senza stuzzichini ...

Al bar

Ascolta il dialogo una prima volta. La dottoressa Biasi e l'ingegner Hernandez sono al bar. Prendono qualcosa in piedi o al tavolo?

Listen to the dialogue once. Dottoressa Biasi and Ingegner Hernandez are at the bar. Are they having something standing or at the table?

• _____

Ascolta il dialogo una seconda volta e sottolinea la parola corretta.

Listen to the dialogue again and underline the correct word.

1. Allora, ingegnere, che cosa gradisci / <u>gradisce</u>?

2. Vuole / Vuoi anche qualcosa di / da mangiare?

3. Sa / Sai, in questo bar sono molto buone.

4. Scusa / Scusi, signora.

5. Deve / Devi fare lo scontrino alla cassa, per favore.

Funzioni

Ora vai a pagina 229, leggi il dialogo e trova le espressioni corrispondenti alle funzioni.

Now go to page 229, read the dialogue and find the sentences matching the functions.

funzioni	espressioni
offrire	_____
ordinare	_____
accettare	_____
rifiutare cortesemente	_____
chiedere cortesemente	_____
pagare	_____

Lavorate in gruppo. Siete al bar. Praticate le espressioni per offrire e ordinare. Usate la lista qui sotto.

Work in groups. You are at the bar. Practise the expressions to offer and order in a bar. Use the list below.

caffetteria

Espresso
Caffè americano
Caffè macchiato
Caffè corretto
Decaffeinato
Cappuccino
Cioccolata
Tè

paste e piccola pasticceria

Cornetto alla marmellata
Paste al cioccolato
Pasticcini alla crema

gelati

in cono / in coppetta
alla fragola / alla vaniglia / alla nocciola

frullati

frutti di bosco / mela / pera

granite

al limone / al caffè con panna

tramezzini

Tonno e uova
Spinaci e formaggio fresco
Salmone e rucola

panini

Prosciutto e formaggio
Insalata e pomodori
Verdure grigliate e mozzarella

bibite

Spremute

aperitivi

Negroni / Campari / Martini

birre

alla spina / in lattina / in bottiglia
Nastro Azzurro
Leffe

L'aperitivo

Leggi il testo e completa i box con le informazioni sull'aperitivo.
*Read the text and complete the boxes with the information about **l'aperitivo**.*

È una bevanda, ma soprattutto un rito per finire la giornata o per iniziare la serata, dopo il lavoro o l'università. L'aperitivo è un momento d'incontro per socializzare in una vineria, in un caffè storico o in un locale alla moda, spesso con musica dal vivo. Ci si ritrova con amici o con colleghi, o con clienti per incontri di lavoro un po' più informali. In queste occasioni, un bicchiere di vino o un cocktail, analcolico o alcolico, è solitamente accompagnato da stuzzichini come pizzette, tartine, taglieri di salumi, formaggi, frittate, insalate e verdure. Generalmente gli Italiani preferiscono accompagnare il bere al 'buon cibo'.

Un rito simile ha una lunga tradizione. Nel passato intellettuali, uomini politici o viaggiatori s'incontravano nei caffè alla moda di città come Milano, Torino, Firenze, Venezia, Roma e Napoli per discutere di politica e cultura con un bicchiere di vermouth. Ma è nelle grandi città del Nord d'Italia, in particolare a Milano e a Torino, che, tra il 1980 e il 1990, l'aperitivo diventa un vero fenomeno di tendenza con l'*happy hour*. E la tradizione continua.

che cos'è?		con chi?

quando?		con che cosa?

dove?

Lessico

 Lavorate in gruppo. Ecco alcuni stuzzichini e aperitivi italiani. Classificate gli stuzzichini secondo la tabella.

Work in groups. Here are some Italian canapés and drinks. Classify the canapés according to the table below.

da bere	*da mangiare*
Rossini *fragola e spumante*	Crostini con paté di olive nere
Bellini *pesca e spumante*	Involtini di prosciutto crudo e caprino
Mimosa *arancia e spumante*	Pomodorini ripieni
Brachetto d'Acqui	Quadratini di polenta e funghi
Spumante Demi-Sec	Focaccine con crema di piselli
Prosecco di Conegliano Valdobbiadene D.O.C.	Tortini di pesce e patate

menù vegetariano	menù non vegetariano	non so

- E tu cosa prenderesti?

  Ordinerei _____

In un locale

 Ascolta il dialogo tra Julie e Chiara una prima volta e prendi nota di quello che riesci a comprendere.

Listen to the dialogue between Julie and Chiara once and take some notes on what is said.

 Ascolta il dialogo ancora una volta e rispondi alle domande.

Listen to the dialogue again and answer the questions.

1. Che cosa prendono da bere Julie e Chiara?
   ....
   ....

2. Che cosa prendono da mangiare?
   ....
   ....

3. Com'è il tempo a Londra?
   ....
   ....

4. Perché Chiara va meno in palestra?
   ....
   ....

5. Dov'è stata Julie recentemente? E che cosa ha fatto?
   ....
   ....

6. Perché Julie studia spagnolo? E da quanto tempo lo studia?
   ....
   ....

track 6 **Riascolta ora il dialogo e completa le frasi nella tabella.**
Now listen to the dialogue again and complete the table below.

sembrano davvero buoni	consiglia	~~prenotato per due~~	dimmi	sentito dire che

come	che tempo	vero	una piacevole serata

richiedere il tavolo prenotato	• Ho un tavolo *prenotato per due*. Rocchi.
apprezzare cose da mangiare / piatti	• Gli stuzzichini _____ _____ _____.
chiedere consigli	• Ci _____ qualcosa in particolare?
chiedere la descrizione di un piatto	• _____ sono i pomodorini ripieni?
	• Non c'è carne, _____?
parlare del tempo	• Ma _____ _____ fa a Londra?
mantenere in equilibrio la conversazione	• Ma _____, tu vai sempre in palestra?
riportare notizie	• Ho _____ _____ _____ è una zona fantastica per il trekking.
mostrare apprezzamento	• Senti, volevo dirti che ieri è stata davvero _____ _____ _____.

Gwendolen: La prego di non parlarmi del tempo, signor Worthing. Ogni volta che qualcuno mi parla del tempo ho la certezza che intenda dire qualcos'altro.

L'Importanza di chiamarsi Ernest, Oscar Wilde

Conversare con clienti / colleghi
Socialising with clients / colleagues

parlare del tempo
talking about the weather
- Che tempo fa? / Com'è il tempo?
- È bello / brutto / Il tempo è incerto / Piove / Nevica / C'è il sole / C'è nebbia / C'è vento / Grandina / C'è il ghiaccio

parlare del tempo libero
talking about spare-time
- Va / vai sempre in palestra la mattina?
- Che sport pratica / pratichi?
- Fa / Fai qualche corso?

riportare notizie
reporting news
- Ho letto / Ho visto su Internet / Ho sentito dire che ...

apprezzare cose da mangiare / locali
praising food / venues
- Gli stuzzichini sembrano davvero buoni / invitanti. I pomodorini sono squisiti.
- Il vino è ottimo / delicato.
- Questo locale / caffè / bar / ristorante è famoso / rinomato per...

mantenere in equilibrio la conversazione
keeping the conversation balanced
- E Lei? / tu?
- E Lei c'è stato/a? / E tu ci sei stato/a?
- Mi dica ... / Dimmi ...
- Davvero?

mostrare interesse
showing interest
- Bene! / Che buona idea! / Interessante!

mostrare apprezzamento
showing appreciation
- È stata davvero una piacevole serata!

Cultura in azione ▶▶▶ *Fare i complimenti*

• Come sei elegante!

Nella cultura italiana fare i complimenti a una persona, anche di sesso opposto, dimostra attenzione e cortesia.
I complimenti discreti sono una forma di gentilezza molto gradita e fanno spesso parte dei convenevoli.

E nella tua cultura, fare i complimenti a persone dello stesso sesso / di sesso opposto:

	sì	no
• è gradito / fa piacere?	☐	☐
• è una forma di cortesia?	☐	☐
• fa parte dei convenevoli?	☐	☐
• dà fastidio / è imbarazzante?	☐	☐
• stupisce?	☐	☐
• è sconveniente?	☐	☐
• è politicamente scorretto?	☐	☐
• altro …?	☐	☐

Cosa dici in queste situazioni?
Utilizza il linguaggio nei box colorati presenti nell'unità per formare le frasi.

What would you say in these situations?
Use the language in the coloured boxes of the unit to make up sentences.

1. Sei appena arrivato in un locale con tre clienti. La tua assistente ha già prenotato il tavolo a tuo nome. Richiedi il tavolo prenotato.	
2. Sei da solo/a al ristorante. Non conosci alcuni piatti del menù.	
3. Vuoi consigliare un piatto / una specialità del tuo Paese / un locale della tua città al tuo / alla tua collega.	

formula di cortesia per richiamare l'attenzione
polite expression to draw attention
- Senta (formale) / Senti (informale), per favore.

richiedere il tavolo prenotato
requesting the table booked
- Ho un tavolo prenotato per due / ... (persone).

indicare il tavolo
showing the customer/the customers to the table
- Sì, prego da questa parte / si accomodi / si accomodino.

chiedere consigli / dare consigli sul menù
asking for and giving advice on the menu
- Mi / Ci consiglia qualcosa in particolare?
- Che cosa mi / ci consiglia?
- Io Le / ti / Vi consiglio i quadratini di polenta e funghi.

chiedere / dare la descrizione di un piatto
asking for and giving the description of a dish
- Com'è questo piatto? / Come sono i pomodorini ripieni?
- C'è carne? / Non c'è carne, vero?
- È con / senza ...
- È preparato con ...

Al ristorante

 Ascolta il dialogo tra Alberto e Dieter e indica se le affermazioni sono Vere o False.
Ascolta il dialogo between Alberto e Dieter and decide whether the following statements are True or False.

	V	F
1. Il Salice del Salento non si accompagna all'antipasto.	☐	☒
2. Dieter è stato una sola volta in Puglia.	☐	☐
3. Alberto dice che i piatti pugliesi sono squisiti.	☐	☐
4. Alberto non s'intende di vini.	☐	☐
5. Nel tempo libero Alberto visita le cantine venete.	☐	☐
6. Al momento il mercato è un po' fermo.	☐	☐

Osserva
- Il Salice del Salento **si sposa** molto bene con il vostro antipasto.
- I rosati in generale **si sposano** con gli antipasti.

La struttura impersonale passivante si usa per un soggetto impersonale e generico.
È usata per dare suggerimenti, ordini e istruzioni, ed esprimere abitudini di natura generale.
Vedi workshop **Forme e usi**, p. 178

Ascolta il dialogo nuovamente e completa le frasi con le parole mancanti.
Listen to the dialogue again and complete the sentences with the missing words.

parlare di interessi	• Lei, quindi, _____ _____ di vini?
apprezzare località	• Sì, a me e a mia moglie _____ molto questa regione … e la sua cucina, naturalmente.
	• Beh, la Puglia è una regione _____, c'è un mare _____ e si mangia davvero bene.
cominciare a parlare d'affari	• Allora, come vanno gli _____ ? Il mercato, come Le sembra al momento?
	• Mah, al momento mi sembra un po' _____. Ma ci sono segni di _____.

> ### Osserva l'uso degli aggettivi possessivi
> • Sono stato diverse volte in Puglia con **la mia** famiglia.
> • A me e a **mia moglie** piace molto questa regione … e **la sua cucina**, naturalmente.
> • **I miei figli** sono stati con gli amici alle Isole Tremiti.
> *Vedi workshop* **Forme e usi**, pp. 178-179

Nel tempo libero

E Lei fa sport?

 Leggi il dialogo tra Anne Clement e Piero Giordani durante un pranzo d'affari.
Completalo con le frasi mancanti.
Read the dialogue between Anne Clement and Piero Giordani at a business lunch.
Complete it with the missing sentences.

Certamente, molto volentieri. Appena in ufficio, Le mando qualche buon indirizzo di scuole di vela in Italia. E Lei fa sport?

Beh, anche da voi in Francia! Lei e la Sua famiglia viaggiate spesso?

1 Ah, e dove siete stati?

No, ma so che è bellissima. Infatti vorrei andarci. Sa, sono un appassionato di vela e con la barca mi piacerebbe fare un giro dell'isola.

Piero	Ha visitato altri posti in Italia?
Anne	Eh, sì. A me e alla mia famiglia piace molto l'Italia.
Piero	*1*
Anne	Ultimamente siamo ritornati in Sicilia.
Piero	In Sicilia? Beh, ci sono molti luoghi interessanti da visitare.
Anne	Sì, infatti, l'anno scorso siamo stati all'Isola di Pantelleria. C'è mai stato?
Piero	

Anne	Allora, Le chiedo qualche consiglio per la prossima estate. A mio marito e ai miei figli piacerebbe fare un corso di vela in Italia.
Piero	
Anne	No, non sono una sportiva, confesso. M'interessa molto l'arte. E in Italia c'è l'imbarazzo della scelta!
Piero	
Anne	Sì, soprattutto in Europa al momento.

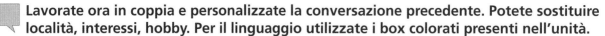

Lavorate ora in coppia e personalizzate la conversazione precedente. Potete sostituire località, interessi, hobby. Per il linguaggio utilizzate i box colorati presenti nell'unità.

Now work in pairs and personalise the conversation from the previous exercise. You can replace locations, interests, hobbies. Use the language in the coloured boxes of the unit.

Conversare con clienti / colleghi
Socialising with clients /colleagues

esprimere gusti e preferenze
expressing likes and dislikes

- Mi piace ... / piacciono ... /
  Mi interessa ... / interessano ...
- Amo / Adoro ...
- Preferisco...

parlare di hobby / interessi
talking about hobbies / interests

- E Lei si intende / E tu ti intendi di vini ... / di ...?

parlare della famiglia
talking about family

- (Non) Sono sposato/a.
- Ho / abbiamo ... figlio / ... figli
- Il/La più grande / Il/La più piccolo/a ha ... anni
- Mio figlio / mia figlia studia ... /
  I miei / I nostri figli studiano ...
- Mio marito / Mia moglie ...
- Il mio compagno / La mia compagna ...
- I miei genitori ...

apprezzare località
praising locations

- È una località interessante / da visitare /
  incantevole / di interesse storico / paesaggistico.
- Bellissimo paese!/ Bellissima regione!
- Ottime specialità locali.

accordo nella conversazione
agreement

- Sì, certo. / Infatti.

creare coesione
involving

- Come Lei sa, ... / Come tu sai, ...

premessa ad una risposta
fillers

- Beh, ... / Mah, ... (*Well*)

Cominciare a parlare d'affari
Starting to talk about business

- Come vanno gli affari?
- Bene / Non molto bene.
- Come Le / ti sembra il mercato al momento?
- Il mercato / settore è in crescita / statico / in crisi. / Ci sono segni di miglioramento / di ripresa.

La Puglia

La Puglia è una regione dell'Italia meridionale. Confina a sud con il Mar Ionio e a est e nord con il Mar Adriatico. Comprende le province di Bari, il capoluogo della regione, Barletta, Andria, Trani, Brindisi, Lecce, Foggia e Taranto.

La posizione geografica, le discrete infrastrutture e la solidità dei rapporti culturali con il bacino del Mediterraneo rendono la Puglia una regione con buone potenzialità economiche. In Puglia ci sono diversi distretti produttivi che riguardano vari settori dell'economia, come ad esempio, l'arredo, il lapideo, le energie sostenibili e la meccanica. Quest'ultima con i suoi 67.000 circa addetti rappresenta il principale settore industriale della Regione.

La maggior parte delle industrie si trova nel triangolo Bari - Brindisi - Taranto. A Bari hanno sede grandi e importanti manifestazioni fieristiche come la Fiera Campionaria internazionale, Agrilevante ed Edil Levante – che possono contare su oltre 2.000 espositori e più di 700.000 visitatori – ed Expolevante, Fiera internazionale del tempo libero, che è la maggiore rassegna di questo settore in Italia.

L'agricoltura e la pesca rivestono un ruolo importante e permettono alla regione di essere ai primi posti in Italia per la produzione di molti prodotti.

In Puglia il turismo è un settore in forte espansione. Tra i luoghi naturali di grande bellezza troviamo a nord il Parco nazionale del Gargano e le Isole Tremiti, e a sud, le coste del Salento, nella zona di Lecce. Lecce è rinomata per la raffinata architettura barocca che ritroviamo nei Palazzi di Martina Franca, piccola cittadina della Valle D'Itria. È qui che si trova Alberobello, famosa in tutto il mondo per le sue caratteristiche abitazioni, i trulli, sito dell'UNESCO. Anche Castel del Monte, elegante castello di architettura gotica, è un sito dell'UNESCO. La Basilica di San Nicola a Bari e la Cattedrale di Trani sono invece splendidi esempi del romanico pugliese.

adattato da: www.pugliaimprese.it
www.sudnews.it

Lavorate in gruppo. Leggete le frasi del dialogo tra Alberto e Dieter e osservate la tabella dei pronomi indiretti.

Work in groups. Read the sentences from the dialogue between Alberto and Dieter and look at the table with the indirect pronouns.

1. **Mi piacciono** molto i vini pugliesi.
2. **A me** e **a mia moglie** piace molto questa regione.
3. E poi **ai ragazzi**, … **a loro** piace il mare.
4. **Mi interessano** i vini veneti.

Forme e usi

I pronomi indiretti

- I pronomi indiretti si usano per sostituire una persona o una cosa con verbi che richiedono la preposizione **a** come ad esempio, *piacere* e *interessare*.

- Con verbi come *piacere* e *interessare* si usa il verbo alla terza persona singolare, se il soggetto è singolare; alla terza persona plurale, se il soggetto è plurale.

- Il significato dei pronomi indiretti è marcato, quando è preceduto dalla preposizione **a**.
  Questi pronomi, infatti, si usano in una situazione di contrasto o risalto.

- Generalmente i pronomi indiretti precedono il verbo. Con i verbi servili i pronomi indiretti possono precedere il verbo servile o possono unirsi all'infinito che perde la -**e** finale.
  Es. **Le** posso mostrare il percorso sulla cartina. / Posso **mostrarLe** il percorso sulla cartina.

marcato	neutro		
a me a te a lui / a lei / a Lei	mi ti gli / le / Le	piace / interessa	la Puglia / la sua cucina / il mare
a noi a voi a loro	ci vi gli	piacciono / interessano	i vini veneti

Ora completate gli esempi.

Now complete the examples.

1. - **Mi piace** questa regione.
   - _____ _____ i vini pugliesi.

2. - **A me** e **a mia moglie** piace molto la Puglia.
   - Ai ragazzi ... _____ _____ piace il mare.

> **Osserva**
> - **Non** mi piacciono i vini fruttati.
> - A me **non** piacciono i vini fruttati.

Ecco alcuni verbi che richiedono il pronome indiretto e che hanno una struttura simile a *piacere* e *interessare*:

- va / vanno (avere voglia di)
  1. Le va un caffè?
  2. Ti vanno degli stuzzichini vegetariani?

- sembra / sembrano
  1. Come Le sembra il ristorante, signora?
  2. I progetti mi sembrano interessanti.

- sta / stanno
  1. Quest'abito da sera Le sta veramente bene.
  2. Questi orecchini ti stanno bene.

- manca / mancano
  1. Scusi, mi manca il tovagliolo.
  2. Scusi, ci mancano le posate.

- serve / servono
  1. Scusi, mi serve un'informazione.
  2. Scusi, Le serve la ricevuta fiscale?

Trasforma il pronome marcato tra parentesi nell'equivalente neutro.

Change the stressed pronoun in brackets into the unstressed form.

1. (a te) _____ va di bere qualcosa?
2. Non (a lei) _____ interessano i social network.
3. (a voi) _____ piace il locale?
4. Il menù (a noi) _____ sembra abbastanza vario.
5. Lo small talk (a lui) _____ sembra sempre noioso.

> • **Mi piacciono** molto i vini pugliesi.
> • Ah, **anche a me.**

Esprimere accordo / disaccordo con verbi con il pronome indiretto

accordo
- Mi piacciono molto i vini pugliesi.
- Anche a me.

- Non mi piace fare sport.
- Neanche a me.

disaccordo
- Mi interessano i social network.
- A me no.

- Non mi interessa l'arte contemporanea.
- A me sì.

Mi piace, non mi piace

Lavorate in coppia. Scrivete nei fumetti i vostri gusti e preferenze e confrontate le risposte.

Work in pairs. Write your likes and dislikes in the bubbles and compare your answers.

i social network	fare carriera	il fai-da-te / bricolage	l'Opera
la chirurgia estetica	l'idea di lavorare in Italia		le auto italiane
i viaggi organizzati	smartphone / iPhone / iPad e simili		
i pranzi d'affari	discutere di politica	il mio capo	altro ...?

Mi piace / Mi interessa

Non mi piace / Non mi interessa

Mi piacciono / Mi interessano

Non mi piacciono / Non mi interessano

Cultura in azione ▶▶▶ *I pranzi d'affari*

Lavorate in coppia e rispondete alle domande.
Work in pairs and answer the questions.

1. A che ora bevi il cappuccino?
2. Preferisci mangiare la pizza a pranzo o a cena?
3. Mangi la pasta con la carne?
4. Metti il parmigiano sui piatti di pesce?
5. Compri fiaschi o bottiglie di vino?
6. Nei tuoi piatti: aglio sì o aglio no?
7. Sai preparare una buona bruschetta?

"Dopo le 10.00 il cappuccino è immorale"

Leggi ora il testo e indica se le affermazioni sono Vere o False.
Now read the text and decide whether the following statements are True or False.

> L'alimentazione italiana è regolata da norme che noi diamo per scontate, e non lo sono [...]. Prendete il cappuccino: dopo le dieci del mattino è immorale (forse anche illegale). Al pomeriggio è insolito, ma se fa freddo è accettabile; dopo pranzo, invece, è da Americani. La pizza a mezzogiorno è roba da studenti. Il risotto con la carne è perfetto; la pasta con la carne, imbarazzante (ma va bene se è dentro il sugo) [...]. Il parmigiano sulle vongole è blasfemo [...]. I fiaschi di vino sono da turisti [...]. Infine l'aglio: come l'eleganza, dev'esserci ma non si deve notare. Le bruschette che offrono in alcuni ristoranti italiani all'estero, in Italia porterebbero alla scomunica.
>
> *adattato da "La testa degli Italiani" di Beppe Severgnini*

	V	F
1. Agli Americani non piace bere il cappuccino nel pomeriggio.	☐	☐
2. È tipico degli studenti mangiare la pizza a mezzogiorno.	☐	☐
3. È preferibile mangiare la carne con il riso piuttosto che con la pasta.	☐	☐
4. Si deve sempre mettere il formaggio sul pesce.	☐	☐
5. I fiaschi di vino sono da turisti.	☐	☐
6. Il sapore dell'aglio deve essere discreto.	☐	☐
7. Le bruschette di alcuni ristoranti all'estero sono gustosissime.	☐	☐

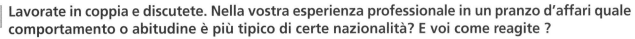

Lavorate in coppia e discutete. Nella vostra esperienza professionale in un pranzo d'affari quale comportamento o abitudine è più tipico di certe nazionalità? E voi come reagite ?

Work in pairs and discuss. Which behaviour/habit is more typical of certain nationalities at a business meal? Complete the box below with your opinions.

creano un rapporto più personale

passano molto tempo a tavola

sono più formali / meno formali

conversano più di ...

apprezzano il senso dell'umorismo

non bevono alcolici

si concedono qualche bicchiere in più

hanno un regime alimentare particolare

sono più silenziosi

altro ...?

A. *Nella mia esperienza professionale, gli Italiani passano molto tempo a tavola. E questo (non) mi dà fastidio.*
B. *Sì, sono d'accordo. / No, non sono d'accordo. / Per me questo è solo uno stereotipo.*

	comportamento / abitudine	mi stupisce / mi imbarazza / mi diverte / mi dà fastidio / mi è indifferente	qualche volta è solo uno stereotipo
Americani			
Arabi			
Cinesi			
Finlandesi			
Giapponesi			
Indiani			
Inglesi			
Italiani			
Russi			
Tedeschi			
...			

I servizi in un hotel

 Lavorate in coppia e rispondete alle domande.
Work in pairs and answer the questions.

a.   Quando viaggi, che tipo di sistemazione preferisci?

b.   Preferisco stare / alloggiare in un / una … Preferisco un / una …

hotel / albergo	villaggio turistico	appartamento / casa in affitto	campeggio
agriturismo	pensione / B&B	sistemazione in famiglia	altro …?

Ora fate una classifica delle cinque caratteristiche e servizi che per voi sono più importanti in un albergo.
Now list five hotel facilities which are the most important for you.

a.   Quando viaggi per affari o per piacere, come deve essere un hotel per i tuoi gusti?

b.   Per me, un hotel deve essere **prima di tutto** centrale … /
     poi deve avere la connessione Wi.Fi. Ma la cassetta di sicurezza non è essenziale …

1.   _____

2.   _____

3.   _____

4.   _____

5.   _____

l'hotel deve avere…

il servizio navetta	la sala conferenze	il Fitness Center con la piscina, la sauna, la palestra e il bagno turco
l'assistenza per richieste floreali	le sale per riunioni con supporto multimediale	il servizio in camera 24 ore su 24
la cassetta di sicurezza	la connessione Internet ad alta-velocità / connessione Wi.Fi.	il parrucchiere
il salone di bellezza con trattamenti estetici e abbronzanti	il servizio di lavanderia	il servizio baby-sitter
il servizio prenotazioni per teatri, concerti e eventi sportivi	il garage custodito	il servizio di posta e spedizione

l'hotel deve essere…

ben arredato	pulitissimo	centrale
accogliente	ben organizzato	ben collegato

Prenotare una camera

Hotel Town House 70

 Leggi il testo e dopo trova i sinonimi delle parole sottolineate.
Read the text and then find the synonyms of the words underlined.

L'Hotel Town House 70 è il posto giusto dove stare sia per affari che per piacere.

Le nostre suite <u>arredate</u> con gusto sono tutte dotate di zona soggiorno, camere e ampi spazi per soddisfare il viaggiatore più raffinato.

Questo suite hotel comprende 26 junior suite, 16 camere doppie standard e 4 singole, 1 suite e 21 Camere Superior.

Un ambiente unico e gradevolmente arredato con colori naturali e ogni comfort.
Tutte le camere sono perfettamente <u>insonorizzate</u> per il relax e la concentrazione sul lavoro.

Tutte le camere sono dotate di:

- linea telefonica e <u>accesso</u> a Internet ad alta-velocità
- aria condizionata e climatizzatore regolabile
- TV con schermo LCD che trasmette canali satellitari e pay-tv
- mini bar e cassetta di sicurezza in camera

I bagni, spaziosi e confortevoli, comprendono:

- ampia doccia e <u>lavandino</u>
- accappatoi, <u>asciugacapelli</u>, prese per rasoi, specchio per <u>trucco</u> e un'ampia gamma di set di cortesia.

adattato da: www.townhouse.it

Le sale riunioni **sono dotate di / hanno** supporto multimediale.

1. arredate   a. lavabo

2. insonorizzate   b. make-up

3. accesso   c. fon

4. lavandino   d. isolate acusticamente

5. asciugacapelli   e. ammobiliate

6. trucco   f. connessione

La tua casa editrice è presente al Salone del Libro di Torino. Tu sei il/la responsabile delle vendite e hai diversi incontri a Torino. Devi prenotare una camera per quattro notti. Completa la scheda di prenotazione online a seconda delle tue esigenze.

The publishing company you work for exhibits at the Salone del libro in Turin. You are the sales executive and you have several meetings in Turin. You need to book a room for four nights. Complete the booking form below according to your needs.

Alcune Fiere importanti in Italia

Fiera di Milano

Borsa Mediterranea del Turismo, Napoli

Salone Internazionale del Gusto, Torino

Biennale Internazionale dell'Antiquariato, Firenze

Fiera del Levante, Bari

Salone Nautico Internazionale, Genova

Pitti Immagine, Firenze

---

1. DISPONIBILITÀ/PREZZO	2. INDICE DI PRENOTAZIONE	3. GARANZIE	4. CONFERMA FINALE

TOWN HOUSE

Valuta [ECC – Euro]

Descrizione camera	Tipo di camera	Preferenze letti	Prezzi notte 1	Data di arrivo			Numero di notti	Numero di adulti	Numero di bambini	Ora di arrivo	Non fumatori
Camera 1			142 EUR								
Camera 2											
Camera 3											

Prezzo per notte (Camera 1) : I 142 I

Best Available Rate

Verificare la disponibilità

Commenti :

Informazioni personali (** non obbligatorio)		Prezzo totale		Caratteristiche della camera
Titolo	[Signor]	Camera 1	142 EUR	**Double**
Cognome		Camera 2		--------------------
Nome		Camera 3		Aria condizionata
Azienda **				Sveglia
Indirizzo				Servizio baby sitter
Codice postale				Accappatoio
				Prima colazione inclusa
				Film TV via cavo
				Linea telefonica diretta
				Rilevatore elettronico di fumo
Città		**TOTALE**	**142 EUR**	Asciugacapelli
Provincia/stato **		Prezzo: Tasse/servizio inclusi		Accesso Internet
		Prima colazione inclusa		Servizio lavanderia
				Frigobar
Paese				Pay TV
				Cassaforte
e-mail		**Continuare**		TV satellitare
				Asciugacapelli (su richiesta)
Telefono				Scrivania
Fax **				Accesso Internet ad alta velocità

Comfortable modern room with private bathroom, flat screen TV and free high speed Internet access

Ascolta il dialogo tra Julie, responsabile delle vendite di una casa editrice australiana, e la receptionist di un hotel a Torino. Segna 'J' per le parole dette da Julie e 'R' per quelle dette dalla receptionist.

Listen to the dialogue between Julie, the sales executive at an Australian publishing company, and the receptionist at a hotel in Turin. Write 'J' for Julie and 'R' for the receptionist.

1. camera singola   _J_

2. prenotazione   ____

3. modulo   ____

4. informazioni   ____

5. colazione   ____

6. bagagli   ____

7. ascensore   ____

Ascolta di nuovo il dialogo e metti in ordine le risposte di Julie.

Listen to the dialogue again and put Julie's answers in the correct order.

1. Buongiorno.

3. Sì, bene. ... Può darmi un documento e la carta di credito, per favore?

5. Conferma la prenotazione dal primo al 3 incluso?

7. Bene. Può compilare il modulo di accettazione e firmarlo? Grazie.

9. Sì, dica, prego.

11. La palestra apre alle 5.00 la mattina e chiude alle 10.00 la sera.

13. Al secondo piano.

15. Certamente. Il servizio in camera è disponibile 24 ore su 24.

17. Certo signora. La camera dà sul parco, come ha richiesto. Vuole qualcuno per aiutarLa con i bagagli?

19. Se può attendere, viene subito qualcuno.

21. Ecco la chiave. La camera è la numero 88 al quarto piano.

23. In fondo a sinistra, prego.

2. Buongiorno. Sono Julie Jones. Ho prenotato una camera singola per tre notti.

___ Grazie. Senta, posso avere la colazione in camera domani mattina? Sarebbe possibile alle 7.00? Sa, devo andar via verso le 7.30.

16. Benissimo. È stata prenotata una camera con vista sul parco, vero?

10. A che ora apre la palestra? E a che ora chiude?

20. Certamente.

___ Grazie. Scusi, mi dice, per favore, dov'è l'ascensore?

___ Sì, ecco.

8. Certamente. Senta, scusi, posso avere alcune informazioni?

18. Sì, grazie.

12. E dove si trova?

___ Sì, rimango fino a giovedì 3. Lascio la camera alle 8.00.

24. Grazie.

Funzioni

Rileggi il dialogo tra Julie e la receptionist. Dopo abbina le funzioni nella colonna A alle frasi nella colonna B.

Read the dialogue between Julie and the receptionist again. Then match the functions in co-lumn A to the sentences in column B.

A. funzioni	B. frasi
1. richiedere la camera prenotata	a. A che ora apre la palestra? E a che ora chiude?
2. richiedere un documento di identità	b. Ho prenotato una camera singola per tre notti.
3. confermare il periodo di soggiorno	c. Senta, posso avere la colazione in camera domani mattina?
4. chiedere informazioni	d. Può darmi un documento e la carta di credito, per favore?
5. informarsi sugli orari	e. Vuole qualcuno per aiutarLa con i bagagli?
6. richiedere un servizio in camera	f. Senta, scusi, posso avere alcune informazioni?
7. offrire un servizio	g. Rimango fino a giovedì 3.

 Lavorate in coppia. Preparate il dialogo secondo le indicazioni.

Work in pairs. Prepare this dialogue following the instructions.

a. Buonasera, prego.

b. *(Saluta. Presentati e richiedi la camera doppia per tre notti che hai prenotato.)*

a. Sì, certo. Posso avere un documento, per favore?

b. *(Consegna il passaporto.)*

a. La ringrazio. Conferma la prenotazione fino a giovedì 3 settembre?

b. *(Conferma e ringrazia.)*

a. Prego. Può compilare il modulo di accettazione e firmarlo, per favore?

b. *(Conferma, ringrazia e chiedi se la camera ha la vista sul lago.)*

a. Sì, certamente, come richiesto. In cos'altro posso esserLe utile?

b. *(Ringrazia. Chiedi l'orario del Centro benessere.)*

a. Il centro benessere è aperto dalle 6.00 alle 23.00, orario continuato.

b. *(Ringrazia.)*

a. Ecco a Lei la chiave. La camera è la numero 102. Buona serata.

b. Grazie. ArrivederLa e buona serata anche a Lei.

Ora personalizzate il dialogo con il linguaggio nel box colorato e fate il role-play. Potete sostituire richieste di servizi e informazioni.

Now personalise the dialogue using the language in the coloured box and use it for a role-play. You can replace requests for facilities and information.

registrazione alla reception di un hotel
hotel check-in

- Ho prenotato una camera singola / doppia per ... notti.
- Ha un documento di identità? / Può darmi un documento di identità?
- Conferma la prenotazione dal 4 / dall'8 al 10 / all'11?
- Può compilare il modulo di accettazione e firmarlo, per favore?
- Ecco la chiave. La camera è al primo / ... piano.

informarsi sugli orari
asking for and giving opening / closing times

- A che ora apre / chiude ...?
  Alle 9.00 / all'1.30 / a mezzogiorno / a mezzanotte.

offrire un servizio
offering a service

- Vuole qualcuno per aiutarLa con i bagagli?
- Vuole prenotare il ristorante / la cena / il teatro ...?

richiedere un servizio
requesting a service

- Scusi, posso avere la colazione in camera alle ... / il servizio sveglia alle ...
- Vorrei prenotare un tavolo per la cena / dei biglietti per il teatro ...

chiedere informazioni
asking for information

- Senta, scusi, posso avere alcune informazioni / vorrei un'informazione.
- Scusi, mi dice dov'è ...
- Scusi, mi dice se c'è / ci sono ...

Forme e usi

I verbi irregolari *rimanere, salire, dare, dire*

Ecco alcuni verbi irregolari al presente che hai incontrato nell'unità.

Note some irregular present tense verbs that you have found in this unit.

	RIMANERE	SALIRE	DARE	DIRE
io	rimango	salgo	do	dico
tu	rimani	sali	dai	dici
lui/lei/Lei	rimane	sale	dà	dice
noi	rimaniamo	saliamo	diamo	diciamo
voi	rimanete	salite	date	dite
loro	rimangono	salgono	danno	dicono

- **Rimango** fino a giovedì.
- La camera **dà** sul parco.
- Scusi, mi **dice** per favore dov'è l'ascensore?

Completa ora le frasi con i verbi nel box.
Now complete the sentences with the verbs in the box.

dicono	sale	rimanete	dà

1. Se mi _____ il Suo numero, La richiamo tra qualche minuto.
2. Eva e Laura _____ che la pensione è molto bella e ha una bellissima vista sul lago.
3. Se tu e Marco _____ a Milano per il fine settimana, possiamo andare in montagna tutti insieme.
4. L'ascensore _____ solo fino al 3° piano. C'è un guasto. Stiamo aspettando il tecnico.

Cultura in azione ▶▶▶ *La mancia*

Lavorate in coppia e rispondete alle domande.
Work in pairs and answer the questions.

1. Nel vostro Paese la mancia si dà sempre?
2. Nella vostra esperienza, in quali Paesi la mancia è d'obbligo? In quali un gesto scortese? E in quali un'abitudine recente?
3. Quando viaggiate date sempre la mancia?
4. A chi date generalmente la mancia? Al cameriere, al parcheggiatore, al guardarobiere, al tassista, al fattorino, al benzinaio, al portiere d'albergo?

La mancia in Italia

Leggi ora il testo sulla mancia in Italia. Dopo abbina i Paesi alle loro abitudini sulla mancia.
Now read the text and then match the countries to their tipping practices.

Da un sondaggio risulta che la mancia è un gesto abituale soltanto per un italiano su tre, ed è un'usanza più diffusa al Centro e al Sud che non al Nord. "In Italia non c'è la cultura della mancia. – sostiene Enzo Vizzari, direttore delle Guide dell'Espresso – Gli Italiani non vivono la mancia come un obbligo, come una necessità."

La mancia è oggi una delle abitudini meno globalizzate, ma le cose stanno cambiando. Mancia come dovere o mancia come optional? Al cameriere, al parcheggiatore, al guardarobiere, al tassista, al fattorino, al benzinaio, al portiere d'albergo: la mancia dovrebbe essere un segno di apprezzamento per il servizio ricevuto, ma da molti consumatori è vissuta come un gesto che aiuta a ottenere privilegi e favori. Per altri invece è un segno di civiltà, però da usare con moderazione.

adattato da: www.repubblica.it

La mancia nel mondo

In Cina   Negli Stati Uniti e in Canada   In Giappone

Nei Paesi arabi   In Australia e in Nuova Zelanda   In India

1. _____, la mancia può essere vista come un'offesa. Ma nelle località più alla moda come Sydney, per esempio, e negli hotel più di lusso è diventata una consuetudine.

2. _____, prima delle Olimpiadi del 2008, le mance erano rare. Ora sono a discrezione del cliente.

3. _____, al portiere dell'albergo si lasciano da 1 a 15 euro per servizi e richieste: da convertire in rupie, naturalmente.

4. _____, la mancia può essere del 15/20% al ristorante, del 15% per il taxi e per il portabagagli dell'hotel va da 1 dollaro a 5 dollari.

5. _____, la mancia è da evitare, perché è un gesto scortese.

6. _____, esiste il termine baksheesh, che significa donazione, ed è un'abitudine molto diffusa.

Richieste e reclami in hotel, al ristorante

Ascolta questi mini-dialoghi più volte e indica se si svolgono in un hotel o in un ristorante o in entrambi i luoghi.

Listen to these short conversations a few times and decide whether they take place in a hotel or in a restaurant or in both places.

1. _____ristorante_____
2. _____
3. _____
4. _____
5. _____
6. _____
7. _____
8. _____

fotografia di Michele d'Ottavio © tutti i diritti riservati

Ora completa i mini-dialoghi con le frasi nei box. In alcuni dialoghi sono possibili più risposte.

Now complete the short conversations with the sentences in the boxes. In some dialogues more than one answer is possible.

| Sì, certo, ricontrolliamo subito. | Ma certamente signore... | Controlliamo subito, signora. |

Oh, sono spiacente. Provvediamo subito signore.   Sì, però dovete attendere qualche minuto.

Guardi, abbiamo un tavolo disponibile per le 8.30. Va bene lo stesso?   Oh, scusi, non l'avevo vista.

Un attimo, arrivo subito, signore.

A

1. Scusi, il conto non è esatto.
   Non abbiamo ordinato l'insalata.
   Per cortesia, può ricontrollare?

2. Gentilmente, possiamo avere un tavolo
   vicino alla finestra?

3. Buongiorno, chiamo dalla stanza 84. La
   colazione in camera non è ancora arrivata.
   Per favore, può sollecitare il servizio?

4. Buonasera, vorrei prenotare un tavolo per
   quattro persone per sabato 15 alle 8.00.

5. Scusi, abbiamo ordinato da un po'.
   Dobbiamo attendere molto?

6. Mi scusi, il riscaldamento in camera non
   funziona e manca l'acqua calda nel
   bagno. Può mandare qualcuno
   a controllare? Grazie.

7. Mi scusi, non riesco a collegarmi
   a Internet dalla mia stanza.
   Ci deve essere un guasto.

8. Scusi, ero in fila prima di Lei.

B

Sì, certo, ricontrolliamo subito.

Classifica ora le frasi della colonna A secondo il loro uso.

Now classify the sentences from column A according to their use.

reclamare cortesemente

richiedere cortesemente

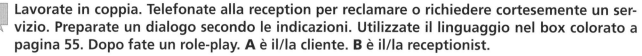

Lavorate in coppia. Telefonate alla reception per reclamare o richiedere cortesemente un servizio. Preparate un dialogo secondo le indicazioni. Utilizzate il linguaggio nel box colorato a pagina 55. Dopo fate un role-play. A è il/la cliente. B è il/la receptionist.

Work in pairs. Call reception to complain or politely make a request. Prepare a dialogue following the instructions below. Student A is the guest. Student B is the receptionist. Then role-play the conversation, using the language in the coloured box on page 55.

- Sei appena arrivato/a nella tua camera. Ti accorgi che il mini bar è vuoto.

- Siamo in piena estate e il climatizzatore della tua camera non funziona.

- Vuoi prenotare un tavolo per due persone per cena nel ristorante dell'albergo.

Forme e usi

Il presente dei verbi servili *potere, volere, dovere*

Rileggi le battute dei dialoghi 'Richieste e reclami in hotel, al ristorante' e inserisci nella tabella le forme al presente dei verbi *potere, volere* e *dovere*. Dopo completa la tabella con le forme mancanti nel box.

Read the sentences from the dialogues 'Richieste e reclami in hotel, al ristorante' again and add the present forms of the verbs potere, volere, *and* dovere *to the table. Then complete the table with the missing forms in the box.*

1. Scusi, il conto non è esatto. Non abbiamo ordinato l'insalata. Per cortesia, può ricontrollare?
   Sì, certo ricontrolliamo subito.

2. Per favore, possiamo avere un tavolo vicino alla finestra?
   Sì, però dovete attendere qualche minuto.

3. Buongiorno, chiamo dalla stanza 84. La colazione in camera non è ancora arrivata. Gentilmente, può sollecitare il servizio?
   Oh, sono spiacente. Provvediamo subito signore.

4. Buonasera, vorrei prenotare un tavolo per quattro persone per sabato 15 alle 8.00.
   Abbiamo un tavolo disponibile per le 8.30. Va bene lo stesso?

5. Scusi, abbiamo ordinato da un po'. Dobbiamo attendere molto?
   Un attimo, arrivo subito, signore.

6. Mi scusi, il riscaldamento in camera non funziona e manca l'acqua calda nel bagno. Può mandare qualcuno a controllare? Grazie.
   Ma certamente signore ...

7. Mi scusi, non riesco a collegarmi a Internet dalla mia stanza. Ci deve essere un guasto.
   Controlliamo subito signora.

8. Scusi, ero in fila prima di Lei.
   Oh, scusi, non l'avevo vista.

	POTERE	VOLERE	DOVERE
io			
tu			
lui/lei/Lei			
noi			
voi			
loro			

vogliono   potete   devi   posso   devono   vuole   possono   voglio
puoi   vuoi   volete   vogliamo   devo

Prima coniuga i verbi tra parentesi. Poi abbina le frasi della colonna A a quelle della colonna B.
First conjugate the verbs in brackets. Then match column A to column B.

A

1. (Lei / volere) _____ venire al ristorante con noi giovedì sera?

2. Chiara (dovere) _____ prenotare la camera entro oggi?

3. Simone, (volere) _____ discutere oggi quella questione?

B

a. Sì, ma prima (noi / dovere) _____ finire la relazione. Siamo un po' indietro.

b. Grazie, non (io / potere) _____. Ho già un altro impegno. Volentieri, la prossima volta.

c. No, (lei / potere) _____ prenotarla anche domani, ma non più tardi.

In aereo

 Lavorate in coppia e rispondete alle domande.
Work in pairs and answer the questions.

a.   Se viaggi in aereo, che cosa fai di solito durante il viaggio?

b.   Quando viaggio in aereo, di solito leggo il giornale / studio /...

Mi riposo	☐
Faccio uno spuntino	☐
Recupero le ore di sonno perdute	☐
Preparo email	☐
Leggo documenti	☐
Faccio telefonate di lavoro	☐
Leggo il giornale / una rivista / un libro	☐
Ascolto la musica	☐
Guardo un film	☐
Chiacchiero con il/la vicino/a	☐
Gioco con i videogiochi	☐
altro ...?	☐

Viaggi ad alta quota

 Completa il testo con le parole nel box. Quattro parole non sono corrette.
Now complete the text with the words from the box. Four words are not correct.

uomini

fastidiosa

soldi

maleducati

bagagli

recupera

sale

cucinare

cenare

perde

L'aereo è per molti manager una seconda casa. Gli _____ d'affari trascorrono in volo molte ore l'anno. Infatti hanno varie tessere "frequent flyer" e accumulano punti che, spesso, non riescono a usare per mancanza di tempo.

Ma cosa fanno i manager durante i loro lunghi viaggi di lavoro? Come molti passeggeri, c'è chi in aereo _____ le ore di sonno perdute, chi trova il tempo per pranzare o _____, chi prepara email o legge documenti e libri.

Per tutti i manager la cosa più _____ in assoluto in un viaggio di lavoro è il fattore "T" (tecnico). Per esempio, quando le porte dell'aereo non si aprono, quando si pensa ormai di essere arrivati e si deve aspettare. E c'è anche chi, come altri passeggeri, si lamenta dei vicini _____ che invadono gli spazi e sono particolarmente rumorosi.

In attesa del prossimo volo, molti manager trascorrono del tempo nelle VIP lounge: le _____ d'attesa, dove si può attendere l'imbarco in un ambiente confortevole, con la possibilità della connessione wireless. E senza essere circondati da valigie, gente che corre, bambini esasperanti.

adattato da: www.Ilsole24ore.com

In italiano il termine **manager** indica spesso posizioni di livello medio-alto. Equivale a **responsabile, dirigente, quadro, direttore**.

All'aeroporto

 Ascolta più volte il dialogo tra il dottor Volta e l'assistente di terra al check-in e segna solo le parole che senti.

Listen to the dialogue between dottor Volta and the check-in assistant a few times and tick only the words you hear being mentioned.

1. biglietto ☒
2. ritardo ☐
3. bagaglio ☐
4. neve ☐
5. posto ☐
6. finestrino ☐
7. prenotazione ☐
8. carta d'imbarco ☐
9. uscita ☐
10. cellulare ☐
11. viaggio ☐
12. informazione ☐

 Ascolta il dialogo tra il dottor Volta e l'assistente di terra nuovamente e completalo con le frasi nel box.

Listen to the dialogue between dottor Volta and the check-in assistant again and complete the sentences with the phrases in the boxes.

> l'imbarco comincia alle 12.30.   Buon viaggio.   Sì, certamente   Non si preoccupi
> Nel Suo bagaglio a mano   Biglietto e passaporto, prego.   a causa della nebbia.
> Sì, solo questa borsa.   vorrei un posto vicino al corridoio.   c'è un posto disponibile

Assistente	Buongiorno, signore. _____.
Dottor Volta	Buongiorno. Ecco, prego. Scusi, sono appena arrivato. Ho sentito che ci sono stati ritardi questa mattina _____.
Assistente	_____, signore, abbiamo avuto solo qualche leggero ritardo.
Dottor Volta	Ah, molto bene. Ho una riunione alle 3.00
Assistente	Ha preparato Lei le valigie?
Dottor Volta	_____, le ho preparate io.
Assistente	_____ c'è qualche oggetto vietato da questa lista?
Dottor Volta	No, nessuno.
Assistente	Ha solo un bagaglio a mano?
Dottor Volta	_____.
Assistente	Conferma un posto accanto al finestrino?
Dottor Volta	Mah …, se è possibile, _____.
Assistente	Un attimo che controllo … sì, _____.
Dottor Volta	La ringrazio.
Assistente	Bene, signore. Ecco la carta d'imbarco e l'invito per la lounge. L'uscita è la numero 45 e _____.
Dottor Volta	Grazie. Scusi, dov'è la lounge?
Assistente	Sì, guardi, passi il controllo. E la lounge è subito a destra.
Dottor Volta	Grazie.
Assistente	Prego. _____.

Funzioni

Ora abbina le richieste alle risposte corrispondenti.
Now match the requests to the corresponding answers.

a. No, nessuno.	b. Sì, signora. Ci sono problemi per il maltempo.
c. Ho solo un bagaglio a mano.	d. Subito a destra, signora.

e. ~~Mi dispiace, signora. Abbiamo solo un posto libero vicino al corridoio.~~

1. Posso avere un posto accanto al finestrino, per favore?

   Mi dispiace, signora. Abbiamo solo un posto libero vicino al corridoio.

2. Quante valigie ha, signore?

3. Qualcuno l'ha aiutata a preparare i bagagli?

4. Ho sentito che l'aereo porta ritardo.

5. Scusi, mi può dire dov'è la VIP lounge?

Gli impegni della settimana

- Ho una riunione alle 3.00
- Abbiamo una videoconferenza alle 17.00

- In contesti formali si usano l'ora e l'orario di 24 ore.
  L'aereo parte alle 23.10.

- Quando l'ora è espressa in 12 ore, spesso il momento della giornata è chiaro dal contesto.
  La riunione comincia alle 3.00.

- Se si vuole essere più precisi, si usano le espressioni come:
  · di / la mattina
  · di / il pomeriggio
  · di / la sera

- Il **1°** *(primo)* gennaio, febbraio, ...
- Il **2**, il **3**, il **4** gennaio, febbraio, ...
- L'**8**, l'**11** gennaio febbraio, ...

Vedi workshop **Lessico**, pp. 203-204

Completa la tua agenda con gli impegni più importanti della prossima settimana. Segui il modello del box.

Complete your diary with your most important engagements for next week, as the example in the box.

> **lunedì 7 marzo** *partenza per Roma alle 9.00 /pranzo alle 12.30 con il dottor Verri*
>
> **l'8 marzo** *riunione con team risorse umane dalle 9.00 alle 10.30 /workshop mercati emergenti dalle 15.30 alle 17.30*
>
> **il 9 marzo** *partenza da Roma all'1.05*

partenza   arrivo   cena   presentazione   riunione   pranzo
conferenza   videoconferenza   altro ...?

lunedì
_____
_____
_____

giovedì
_____
_____
_____

martedì
_____
_____
_____

venerdì
_____
_____
_____

mercoledì
_____
_____
_____

sabato
_____
_____
_____

domenica
_____
_____
_____

Prendere appuntamenti

Ora lavorate in coppia. Dovete organizzare un incontro / un pranzo / una cena di lavoro per la prossima settimana. Prendete appuntamento in base ai vostri impegni.

Now work in pairs. You have to arrange a business meeting / lunch / dinner for next week. Make an appointment according to your engagements.

È / Sei libero/a / disponibile ...?

No, purtroppo non posso. / Facciamo ... / Possiamo fare ...

Le / Ti va bene martedì ...

Dove ci vediamo?

A che ora ci vediamo?

Sì, va bene / d'accordo ...

Viaggio d'affari o videoconferenza?

Leggi il testo e dopo abbina il titolo al paragrafo.
Read the text and then match the heading to the paragraph.

videoconferenza   tensione   efficienza   socializzare   sondaggio

par. 1:

Secondo una ricerca condotta da Ipsos Mori e commissionata da una nota azienda nel campo della comunicazione visiva, gli uomini d'affari europei considerano, in generale, i viaggi di lavoro stressanti e un valido motivo per la riduzione della produttività. La società di ricerche ha intervistato un campione di 1400 uomini d'affari di sette Paesi europei: Italia, Gran Bretagna, Francia, Germania, Spagna, Svezia e Paesi Bassi. L'inchiesta ha rivelato alcuni dati interessanti.

par. 2:

Al primo posto nella classifica dei più stressati troviamo gli Italiani, l'81%, seguiti, ad una certa distanza, dagli Spagnoli. L'Italia supera la Germania e la Francia e, di molto, la media europea che è rappresentata dal 44%. La lontananza dalla famiglia, durante le trasferte, è considerata la maggiore causa di stress.

par. 3:

Gli Italiani, insieme con gli Inglesi, sono i manager che si sentono più stanchi dopo i viaggi di lavoro e meno attivi. Infatti, la produttività diminuisce nel 19% dei casi contro una media europea del 15%.

par. 4:

Il 69% del totale degli intervistati afferma che viaggiare permette di entrare in contatto con altre culture, di incontrare i colleghi, i clienti. Conoscerli di persona è considerato uno dei principali vantaggi di un viaggio di lavoro.

par. 5:

Le aziende, però, devono considerare l'impatto ambientale e i costi degli spostamenti. Un'alternativa ai viaggi di lavoro è la videocomunicazione. Secondo i manager inglesi, il 28% delle loro riunioni può svolgersi in videoconferenza.

adattato da: www.pmi.it

Lessico

Trova nel testo parole di significato contrario. Le parole sono in ordine di apparizione.

Find words of opposite meaning in the text. Words are in chronological order.

1. aumento   (par. 1)   _____

2. vicinanza   (par. 2)   _____

3. riposati   (par. 3)   _____

4. impedisce   (par. 4)   _____

5. svantaggi   (par. 4)   _____

Completa ora le frasi con le parole nel box.

Now complete the sentences with the words in the box.

riduzione	vantaggi	vicinanza	aumento	permette	svantaggi

1. Questo contratto offre molti _____, ma dobbiamo valutare attentamente gli _____.

2. L'_____ del numero di passeggeri _____ di fare previsioni positive.

3. Per la _____ dell'aeroporto alla città, il tragitto in taxi è abbastanza economico.

4. In questo primo trimestre abbiamo registrato una _____ nella vendita dei biglietti per questo percorso.

Ascolta i dialoghi più volte. Poi indica le parole chiave di ogni situazione.

Listen to the dialogues a few times. Then write the keywords for each situation.

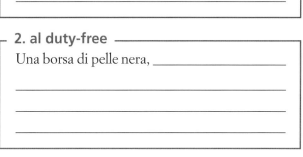

1. al noleggio auto
Un'Alfa Romeo, _____
_____
_____
_____

2. al duty-free
Una borsa di pelle nera, _____
_____
_____
_____

Lavorate in coppia. Prima provate ad abbinare le frasi della colonna A a quelle della colonna B. Dopo riascoltate i dialoghi e controllate le vostre risposte.

Work in pairs. First try to match the phrases in column A to those in column B. Then listen to the dialogues again and check your answers.

1. al noleggio auto

A	B
1. Senta, ho prenotato online un'Alfa Romeo a nome Marchi. Ecco il modulo di prenotazione.	a. Sì, e deve essere riconsegnata con il serbatoio pieno.
2. Posso vedere la patente di guida, per cortesia?	b. Conferma la riconsegna della vettura per martedì 28 aprile alle 12.00?
3. Conferma il pagamento con la carta di credito che ha riportato sul modulo?	c. Certamente.
4. Mi scusi, l'auto è già con il serbatoio pieno?	d. Sì, ecco la carta.

2. al duty-free

A	B
1. Buona sera. Senta, vorrei vedere una borsa di pelle nera.	a. Sì, guardi, in fondo, lo vede il reparto?
2. Conosce le borse di questa nuova marca?	b. Sì, certo. Ha gia visto qualcosa?
3. Ah, sì, sì, questa mi piace. Quanto costa?	c. Certamente, eccola.
4. Posso vedere la carta d'imbarco, signora?	d. Sì, le conosco. Ne ho già comprata una.
5. Scusi, mi sono ricordata che devo prendere ... Dove sono gli ombrelli?	e. 120 euro.

Lessico

Completa la tabella.
Fill in the table.

	verbo	nome
1.	prenotare	_____
2.	riconsegnare	_____
3.	ritirare	_____
4.	_____	verifica
5.	confermare	_____
6.	noleggiare	_____
7.	_____	firma

Forme e usi

I pronomi diretti e il pronome partitivo *ne*

 Ascolta il dialogo al duty-free nuovamente e completa le frasi con i pronomi mancanti.
Listen to the dialogue at the duty-free shop again and complete the sentences with the missing pronouns.

ne	lo	li	le

1. Le mostro alcuni modelli. Vede, questi qui sono abbastanza classici. Conosce le borse di questa nuova marca?

2. Sì, _____ conosco. Eh sì, questo modello mi piace. Mah... _____ ha una un po' più piccola?

3. No, grazie. L'ho già presa all'ingresso. Scusi, mi sono ricordata che devo prendere ... Dove sono gli ombrelli?

4. Sì, guardi, in fondo, _____ vede il reparto? Gli ombrelli _____ trova proprio lì accanto... a destra.

I pronomi diretti

- I pronomi diretti si usano per sostituire una persona o una cosa che segue direttamente il verbo.

- Generalmente i pronomi diretti precedono il verbo. Con i verbi servili i pronomi diretti possono precedere il verbo servile o possono unirsi all'infinito che perde la **e** finale.

mi
ti
lo / la / La
ci
vi
li / le

- Conosco **Luca**, **lo** conosco da molti anni.
- Sì, conosco la **marca**. **La** conosco molto bene.
- Dove sono gli **ombrelli**? **Li** trovo più avanti?
- Ecco il **maglione**. **Lo** vuole provare? / Vuole provar**lo**?

Il pronome partitivo *ne*

- Il pronome partitivo **ne** si usa per sostituire una quantità. Si riferisce a cosa o a persona.

- Quante **scatole** vuole?
  Ne (di scatole) voglio due, grazie.

- Quanti **clienti** visiti al giorno?
  Ne (di clienti) visito molti.

Ora scegli il pronome corretto.

Now choose the correct pronoun.

1. Di pacchetti **ne / la** prendo 5.

2. **Lo / La** conosce questo profumo?

3. Ci sono diverse soluzioni. **Ne / Le** possiamo valutare qualcuna insieme.

4. La vettura **ne / la** deve riconsegnare con il serbatoio pieno.

Lavorate in coppia. Preparate il dialogo secondo le indicazioni e dopo fate il role-play.
Work in pairs. Prepare this dialogue following the instructions and then role-play the conversation.

commessa	Buongiorno, desidera?
cliente	*(Saluta e chiedi di vedere una giacca nera elegante.)*
commessa	Vediamo… Ecco, guardi. Abbiamo questi due modelli.
cliente	*(Chiedi di provare quella che ti piace/che preferisci.)*
commessa	Certamente. Qual è la Sua taglia?
cliente	*(Rispondi che porti la …)*
commessa	Bene, un attimo … Come Le sta?
cliente	*(Rispondi che ti sta bene / ti piace e chiedi il prezzo.)*
commessa	€ 140, signora. C'è anche il pantalone da abbinare, se vuole.
cliente	*(Rispondi che prendi solo la giacca e che hai già un pantalone per fare un completo. E poi che devi imbarcarti fra 15 minuti.)*

Al duty-free

richiedere un articolo
asking for an item
- Vorrei vedere una borsa / un pullover
- Cerco un paio di guanti / una cravatta

chiedere il prezzo
asking the price
- Quanto costa / viene questa borsa?
- Quanto costano / vengono queste scarpe / questi gemelli?

assistere il cliente
serving the client
- Mi dica / Desidera?
- Ha già visto qualcosa?
- Le serve qualcos'altro?
- Posso vedere la carta d'imbarco?

richiedere informazioni
enquiring
- Vorrei delle informazioni. / Ancora un'informazione, scusi.

Al noleggio auto

dare il modulo / numero della prenotazione
providing booking information
- Ho prenotato online una / un … a nome … / Ecco il modulo / numero di prenotazione.

controllare i dettagli della prenotazione
checking booking details
- Conferma la riconsegna della vettura per … ?

richiedere la patente e un documento
requesting a driving licence and passport
- Posso vedere la patente di guida / un documento di identità, per cortesia?

confermare il mezzo di pagamento scelto
confirming method of payment
- Conferma il pagamento / Paga con la carta di credito che ha riportato sul modulo?

Forme e usi

Il passato prossimo

1. Scusi, **sono appena arrivato** in aeroporto. **Ho sentito** che ci sono stati ritardi questa mattina.

2. Non si preoccupi signore, **abbiamo avuto** solo qualche leggero ritardo.

3. Scusi, **mi sono ricordata** che devo prendere... Dove sono gli ombrelli?

1. Il passato prossimo è formato da due forme: il presente dei verbi **avere** o **essere** + il participio passato. Le terminazioni del participio passato regolare sono -ato **(-are)**, -uto **(-ere)**, -ito **(-ire)**.

   - and~~are~~ ⟶ and**ato**

   - av~~ere~~ ⟶ av**uto**

   - part~~ire~~ ⟶ part**ito**

2. Tutti i verbi seguiti da un oggetto diretto formano il passato prossimo con **avere**.

   - **Hai conosciuto** i nuovi colleghi?

   - **Ha visto** la borsa in vetrina?

3. Il verbo **essere** si usa con verbi che indicano movimento (come *partire*, *arrivare* ecc.); verbi che indicano stato o condizione (*essere, stare, rimanere* ecc.); verbi riflessivi (*ricordarsi* ecc.).

   - **Sono arrivato** in anticipo.

   - Davide **è rimasto** in ufficio fino a tardi.

   - **Mi sono ricordata** che devo prendere... Dove sono gli ombrelli?

4. Con il verbo **essere**, la terminazione del participio passato cambia a seconda del soggetto.

   - Clara **è** uscit**a** da poco.

   - I clienti **sono** appena arriva**ti**.

Il passato prossimo si usa:

1. per indicare azioni finite in un passato recente

2. per indicare un'azione avvenuta in un passato lontano, ma che ha ancora effetti sul presente

   - La settimana scorsa sono stata ad Ancona.

   - Ho cominicato a lavorare in questa società 10 anni fa.

espressioni di tempo con il passato
- ieri, l'altro ieri, ...
- il mese scorso, la settimana scorsa ...
- tre giorni fa, ...
- nel 2005, ...

Scegli la forma corretta tra *essere* e *avere*.
Decide if the following sentences require essere *or* avere.

1. - Lei (è / ha) _____ partita alle 7.00 da Roma, vero?
   - Sì, e (ho / sono) _____ arrivata a Milano alle 9.00 circa.

2. Mi (ho / sono) _____ allontanato solo per controllare il tabellone delle partenze.

3. (Ho / Sono) _____ preso l'aereo per Parigi. (Ho / sono) _____ stato ad una cena d'affari con dei clienti francesi.

4. (Hai / sei) _____ spento il telefonino? Tra un po' inizia la conferenza.

Alcuni participi passati irregolari

essere	→ **stato**	crescere	→ **cresciuto**
conoscere	→ **conosciuto**	offrire	→ **offerto**
aprire	→ **aperto**	perdere	→ **perso**
fare	→ **fatto**	piacere	→ **piaciuto**
venire	→ **venuto**	nascere	→ **nato**
prendere	→ **preso**	rispondere	→ **risposto**
scrivere	→ **scritto**	chiudere	→ **chiuso**
leggere	→ **letto**	spegnere	→ **spento**
mettere	→ **messo**	rimanere	→ **rimasto**
bere	→ **bevuto**	scegliere	→ **scelto**
vedere	→ **visto**	vivere	→ **vissuto**

La settimana scorsa al lavoro

Scrivi quello che hai fatto la settimana scorsa al lavoro. Usa alcune delle espressioni nel box.
Write what you did at work last week. Use some of the expressions in the box.

Lunedì scorso sono stato/a a una riunione.   *Tre giorni fa ho fatto una presentazione.*

leggere relazioni / email / giornali di settore   **organizzare** eventi
scrivere relazioni / documenti / contratti   **finalizzare** accordi
gestire / **coordinare** gruppi di colleghi / portafoglio clienti / risorse finanziarie / progetti
selezionare / **scegliere** articoli / prodotti / immagini
socializzare/andare fuori con i clienti   **fare** contabilità   **fare** presentazioni
preparare bilanci   **fare** ricerca   **prendere** appuntamenti
aggiornare banche dati   **partecipare** a riunioni / conferenze / convegni
fornire stime / consulenza / prodotti   **valutare** opportunità / rischi / rendimenti
altro ...?

_____   _____
_____   _____
_____   _____

Lavorate in coppia. Formate il maggior numero di combinazioni come nell'esempio e dopo fate pratica oralmente.

Work in pairs. Form as many combinations as possible, as in the example. Then practice with your partner.

Con chi hai fatto un bel viaggio ultimamente /recentemente ?

Che	hai fatto un bel viaggio	
	hai visto un bel film	
Con chi	hai comprato un regalo	
Per chi	hai fatto un colloquio di lavoro	
	hai avuto una discussione	**ultimamente /**
Da chi	hai invitato degli amici / un amico / un'amica a cena fuori	**recentemente?**
Dove	sei stato/a in una spa	
Perché	libro hai letto	
	un vicino di posto ti ha esasperato	
Quando	altro ...?	

I pronomi diretti con il passato prossimo

Osserva l'uso dei pronomi diretti e del partitivo *ne* con il participio passato.

1. (all'aeroporto) Ha preparato Lei le valigie? Sì, certamente, **le** ho preparat**e** io.

2. (al noleggio) Sì, ... certo, termini e condizioni **li** ho lett**i**.

3. (al duty-free) **Ne** ho già comprat**a** una.

4. (al duty-free) No, grazie, **l**'lo già pres**a** all'ingresso.

Con i pronomi **lo / la / li / le / ne** la desinenza del participio passato cambia.
Es.: **Li** ho lett**i**. / Ne ho già comprat**a** un**a**.

Solo **lo** e **la** si apostrofano.

Completa le frasi con il pronome diretto o il partitivo *ne* e la desinenza del participio passato corretti.

Complete the sentences with the direct pronoun, the partitive ne *and the correct past participle ending.*

1. Quante auto avete prenotato per gli spostamenti? _____ abbiamo riservat _____ due.

2. Abbiamo noleggiato una vettura da ritirare oggi. _____ abbiamo noleggiat_____ online.

3. Le condizioni della vettura sono ottime. _____ abbiamo appena controllat_____.

4. I biglietti _____ ho appena ritirat_____ in agenzia.

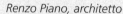

"La città è una stupenda emozione dell'uomo. La città è un'invenzione, anzi: è l'invenzione dell'uomo."

Renzo Piano, architetto

Lavorate in gruppo e rispondete alle domande.
Work in groups and answer the questions.

- In quale città hai studiato / hai lavorato?
- In quale città vai spesso per lavoro?
- In quale città vorresti lavorare all'estero / in Italia?

Auditorium Parco della Musica, Roma
Opera di Renzo Piano

Lavorate in gruppo. Fate un brainstorming sulle parole che conoscete sulla città e completate il diagramma.
Work in groups. Brainstorm the words that you know to talk about a town / a city. Then complete the diagram.

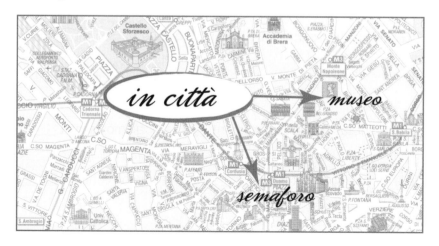

Guardate ora la cartina e aggiungete altre parole a quelle nel diagramma.
Now look at the map and add extra words to those in the diagram.

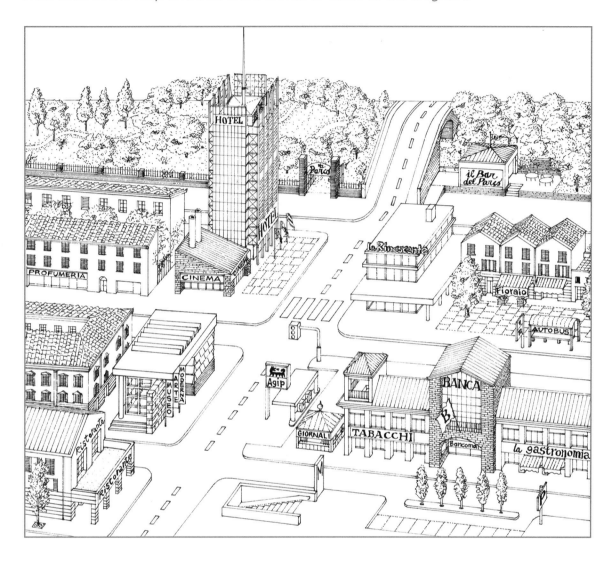

Lessico *Verbi in città*

Abbina i verbi alle indicazioni.
Match the verbs to the directions.

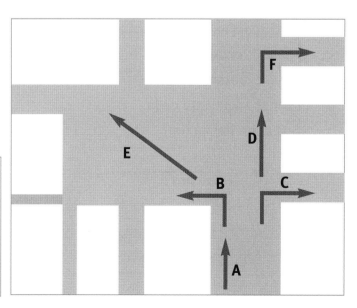

1. andare sempre dritto	*A*
2. prendere la terza a destra	
3. continuare dritto	
4. girare a destra	
5. girare a sinistra	
6. attraversare la piazza	

Ora forma tutte le possibili combinazioni tra i verbi nella griglia e le parole ed espressioni nella lista.

Now form as many combinations as possible between the verbs in the box and the words and expressions in the list.

girare	prendere	continuare	arrivare	attraversare
			fino al semaforo	

- a destra / a sinistra
- sempre dritto
- all'angolo
- al ponte
- all'edicola
- fino al semaforo

- il ponte
- la piazza
- la strada
- la prima / seconda / terza …
- altro … ?

Forme e usi

Le preposizioni articolate

Lavorate in gruppo. Guardate nuovamente la cartina a pagina 71 e collegate la colonna **A** con i luoghi della colonna **B**, come nell'esempio.
Work in groups. Look at the map on page 71 again and match column A to column B, as in the example.

A	**B**
1. Il parcheggio è **vicino alla** ──────→	a. metro.
2. La banca è **accanto alla**	b. tabaccheria.
3. Il parco è **lontano dal**	c. parco.
4. La banca è **a sinistra della**	d. museo d'Arte moderna.
5. Il fioraio è **a destra dei**	e. grandi magazzini.
6. Il bar è **nel**	f. ristorante.
7. La profumeria è **dietro il**	g. cinema.
8. L'edicola è **tra il** distributore e **la**	h. tabaccheria.
9. Il distributore è **prima del** semaforo, **davanti al**	i. grandi magazzini.
10. Il parco è **in fondo alla** strada. **Dopo i**	l. gastronomia.

Ora completate la tabella con le preposizioni articolate dell'esercizio precedente.

Now complete the table with the missing compound prepositions from the previous exercise.

	il	lo	l'	la	i	gli	le
di	_____	dello	dell'	_____	_____	degli	delle
a	_____	allo	all'	_____	ai	agli	alle
da	_____	dallo	dall'	dalla	dai	dagli	dalle
in	_____	nello	nell'	nella	nei	negli	nelle

Completa le frasi con le preposizioni articolate corrette.

Complete the sentences with the appropriate compound prepositions.

1. Il cinema non è lontano (**da + l'**) _____ albergo.

2. Guardi, appena fuori (**da + l'**) _____ hotel, giri subito a destra.

3. Prosegua sempre dritto fino (**a + il**) _____ semaforo.

4. A destra (**di + il**) _____ semaforo, vede un negozio di abbigliamento.

Lavorate in coppia. Guardate nuovamente la cartina a pagina 71 e chiedete / date le indicazioni stradali.

Work in pairs. Look at the map on page 71 again and ask and give directions.

a. Scusi, mi sa / mi può dire dov'è l'hotel? / dove sono i grandi magazzini?

b. L'hotel è … / I grandi magazzini sono …

track 13 **Ascolta il dialogo. Segna le frasi che senti.**

Listen to the dialogue. Tick which sentences you hear.

1. Devo andare alla Fiera Campionaria. ☐

2. Mi può dire dov'è la stazione della metropolitana più vicina? ☐

3. Prosegua sempre dritto fino all'angolo. ☐

4. È vicino al museo. ☐

5. Ma scusi, ancora un'informazione. ☐

6. È stato molto facile. ☐

7. ArrivederLa e buona serata. ☐

Ascolta nuovamente il dialogo e indica se le affermazioni sono Vere o False.

Now listen to the dialogue again and and decide if the statements are True or False.

	V/F
1. Fuori dall'albergo il signore deve girare a destra.	
2. Deve continuare fino al semaforo.	
3. Dopo il semaforo deve girare a destra.	
4. Dopo il semaforo deve attraversare la piazza.	
5. Per arrivare alla Fiera non bisogna cambiare linea.	
6. Occorrono 15 minuti con la linea rossa.	

- **Ci vuole** un'ora / mezz'ora / ...
- **Ci vogliono** 40 minuti / due ore / ...

Forme e usi

L'imperativo formale singolare *Lei*

Ascolta di nuovo il dialogo e completa le frasi con le forme dell'imperativo.

Listen to the dialogue again and complete the sentences with the missing forms of the formal imperative.

1. Senta, _____.

2. No, non _____ _____, non è lontana. _____, appena fuori dall'hotel, _____ subito la prima a destra. _____ sempre dritto fino al semaforo. Al semaforo vede un negozio di abbigliamento. Non si può sbagliare.

3. Allora, dopo il semaforo, _____ a sinistra e _____ la strada. La stazione della metropolitana è proprio lì.

4. Si *figuri* !

Ora lavorate in gruppo. Classificate le forme dell'imperativo formale dell'attività precedente nella tabella. Dopo completate le affermazioni.

Now work in groups. Classify the formal imperative from the previous exercise in the table. Then complete the statements.

-are	-ere	-ire
		senta

Verbi in *-isc-*
finire ⟶ finisc*o* (presente) ⟶ finisc-**a**

1. L'imperativo formale **Lei** è usato per:

    a. **dare istruzioni**, come ad esempio, indicazioni stradali.   Esempio: ....

    b. **dare consigli / invitare / fare richieste / dare ordini**

2. Le desinenze dell'imperativo formale **Lei** sono:

    a.   **-i**   per i verbi in -are   Esempio: **guard-i**

    b.   ....   per i verbi in -ere   Esempio: ....

    c.   ....   per i verbi in -ire   Esempio: ....

3. Nell'**imperativo negativo** formale **Lei**,
    la negazione ***non*** viene **prima** del verbo.   Esempio: **Non** prenda la strada a destra.

4. Nell'imperativo formale Lei, il **pronome** va:

    a. **prima** della forma dell'imperativo.   Esempio: **Si** figuri!

    b. tra ***non*** e il **verbo**, se l'imperativo è **negativo**.   Esempio: Non **si** preoccupi!

Coniuga i verbi tra parentesi all'imperativo formale 'Lei'.

Put the verbs in brackets into the formal imperative.

Alcune forme irregolari

• Sì, **dica**.

• sia (essere)   • vada (andare)
• abbia (avere)   • dica (dire)
• stia (stare)   • faccia (fare)
• dia (dire)   • sappia (sapere)

1. Mi (dire) _____, Le posso essere utile?

2. (Girare) _____ subito a sinistra. Poi (attraversare) _____ il ponte e l'ingresso del parco è lì a destra.

3. Il 43 non va alla Fiera. Non lo (prendere) _____.

4. Non (occupare) _____ questo parcheggio, è privato.

5. Il motorino, non lo (parcheggiare) _____ qui, è vietato.

Lavorate in coppia. Chiedete e date indicazioni stradali per edifici e luoghi vicini al vostro ufficio o alla vostra università. Utilizzate il linguaggio del box colorato.

Work in pairs. Ask and give directions to buildings and places close to your office or college. Use the language in the coloured box.

chiedere le indicazioni stradali
asking for directions

- Scusi, mi può dire dov'è la fermata più vicina?
- Scusi, sa se c'è un bancomat da queste parti / qui vicino?
- Scusi, devo andare / per andare
  ai grandi magazzini / in via ... / in piazza ...

chiedere informazioni su autobus e metropolitana
asking for information about buses and underground

- Sa che linea devo prendere?
- Sa dove devo scendere?

- È
  - **davanti / di fronte / vicino / accanto / in fondo a**
  - **dietro il distributore**
  - **tra / fra il teatro e il museo**
  - **a destra / a sinistra di**
  - **lontano da**
  - **prima di**
  - **dopo il**
  - **all'angolo / al semaforo /all'inizio di / alla fine di**
  - **proprio lì**

chiedere e dire quanto tempo è necessario
asking and saying how long it takes

- Quanto tempo **ci vuole** per ....?
- **Ci vuole** una mezz'ora / un'ora
- **Ci vogliono** 25 / 30 minuti

dare le indicazioni stradali
giving directions

- vada / continui / prosegua sempre dritto
- giri a destra / a sinistra
- prenda la prima / la seconda / la terza a destra / a sinistra
- attraversi la piazza / il ponte / la strada
- passi il semaforo / la fontana / la stazione

dare informazioni su autobus e metropolitana
giving information about buses and underground

- Prenda la ...
- Scenda alla prima / alla seconda fermata

Comportamenti alla guida

Lavorate in coppia e discutete.
Work in pairs and discuss.

Quale di questi comportamenti alla guida è, secondo te, il più pericoloso?

1. passare con il rosso
2. non usare le cinture di sicurezza
3. superare i limiti di velocità

4. guidare in stato di ebbrezza
5. parcheggiare in divieto di sosta
6. usare il cellulare

Leggi il testo e dopo abbina le parole ed espressioni evidenziate al loro significato.
Read the text and then match the words and expressions in bold to their meaning.

Così, dunque, sono gli italiani al volante. Sono consapevoli di **infrangere** il Codice della strada, eppure adottano abitualmente comportamenti scorretti. Forse sanno di poter **farla franca**? Probabilmente sì. Secondo l'Aci* "è indispensabile una prevenzione basata su una visibile presenza delle **Forze dell'Ordine** sulle strade, sulla formazione di una sana cultura della guida e un costante e rigoroso controllo dei comportamenti pericolosi".

* Automobile Club d'Italia, è una federazione
che rappresenta e tutela gli interessi dell'automobilismo italiano.

adattato da: www.quattroruote.it

1. farla franca
2. Forze dell'Ordine
3. infrangere

a. non rispettare regole, promesse, accordi
b. riuscire a evitare una punizione
c. insieme di corpi armati come la Polizia di Stato o l'Arma dei Carabinieri

In taxi

track 14 **Ascolta il dialogo tra un tassista e un cliente. Segna 'T' per le frasi dette dal tassista e 'C' per quelle dette dal cliente.**
Listen to a dialogue between a taxi-driver and a customer. Write 'T' for the taxi-driver and 'C' for the customer.

1. Vedo che c'è molto traffico oggi.
3. Ma quanto tempo ci vuole per arrivare?
5. Dipende dal traffico.
7. Bene, quant'è?

2. Ci sono dei lavori in corso.
4. Scusi, posso chiederLe alcune informazioni?
6. E beh, sì, quella è ora di punta.
8. Ecco a Lei. Mi può fare una ricevuta, per favore?

Riascolta il dialogo e riordina le battute del cliente.
Listen to the dialogue again and put the customer's sentences in order.

1. Buongiorno.
3. Sì, certo.
5. Sì, infatti. Ci sono dei lavori in corso.
7. Mah ... 25/30 minuti.
9. Sì, prego. Dica.
11. Guardi ... Dipende ... Dipende dal traffico. A che ora deve essere lì?
13. E beh, sì, quella è ora di punta. Guardi, calcoli almeno 40 minuti.
15. .... ecco siamo arrivati.
17. Ventincinque euro.
19. Sì, certo. Non c'è problema.

2. Buongiorno. Devo andare in Corso Mazzini all'Hotel Due fontane, per favore.
4. Vedo che c'è molto traffico oggi.
16. Bene, quant'è?
___ Scusi, posso chiederLe alcune informazioni?
10. Domani devo vedere un cliente a Porta Vecchia. Quanto ci vuole dall'Hotel Due fontane?
___ Alle 12.00.
14. Ah, ok, grazie.
___ Ah, sì, vedo. Scusi, ma quanto tempo ci vuole per arrivare circa?
___ Ecco a Lei. Mi può fare una ricevuta, per favore?

Ora completa il dialogo con le frasi nei box.
Now complete the dialogue with the sentences in the boxes.

Quant'è?

Senta, scusi, un'informazione, per favore.

C'è molto traffico oggi?

A che ora deve essere lì?

Che linea devo prendere dall'Eur per andare alla stazione Termini?

Tassista	Buongiorno.
Cliente	Buongiorno. Devo andare al Centro Congressi Eur, per favore.
Tassista	Certo.
Cliente	_____
Tassista	No, oggi no. Ma, in genere, questa è una strada trafficata. Ci sono spesso lavori in corso.
Cliente	Sì, vedo. E quanto tempo ci vuole per arrivare?
Tassista	Direi che ci vogliono circa 40 minuti. _____
Cliente	Alle 12.30.
Tassista	Allora non si preoccupi, ce la facciamo.
Cliente	_____
Tassista	Sì, dica, prego.
Cliente	_____
Tassista	La Linea blu... è diretta.
Cliente	Bene, grazie.
Tassista	Di niente... Ecco siamo arrivati.
Cliente	_____
Tassista	18 euro.
Cliente	Per favore, mi può fare una ricevuta per la corsa?
Tassista	Certamente.

Cultura in azione ▶▶▶ *I regali d'affari*

**Dal "Codice di condotta
e di etica aziendale"**

Thomson Reuters (2008)

"I regali, inviti al ristorante, servizi e intrattenimenti sono considerati accettabili e conformi a questo Codice se:

- sono relativamente poco frequenti e di valore non eccessivo per qualcuno che è nella sua posizione;
- sono conformi alle leggi applicabili e coerenti con le prassi commerciali abituali o gli scambi di favore consueti;
- non creano alcun obbligo suo nei confronti della persona che ha fatto il regalo;
- non comprendono pagamenti in contanti."

Lavorate in coppia e discutete.
Work in pairs and discuss.

**Secondo voi, quali regali aziendali sono accettabili e
quali non lo sono?**

- oggetti promozionali con il logo della società e del marchio
- regali per le festività
- biglietti per manifestazioni sportive e culturali
- viaggi
- inviti al ristorante e intrattenimenti

- regali prima o subito dopo una decisione d'affari
- regali per ricorrenze
- regali a dipendenti della Pubblica amministrazione
- regali a un 'pezzo grosso'*
- altro …?

* 'Pezzo grosso' è un termine colloquiale per indicare una persona importante in una organizzazione.

accettabili	non accettabili	dipende da

Leggete il testo e discutete.
Read the text and discuss.

Per regalo d'affari o aziendale si intende un regalo che serve a instaurare e promuovere i rapporti d'affari tra aziende, società, fornitori, venditori e clienti in generale.

Nei codici di condotta aziendali si trovano le indicazioni su quello che è permesso o vietato offrire e ricevere. Il tipo e il valore dell'omaggio dipendono spesso dal rapporto d'affari, dalla posizione di chi riceve il regalo e dalle convenzioni sociali dei vari Paesi. Infatti, in ambito globale, questa pratica tiene conto degli aspetti culturali, legali ed etici di ogni Paese.

1. Esiste un regalo d'affari più tipico in alcune culture?
2. Racconta un episodio in cui dei clienti / dei colleghi …
   e ti sei stupito / divertito / sentito offeso / in imbarazzo.

- *In alcune culture …*
- *Questo tipo di regalo mi stupisce / mi imbarazza / mi diverte / mi dà fastidio / mi è indifferente …*
- *Una volta dei clienti / dei colleghi …*

Ascoltare in una lingua straniera

Lavorate in coppia e discutete.
Work in pairs and discuss.

a. **Secondo te, quali sono le difficoltà dell'ascolto attivo in una lingua straniera?**
   - non comprendere tutte le parole
   - non capire gli accenti regionali
   - non riuscire a notare le sfumature di un messaggio
   - non capire il livello di formalità appropriato

b. **E che cosa è più utile per un'attività di ascolto?**

   Per me, (non) è utile ...
   - capire il senso generale
   - concentrarsi su informazioni specifiche
   - indovinare il significato attraverso
     - → singole parole
     - → espressioni che conosco
     - → parole simili nella mia lingua

Una comunicazione telefonica efficace

 Quali sono le linee guida per una comunicazione telefonica efficace? Eccone alcune. Completa la tabella.

What do you need to do to make an effective phone call? Complete the table, according to the guidelines below.

~~programmare la telefonata~~   prevedere le possibili domande e preparare le risposte

comunicare lo scopo della telefonata in modo chiaro   verificare se il messaggio è chiaro

procurarsi le informazioni e i documenti necessari   altro ...?

prima di una telefonata	all'inizio di una telefonata
• *programmare la telefonata* _____	• salutare
• _____	• presentarsi
• fare una scaletta degli argomenti da trattare	• _____
• _____	
• inviare una email, se necessario	

durante una telefonata	alla fine di una telefonata
• ascoltare attentamente	• concludere la telefonata in modo positivo e professionale
• _____	• inviare una email, se necessario

 Ascolta più volte i dialoghi e riordina le battute.

Listen to the dialogues a few times and put the sentences in the correct order.

dialogo A

1. Buonasera. Fontim.

___ Mi scusi se L'ho fatta attendere, ma l'interno è occupato.

___ Attenda in linea, prego.

___ Buonasera, Ufficio Stampa. Sono Veronica Bussi.

2. Buonasera. Vorrei parlare con l'Ufficio Stampa, per favore.

___ Buonasera. Sono Luca Monti della Orion. La disturbo? Può parlare al momento?

___ Non c'è problema.

___ La ringrazio.

---

dialogo B

__ Claudia Valle, buongiorno.

__ Un momento, gliela passo subito.

__ Sì, certamente. Controllo e ti telefono subito.

__ Ah, sì, capisco.

2. No, ha sbagliato interno.

__ Ah, ciao! Eh! Ho molto lavoro, come sempre. E tu?

9. Sì, dimmi!

__ Sì, certo, stai tranquillo, non preoccuparti. Ciao.

__ Ecco, ... ascolta... telefono per la transazione... Non abbiamo ancora ricevuto la conferma. Dobbiamo inviare i dati al più presto.

1. Claudia Valle?

12. Potresti controllare, per favore? Vedi un po'.

__ Ciao Claudia, sono Andreas. Come va?

3. Oh, mi scusi.

__ Mandami pure un'email, se preferisci. Ti ringrazio. Ciao.

__ Anch'io. Oggi, poi, è una giornata piena! Hai un attimo di tempo?

Funzioni

Leggi ora i dialoghi e trova le espressioni corrispondenti alle funzioni della colonna A.

Now read the dialogues and find the sentences matching the functions in column A.

dialogo A

A. funzioni	B. espressioni
1. **chiedere di parlare con un ufficio** *asking to speak to someone in a department*	a. _____
2. **fare attendere in linea** *asking to hold*	b. • Attenda in linea. • Mi scusi se L'ho fatta attendere, ma l'interno è occupato.
3. **presentarsi** *introducing yourself*	c. • Buona sera, _____
4. **rispondere positivamente** *replying in a positive way*	d. • _____ • Non si preoccupi!

dialogo B

A. funzioni	B. espressioni
5. dire che il numero o l'interno è sbagliato *saying that the number or the extension is incorrect*	e. • _____
6. passare la persona desiderata *putting the call through to the person*	f. • Un momento, gliela passo subito.
7. spiegare il motivo della telefonata *explaining the purpose of the call*	g. • _____

Osserva l'uso dei pronomi combinati

formale

a. Buongiorno, sono Leo Verni. Vorrei parlare con Fulvio Terri, per favore.
b. Un attimo. **Glielo** passo subito.

a. Buonasera, sono Anna Carli. Posso parlare con la dottoressa Arianna Martini?
b. Attenda, prego. **Gliela** passo.

informale

a. Ciao, sono Letizia. C'è Paolo?
b. Ciao, Letizia. Sì, ora **te lo** passo.

a. Chiara?
b. No, ciao, sono Francesca.
   Un momento, **te la** passo.

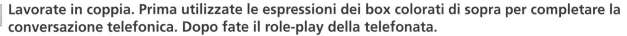

Lavorate in coppia. Prima utilizzate le espressioni dei box colorati di sopra per completare la conversazione telefonica. Dopo fate il role-play della telefonata.

Work in pairs. First use the sentences from the coloured boxes above to complete the following telephone conversation. Then role-play the conversation.

a. Buona sera, Gruppo Sirco.

b. *(Saluta, presentati e chiedi di parlare con il dottor Moroni.)*

a. Rimanga in linea, prego.

b. *(Ringrazia.)*

a. Mi scusi per l'attesa. L'interno non risponde.

b. *(Rispondi positivamente.)*

a. Pronto? Moroni.

b. *(Saluta, presentati e spiega il motivo della chiamata. Pensa a una richiesta, un'informazione che vuoi ricevere.)*

a. Sì, capisco. Le mando un'email quanto prima.

Forme e usi

L'imperativo informale singolare *tu*

Leggi il dialogo B dell'attività di ascolto. Completa la tabella con le forme mancanti dell'imperativo informale tu.
Read dialogue B from the listening task. Complete the table with the missing forms of the informal imperative tu.

-are		-ere		-ire	
ascoltare		vedere		sentire	
stare				dire	
preoccuparsi	*non preoccuparti*				
mandare					

Completa ora le affermazioni in base alla tabella.
Now complete the statements according to the table.

1. L'imperativo informale **tu** è usato per:

   a. **dare istruzioni**   Esempio: ....

   b. **dare consigli / invitare / fare richieste / dare ordini**

2. Le terminazioni dell'imperativo informale **tu** sono:

   a.   **-a**   per i verbi in **-are**   Esempio: ascolt-**a**

   b.   ....   per i verbi in **-ere**   Esempio: ....

   c.   **-i**   per i verbi in **-ire**   Esempio: ....

   Osserva i verbi in **-isc**: Es.: fin**isc-i**

3. L'imperativo **negativo** informale **tu** ha la forma dell'infinito.
   Il pronome può trovarsi **prima** o **dopo** il verbo.   Esempio: Non **ti** preoccup**are** /
   Non preoccup**arti**

4. Nell'imperativo informale tu i **pronomi** si uniscono al verbo.   Esempio: (**mandare**) ....

5. Negli imperativi informali irregolari come **andare / dare /**
   fare / stare / dire, i pronomi raddoppiano la consonante.   Esempio: (**dire**) ....

L'imperativo informale 'tu' irregolare

- sii
- abbi
- vai / va'
- fai / fa'
- dai / da'
- di'
- stai / sta'

Coniuga i verbi tra parentesi all'imperativo informale.
Put the verbs in brackets into the informal imperative.

1. (Mettere) _____ pure il documento tra quelli da visionare. Ti telefono più tardi.

2. (Inviare) _____ tu il fax alla Serco, per favore.

3. (Finire) _____ pure con comodo. Ti chiamo in serata.

4. Non (telefonare) _____ all'Ufficio Stampa ora. Aprono alle 9.30.

5. (Farmi) _____ un favore.

Strategie di ascolto

Lavorate in coppia. Leggete alcune strategie d'ascolto e discutete.
Work in pairs. Read some listening strategies and discuss.

Quali sono secondo voi le strategie d'ascolto più efficaci?

• concentratevi sulle informazioni chiave

• riassumete e ripetete mentalmente
  per rinforzare la comprensione

• se necessario, ripetete quello che avete
  sentito per dare all'interlocutore la possibilità
  di verificare la vostra comprensione

• verificate le informazioni anche con domande

• non reagite impulsivamente di fronte
  a difficoltà di comunicazione

• altro ...?

> **Osserva l'uso dell'imperativo voi**
>
> • Verific**ate** le informazioni ...
>
> • Ripet**ete** quello che avete sentito ....
>
> • Non reag**ite** impulsivamente di fronte ...
>
>> • Non concentrate**vi** sulle informazioni superflue.
>>
>> • Non **vi** concentrate sulle informazioni superflue.

track 16

Ascolta il dialogo e completalo con le frasi nei box.
Listen to the dialogue and complete it with the phrases in the boxes.

la dottoressa è fuori sede.	Può farmi richiamare?
in che cosa posso esserLe utile?	Le vuole lasciare un messaggio?

La faccio richiamare.

A   Assicurazioni Internazionali, buonasera.

B   Buonasera. Posso parlare con la dottoressa Antoni, per cortesia?

A   Sono spiacente, ma _____. Rientra nel tardo pomeriggio.
    Chi la desidera?

B   Oh, mi scusi, sono Elena Sassi. Chiamo per conto della Sar.

A   Prego, _____

B   Guardi, chiamo per gli allegati inviati questa mattina.

A   Ah, sì, capisco, ma non mi occupo io di questa pratica. Ma, mi dica, pure.

    _____

B   No, non occorre, grazie. Le dica semplicemente che ho chiamato... no, anzi...

    _____

A   Certamente, riferirò senz'altro, prendo nota e _____ .
    Per favore, può ripetere il Suo nome e può darmi il Suo numero di telefono?

Funzioni

Ora trova nel dialogo precedente frasi con lo stesso significato delle frasi nella tabella.
Now find in the previous dialogue sentences with the same meaning as the sentences in the table.

A. funzioni	B. espressioni
a. chiedere di parlare con qualcuno *asking to speak to someone*	• Posso parlare con la dottoressa Antoni? • Mi può passare la dottoressa?
b. presentarsi *introducing yourself*	• Sono Elena Sassi. _____ • Sono Anna Monti. Chiamo a nome di …
c. scusarsi e dare informazioni *apologising and giving information*	• _____ fuori sede. _____ • Mi dispiace, la dottoressa non è in ufficio. Torna domani mattina.
d. chiedere il nome dell'interlocutore *asking who is calling*	• Chi _____? • Con chi parlo, scusi?
e. spiegare il motivo della telefonata *explaining the purpose of the call*	• Chiamo _____ allegati. • Si tratta della pratica TIRI.
f. chiedere di lasciare un messaggio *asking to leave a message*	• _____ un messaggio? • Vuole riferire qualcosa?
g. lasciare un messaggio *leaving a message*	• _____ semplicemente che ho chiamato. • Le riferisca che ho inviato una mail questa mattina.
h. prendere un messaggio *taking a message*	• Prendo nota _____. • Prendo subito un appunto e lo lascio sulla sua scrivania. Le dico di richiamarLa.

Completa il dialogo con le parole nel box.
Complete the dialogue with the words in the box.

sono	utile	per	inviarlo	faccio
	urgenza	preoccupi	passare	

Receptionist	Buonasera, Studio legale Chiari.
Piero Cavalli	Buonasera, sono Piero Cavalli. Mi può _____ l'avvocato Lettini, per favore?
Receptionist	Sì, certo. Glielo passo subito.
Piero Cavalli	Grazie.
Fabio Lettini	Pronto?
Piero Cavalli	Avvocato Lettini?
Fabio Lettini	Sì? _____ io.
Piero Cavalli	Sono Piero Cavalli.
Fabio Lettini	Ah, buonasera Piero. Come va?
Piero Cavalli	Bene, grazie. E Lei?
Fabio Lettini	Non c'è male, grazie. Come posso esserLe _____?
Piero Cavalli	Sì, è _____ il progetto Conif. Non abbiamo ancora ricevuto la copia del preventivo aggiornato. La dottoressa Milani ne ha bisogno con urgenza. Potete _____ al più presto?
Fabio Lettini	Certamente, me ne occupo subito io e Le _____ sapere.
Piero Cavalli	La ringrazio della Sua cortesia. Sa, siamo in chiusura e abbiamo una certa _____.
Fabio Lettini	Ma non si _____. ArrivederLa.

> Il **preventivo** è la previsione del costo di un lavoro. Si richiede prima di commissionare il lavoro.

Lavorate in coppia e create una conversazione al telefono con il linguaggio delle attività precedenti. Personalizzatela con le informazioni che sono rilevanti per la vostra attività professionale o per il vostro studio.

Work in pairs and devise a telephone conversation using the language from the previous exercises. Personalise this conversation with information that is most relevant to your work or studies.

Lessico *I verbi che si usano al telefono con i pronomi di cortesia*

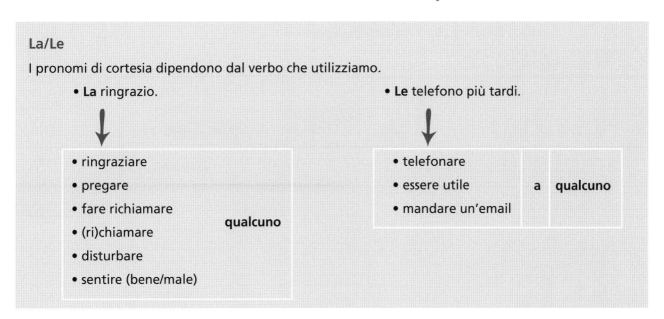

La/Le

I pronomi di cortesia dipendono dal verbo che utilizziamo.

- **La** ringrazio.

- ringraziare
- pregare
- fare richiamare
- (ri)chiamare
- disturbare
- sentire (bene/male)

qualcuno

- **Le** telefono più tardi.

- telefonare
- essere utile
- mandare un'email

a qualcuno

Ora completa le frasi con i verbi nel box.
Now complete the sentences with the verbs in the box.

richiamare	essere utile	telefono	ringrazio	mando

1. Sì, certamente. Controllo e **Le** _____ subito.
2. Quando **La** posso _____?
3. **La** _____. A presto, allora.
4. In che cosa **Le** posso _____ _____?
5. D'accordo, **Le** _____ un'email più tardi.

Ascolta il dialogo e sottolinea la parola corretta.
Listen to the dialogue and underline the correct word.

Ingegnere	Pronto?
Architetto	Buongiorno, ingegnere. La disturbo?
Ingegnere	Ah, buongiorno, architetto, (mi dica / dimmi).
Architetto	(La / ti) chiamo per la consegna del materiale …
Ingegnere	Architetto …? La (ricezione / ricevimento) è debole … non (La / ti) sento più …
Architetto	Mah, strano, la batteria del cellulare è (carica/scarica). Forse la linea è disturbata. Un momento, provo a spostarmi … Mi sente adesso?
Ingegnere	Sì, va meglio. Ora La sento …
Architetto	Mi scusi, dicevo, la consegna del materiale …
Ingegnere	No, (guardi / guarda), non La sento di nuovo …
Architetto	Senta, facciamo così. Faccio un salto più tardi in (ufficio / officina), anche perché preferisco discutere gli ultimi dettagli di persona.
Ingegnere	Va bene, ci vediamo più tardi.

"Le suonerie dei cellulari: il suono più irritante del terzo millennio" :-)

www.yahoo.it

Lavorate in coppia. Utilizzate alcune espressioni del dialogo di sopra per completare la seguente conversazione telefonica. Dopo fate il role-play.

Work in pairs. Use some sentences from the dialogue above to complete the following telephone conversation. Then role-play the conversation.

a. Pronto... pronto... dottor Pini, mi sente?

b. *(Segnala un problema di ricezione.)*

a. Mi sposto... mi sente adesso? Vorrei chiederLe di inviarmi ...

b. *(Invita l'interlocutore a parlare.)*

a. *(Riprendi la conversazione e chiedi di mandarti le immagini via email.)*

b. Sì, certo. Le invio domani. Stia tranquillo. Ci sentiamo.

b. *(Saluta, ringrazia e concludi la telefonata.)*

Lessico

Abbina i verbi qui sotto alle parole nel riquadro.

Match the verbs below to the words in the box.

- il ricevitore / la cornetta
- il numero
- l'elenco telefonico
- il centralino
- il tasto
- il messaggio di testo (sms)
- l'interno
- la segreteria telefonica

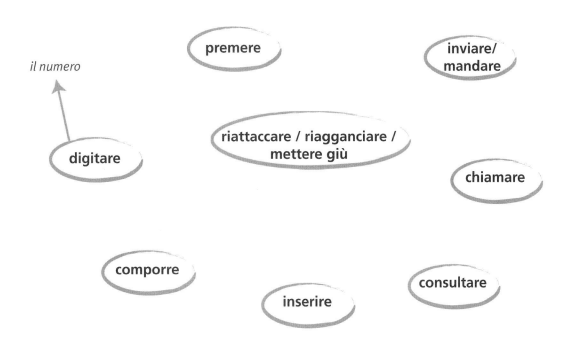

Possiamo fissare la videoconferenza?

 Lavorate in coppia e rispondete alle domande.
Work in pairs and answer the questions.

1. Avete mai fissato un appuntamento per telefono in italiano o in un'altra lingua straniera e in che occasione?
   - per lavoro
   - per studio
   - altro …?

2. Che cosa trovate più difficile capire / dire / usare …?
   - numeri
   - nomi
   - accenti regionali
   - altro …?

 Ascolta il dialogo e decidi se le affermazioni sono Vere o False.
Listen to the dialogue and decide whether the following statements are True or False.

	V	F
1. Nell'ufficio di Simona i computer non funzionano.	☐	☐
2. John può essere presente alla videoconferenza giovedì 4 alle 2.30.	☐	☐
3. Lorenzo può essere in videoconferenza mercoledì.	☐	☐
4. Simona domanda a Cristina una conferma via email.	☐	☐

Lessico

Abbina i verbi alle loro definizioni.
Match the verbs to their definitions.

1. **spostare una data**
2. **annullare / disdire**
3. **subentrare**
4. **anticipare**
5. **rimandare / posticipare**

a. fare qualcosa dopo una data prestabilita
b. entrare al posto di qualcos'altro
c. cambiare una data
d. cancellare
e. fare qualcosa prima del tempo stabilito

Completa i mini dialoghi con i verbi nel box.

Complete the short conversations with the verbs in the box.

confermare	anticipiamo	disdire	prendiamo	spostarlo
annulla	posticipato	subentrato	rimandare	

A Sono spiacente signora, ma non _____ prenotazioni fino alla fine di questo mese.

B Allora, richiamo il mese prossimo. Grazie.

A Buonasera, sono Elsa Cantoni. Ho un appuntamento con la dottoressa martedì 14 alle 17.00. È possibile _____ ? Mi scusi, ma è _____ un altro impegno.

B Vediamo ... quando è disponibile la settimana prossima? Può _____ adesso una data?

A Scusa, ma Federica è al Salone del Libro giovedì 24. Possiamo organizzare la riunione per martedì 22?

B Controllo un attimo ... Sì, va bene. _____ al 22.

A Senti, chiamo per dirti che la data della consegna è l'8 luglio e non più il 2 luglio.

B Come mai avete _____?

A Purtroppo, devo _____ la cena al ristorante, ho una settimana piena!

B Sì, capisco. Non c'è problema. Ma poi mi fai sapere quando sei libero?

A Eva, per favore, _____ l'invito di domani sera.

B Certamente. Vuole _____ anche l'appuntamento con Riva?

E-mail o telefonate?

Lavorate in coppia e rispondete alle domande.
Work in pairs and answer the questions.

a. Di solito in una lingua straniera preferisci scrivere e-mail / lettere o fare telefonate?

b. Scrivi spesso e-mail / lettere in italiano o in un'altra lingua straniera?
    In quale di queste situazioni:

- prendere / fissare appuntamenti
- fare prenotazioni
- richiedere informazioni / documentazione
- presentare / offrire prodotti / servizi
- acquistare prodotti / fare ordini

- coordinare progetti
- fare un reclamo
- sollecitare pagamenti
- ringraziare
- fare inviti

La netiquette e le e-mail

Alcuni verbi della corrispondenza
inviare → spedire un'email, una lettera
smaltire → portare a termine la corrispondenza
inoltrare → inviare un'e-mail, un documento ad un'altra persona per conoscenza

Abbina le parole della colonna A al loro significato nella colonna B.
Match the words in column A to their meaning in column B.

A	B
1. **destinatari**	a. chi usa un bene o un servizio
2. **utenti**	b. contenitori di documenti
3. **allegati**	c. chi invia una lettera, una mail, un pacco ecc.
4. **cartelle**	d. documenti inviati insieme alla mail, a un altro documento
5. **mittente**	e. le persone che ricevono una mail, una lettera, un pacco ecc.

Leggi la prima parte del testo 'La netiquette'. Completalo poi con le parole nel box.
Read the first part of the text 'La netiquette'. Then fill in the blanks with the words in the box.

allegati

~~utenti~~

mittente

cartelle

destinatari

La netiquette

La "netiquette", o 'galateo' in rete", raccoglie una serie di principi di buon comportamento per conservare le risorse di rete e comunicare con gli altri ___utenti___ in modo rispettoso. Alcune di queste regole sono utilizzate per inviare, inoltrare e smaltire la posta elettronica, per usare liste di distribuzione, per trasferire file e per preparare documenti da pubblicare. Eccone alcune.

• Si deve sempre rispondere o far rispondere a un messaggio di posta elettronica in tempi brevi, generalmente escludendo i messaggi che specificano 'per conoscenza'.

• Le liste di distribuzione sono comode, ma si deve valutare attentamente se rispondere a tutti i _____ o solo al _____.

• Gli _____ sono un elemento fondamentale delle email, ma si deve sempre controllare bene il formato prima di inviarli.

• Si deve fare attenzione ai messaggi privati. In ufficio, può esserci sempre un collega che inavvertitamente può consultare le nostre _____.

In italiano i termini **email**, **e-mail** e **mail** sono intercambiabili.

Leggi ora la seconda parte del testo 'La netiquette'. Abbina poi le frasi della colonna A a quelle della colonna B.
Now read the second part of the text 'La netiquette'. Then match the sentences in column A to those in column B.

A

1. Con il vertice aziendale non dimentichiamo di 'dare del Lei', usiamo

2. Scrivere a persone che non si conoscono richiede maggior formalità.

3. Nelle email, a parte quelle molto formali,

4. La riga-oggetto è essenziale.

5. Per mantenere alta l'attenzione del destinatario,

6. L'email deve essere ben strutturata da un punto di vista visivo.

B

a. Si devono scrivere paragrafi brevi e, se necessario, usare liste puntate o numerate.

b. Con un cliente appena conosciuto usiamo il tono formale.

c. L'informazione principale deve stare nella riga-oggetto e nel primo paragrafo.

d. il contenuto del messaggio deve essere breve, esplicito e il più possibile preciso. Le parole superflue confondono.

e. generalmente si aboliscono le maiuscole dei pronomi di cortesia (Lei, La, Le), di Voi, Vi, e dei possessivi (Suo/a, Vostro/a ecc.).

f. 'Gentile Dottor Rossi', 'Gentile Ingegnere'. Scriviamo in maniera formale, ma non burocratica.

adattato da: 'Il mestiere di scrivere' di Luisa Carrada

Scrivere e-mail

 Lavorate in coppia. Prima leggete le email e dopo segnate nel box il numero accanto al motivo dell'e-mail.

Work in pairs. First read these emails. Then write the number next to the purpose of the email.

── scopo/motivo ──	── e-mail n. ──
sollecitare un pagamento	
prendere appuntamenti	
fare inviti	
offrire informazioni	

e-mail 1

A:	orders@griffe.de
Cc:	
Ccn:	
Oggetto:	campionario Fil.Co
Allegati:	Fil.Co Campionario.pdf

Spettabile Ufficio Ordini,

siamo lieti di inviarvi in allegato il campionario dei nostri prodotti, come da voi richiesto.

Come potete vedere dal nostro sito web, la Fil.Co rifornisce le migliori sartorie, in particolare, atelier di alta moda sia in Italia che all'estero. Esportiamo, infatti, in Francia, Spagna e Gran Bretagna. Inoltre, recentemente, abbiamo acquisito con successo clientela cinese e indiana. Quindi, siamo certi che i nostri raffinati tessuti per abbigliamento riscontreranno lo stesso interesse sul vostro mercato.

In attesa di intraprendere una proficua relazione commerciale, porgiamo distinti saluti.

Marco Bernardi

Fil.Co
Via Borgonovo, 33
36100 Vicenza - Italia
tel. +39 0444 54352300 - fax +39 0444 54352900
Partita IVA 04363391001
Registro Imprese di Vicenza 297679/18990
www.Fil.Co.it

Disclaimer
Il contenuto di questo messaggio può contenere informazioni di carattere privato e confidenziale. Pertanto ai sensi e per gli effetti del D. Leg. 196/2003 nonché dell'articolo 616 c.p., qualora non fosse il destinatario, La preghiamo di informarci immediatamente con lo stesso mezzo e di eliminare il messaggio con gli eventuali allegati senza trattenerne copia.
Qualsiasi utilizzo non autorizzato del contenuto di questo messaggio costituisce violazione degli obblighi di legge.

> La **Partita IVA** è un codice che identifica il contribuente (persona fisica o società) ed è composto da 11 numeri. Si richiede all'Ufficio delle Entrate, agenzia che si occupa della gestione e dell'accertamento delle imposte.

e-mail 2

A:	irene.perla@linori.it
Cc:	
Ccn:	
Oggetto:	drink Roma

Cara Irene,

come va? Come da accordi, ti invio il programma della conferenza. Ti confermo che sarò a Roma per la presentazione dal 10 al 14 gennaio. Passo in ufficio il 12. Per caso sei libera per un drink nel tardo pomeriggio? Fammi sapere così organizziamo.

Ciao, a presto.

John

e-mail 3

A:	A.Ferrari@stylein.it
Cc:	
Ccn:	
Oggetto:	Presentazione Collezione P/E 6

Gentile signora Ferrari,
con riferimento alla nostra conversazione telefonica, sono lieta di comunicarle che la presentazione della collezione in oggetto si terrà il giorno:

venerdì 9 febbraio alle ore 12.00

presso il nostro showroom di Milano.
La preghiamo gentilmente di confermarci la sua partecipazione.
In attesa di incontrarla personalmente, porgo cordiali saluti.
Luisa Fisher
Luisa.Fisher@listom.it

e-mail 4

A:	contabilità@lpd.it
Cc:	
Ccn:	
Oggetto:	Alla c.a. del ragionier Ilari - sollecito pagamento produzione A123

Buongiorno,

in risposta alla sua ultima mail, ci dispiace informarla che abbiamo riscontrato nel nostro estratto conto il mancato pagamento della merce in oggetto spedita il 2 marzo.

Le invio nuovamente la fattura. Le facciamo presente l'urgenza del pagamento e la preghiamo di saldare quanto prima l'importo.

Restiamo a sua disposizione per maggiori chiarimenti.

Cordiali saluti,

Luca Ricci

c.a. equivale a **cortese attenzione**

Lessico commerciale 1

- **fattura** — documento che descrive i prodotti acquistati o il servizio prestato e il costo corrispondente

- **saldare** — pagare completamente una fattura, un conto

- **merce** — prodotto venduto o acquistato

- **estratto conto** — elenco delle operazioni bancarie di un conto corrente

Gentile Dottore, /... Cordiali saluti

 Abbina il saluto della colonna A a quello della colonna B.
Match column A to column B.

A saluti di apertura
• Spettabile Ufficio ...,
• Caro Giorgio, / Cara Irene,
• Gentile dottor / dottoressa Pieri,
• Cari Colleghi,
• Caro Damiani, ✔
• Egregio avvocato Lettini,

B saluti di chiusura
• Saluti a tutti
• A presto
• Cordiali saluti (x 3) ✔
• Distinti saluti

1. al collega che si conosce bene; al capo con cui abbiamo un rapporto informale

....

2. al fornitore / cliente

   Caro Damiani, /... Cordiali saluti
   ....

3. all'amministratore delegato, al dirigente

....

4. a un ufficio

....

5. a un gruppo di colleghi

....

6. all'avvocato

....

Osserva

- **'Spettabile'** si usa quando scriviamo a uffici, società, banche, dipartimenti.

- **'Egregio'** si usa prevalentemente nelle lettere formali, per esempio, tra avvocati, professori.

- In Italia è frequente scrivere a un collega, un cliente o un fornitore, con il quale si ha un rapporto più formale, usando il **cognome**. Questa è una consuetudine anche della lingua parlata.

Leggi le quattro e-mail di nuovo e completa la tabella.
Read the four emails again and complete the table.

formule per fare riferimento a contatti precedenti
referring to previous contacts

- Come _____ _____, (e-mail 2)
- con riferimento alla _____ _____ _____, (e-mail 3)
- _____ _____ alla sua ultima mail, (e-mail 4)
- Riguardo alla sua ultima e-mail …

formule per spiegare il motivo dell'email
explaining the purpose of the email

- Siamo lieti di inviarvi... (e-mail 1)
- _____ _____ di comunicarle (e-mail 3)
- Ci _____ _____ (e-mail 4)

formule per fare riferimento a contatti futuri
referring to future contacts

- _____ _____ _____ intraprendere una proficua relazione commerciale, (e-mail 1)
- Fammi sapere (e-mail 2)
- _____ _____ _____ _____ personalmente, (e-mail 3)
- _____ _____ _____ _____ per maggiori chiarimenti. (e-mail 4)

Gradiremmo ricevere il catalogo

Completa la tabella con le frasi nei box a seconda della funzione.
Now fill in the table with the phrases in the boxes according to their function.

La preghiamo gentilmente di comunicarci la sua presenza.　La ringraziamo per la fattura.

Vi preghiamo di provvedere al pagamento.　In allegato, vi inviamo l'ordine del giorno.

Siamo spiacenti per il contrattempo.　Siamo lieti di invitarla all'inaugurazione del nostro showroom.

- **richiedere** *asking*
  - Gradiremmo ricevere il catalogo.
  - _____

- **ringraziare** *thanking*
  - Ti ringrazio anticipatamente per la gentile collaborazione.
  - _____

- **scusarsi** *apologising*
  - _____

- **invitare** *inviting*
  - _____

- **inviare documenti** *sending documents*
  - _____

- **sollecitare** *reminding*
  - Se potete inviarci con urgenza la pratica.
  - _____

Lessico commerciale 2

- contrassegno   pagamento in contanti alla consegna
- bonifico bancario   trasferimento di denaro
  fra due differenti conti correnti
- IVA   Imposta Valore Aggiunto,
  tassa diretta sulla vendita di beni e servizi
- importo   costo complessivo
- raccomandata   lettera o pacco che richiedono
  la firma del destinatario

Completa le frasi con il lessico commerciale nel box.

Complete the sentences with the business language in the box.

estratto conto	fattura	bonifico bancario	importo
IVA	raccomandata	saldare	merce	contrassegno

1. Ci risulta che la _____ è stata pagata, ma non abbiamo ricevuto conferma.

2. Per l'acquisto dei nostri articoli il pagamento si effettua solo con carta di credito
   o _____ _____.

3. Siamo spiacenti, ma non è possibile pagare alla consegna. Non accettiamo pagamenti
   in _____.

4. La preghiamo di _____ quanto prima il conto.

5. L' _____ _____online, vi permette di consultare i vostri movimenti bancari
   comodamente da casa o dall'ufficio.

6. La _____ è danneggiata. Dobbiamo fare un reclamo.

7. Le spediamo il testo via _____. Arriverà in 3 giorni.

8. La preghiamo di controllare l' _____. Pensiamo ci sia un errore di calcolo.

9. Quant'è l' _____ sui prodotti di lusso?

Completa le due mail con le parole nel box.

Fill in the blanks in the emails below, using the words in the box.

| quanto prima | importo | pratica | prossimi |
| porgo | merce | prodotti | allegato |

A: pieri.a@aot.com
Cc:
Ccn:
Oggetto: invio prodotti

Gentile Cliente,

la informiamo che spediremo i _____ che ha ordinato nel primo pomeriggio.
Effettueremo il recapito della _____ con corriere espresso nei _____ 2/3 giorni lavorativi.

Addebiteremo l'_____ al momento della spedizione.

La ringraziamo per l'acquisto dei nostri articoli.

Cordiali saluti.

Gruppo Lettin
via Giuseppe Verdi, 8
20020 Arese (MI) - Italia
tel. +39 02 935352300 - fax +39 02 93814352900
Partita IVA 12252360158
Registro Imprese di Milano 297549/1997
www.lettin.it

A: Magni.Luca@Oldin&Partners.it
Cc:
Ccn:
Oggetto: documentazione

Gentile avvocato Magni,

la ringrazio per l'invio della documentazione in _____ alla sua mail del 13 ottobre. La inserirò
nella _____ che invieremo al nostro ufficio di Roma. Spediremo la raccomandata _____
_____.

Le _____ cordiali saluti.

Livio Curati

Lessico *I verbi che si usano nella corrispondenza con i pronomi di cortesia*

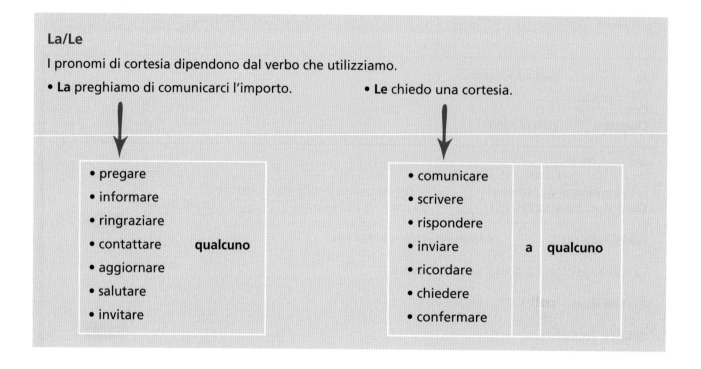

La/Le

I pronomi di cortesia dipendono dal verbo che utilizziamo.

• **La** preghiamo di comunicarci l'importo.   • **Le** chiedo una cortesia.

• pregare • informare • ringraziare • contattare **qualcuno** • aggiornare • salutare • invitare	• comunicare • scrivere • rispondere • inviare **a qualcuno** • ricordare • chiedere • confermare

Ora completa le frasi con i verbi nel box.
Now complete the sentences with the verbs in the box.

invio	scrivo	prego	ricordiamo	saluto	aggiorniamo

1. **La** _____ appena riceveremo ulteriori dettagli.

2. **La** _____ di inviarci la documentazione al più presto.

3. Gentile Signora, **Le** _____ che la data di pagamento della fattura è scaduta da 5 giorni.

4. **Le** _____ in risposta alla Sua recente richiesta e **Le** _____ il nostro catalogo.

5. In attesa di incontrarLa, **La** _____ cordialmente.

Collegare frasi e idee

Abbina le frasi della colonna A a quelle della colonna B.

Match the phrases in column A to those in column B.

A
1. La Fil.Co rifornisce le migliori sartorie,
2. Inoltre, recentemente,
3. Siamo spiacenti di comunicarvi che
4. Gradiremmo ricevere il vostro catalogo con il listino prezzi in versione elettronica
5. In primo luogo, vorremmo sottolineare la qualità del prodotto.

B
a. a causa dello sciopero, non potremo inviare la merce.
b. oppure cartacea.
c. in particolare, atelier di alta moda.
d. Infine alleghiamo il nostro listino prezzi.
e. abbiamo acquisito con successo clientela cinese e indiana.

Le parole per collegare frasi e idee

funzione	connettivi
aggiungono elementi	inoltre / anche
presentano un'alternativa	o / oppure
spiega un'idea	infatti
riassume un'idea	allora
esprimono dispiacere	sfortunatamente / purtroppo
strutturano una frase, un'idea	in primo luogo / in secondo luogo / infine / prima / poi
esprimono contrasto	ma / però
segnala una conseguenza	quindi
precisa un'idea	in particolare
introducono una causa	perché / a causa di

Riordina l'email e completa le frasi con i connettivi nel box.

Put the email in the correct order and complete the sentences with the linking words in the box.

ma	quindi	Inoltre	anche

1. Spettabile Hotel, vorrei prenotare una camera matrimoniale, prima colazione inclusa, per 3 notti, dal 4 al 6 ottobre, per il professor Francesco Mari.

___ Ringraziandovi, resto in attesa di una vostra conferma per inviarvi gli estremi della carta di credito. Distinti saluti, Carla Petri.

___ Ho visto sul vostro sito che la camera è disponibile, _____ vi chiedo cortesemente di confermare via mail.

___ _____ per il giorno 5 vorrei riservare una sala riunioni con supporti informatici per 6 persone dalle 9.00 alle 12.00. Alle 10.30 gradiremmo _____ un servizio di catering, _____ vorremmo avere solo un rinfresco leggero.

4. Per maggiori dettagli vi contatterò telefonicamente più avanti.

Forme e usi

Il futuro semplice

- **Effettueremo** il recapito della merce a mezzo corriere espresso.
- **Saremo** lieti di presentare l'intera gamma dei nostri prodotti al vostro responsabile commerciale.
- Le **invierò** il documento **fra** due giorni / la settimana **prossima**.

Le forme regolari del futuro semplice

Completa la tabella con le forme del futuro nel box.

Fill in the table with the future forms in the box.

trasmetterò	inserirai	trasmetterete	
inseriremo	troveranno	troverà	

	TROV-ARE	TRASMETT-ERE	INSER-IRE
io	troverò		inserirò
tu	troverai	trasmetterai	
lui/lei/Lei		trasmetterà	inserirà
noi	troveremo	trasmetteremo	
voi	troverete		inserirete
loro		trasmetteranno	inseriranno

- Le desinenze del futuro per -are e -ere sono simili. Es. trov-**erò**, trasmett-**erò**.
- I verbi che terminano in -**care** e -**gare** richiedono una 'h' davanti alla 'e' della desinenza. Es. cercherò, pagherò.
- I verbi che terminano in -**ciare** e -**giare** perdono la 'i' prima della 'e' della desinenza. Es. comincerò, viaggerò.

Gli usi del futuro

Il **futuro** si usa per:

- eventi futuri

  Inaugureremo la nuova sede all'inizio del **prossimo** anno.

- ipotesi e supposizioni

  Che ore sono? **Saranno** le 5.00.

* Nella lingua parlata il futuro è spesso sostituito dal presente indicativo.
  Es. Domani i clienti visitano i nuovi uffici alle 13.00.

espressioni di tempo con il futuro

- tra / fra una settimana, ...
- il mese prossimo / la settimana prossima ...

Coniuga i verbi tra parentesi al futuro semplice.

Put the verbs in brackets into the simple future.

1. (noi / effettuare) _____ il recapito della merce a mezzo corriere espresso.

2. Siamo certi che i nostri prodotti (**riscontrare**) _____ lo stesso successo sul vostro mercato.

3. (**io / inserire**) _____ la documentazione nella pratica che (noi / trasmettere) _____ al nostro ufficio legale.

4. (**tu / essere**) _____ in viaggio anche la prossima settimana?

5. Nella prossima mail (**noi / sapere**) _____ darle maggiori dettagli.

Alcune forme irregolari alla prima persona

- sarò (sarai, sarà, ...)
- avrò
- starò
- farò
- darò
- dirò
- potrò
- dovrò
- saprò

- vedrò
- vivrò
- cadrò
- vorrò
- verrò
- berrò
- terrò
- manterrò

Abbina l'inizio di queste email alla frase di chiusura appropriata.

Match the beginnings of these emails to the appropriate endings.

── Frase di inizio ──

1. Gentile Signor Ferri,
siamo lieti di comunicarle che abbiamo spedito gli articoli questa mattina. __f__

2. Spettabile Hotel Town House,
vorrei prenotare una camera singola per quattro notti per il dottor Freschi.

3. La ringrazio per la sua email. Mi farà piacere partecipare all'inaugurazione del suo nuovo studio.

4. Ci dispiace informarla che non abbiamo ancora ricevuto il bonifico bancario.

5. Buongiorno Caterina, come va? Verrò a Firenze per una conferenza.

6. Laura,
faccio seguito alla nostra conversazione telefonica per confermare la riunione del 7 maggio.

── Frase di chiusura ──

a. Vi chiedo cortesemente di confermare quanto prima la disponibilità.
Distinti saluti,
Paola Eli

b. Mi faccia sapere se è libera,
così ci organizziamo per visitare la mostra.
A presto
Stefano

c. In attesa di una sua pronta risposta, restiamo a disposizione per maggiori chiarimenti.
Cordiali saluti,
Cristian Verri

d. In attesa di incontrarla personalmente, le porgo cordiali saluti.
Vera Rossi

e. Ti chiamo appena arrivo a Padova.
Ciao!
Adriana

f. La ringraziamo nuovamente per l'acquisto dei nostri prodotti.
I nostri più cordiali saluti,
Gruppo Ginor

 Ora scrivi un'email che generalmente scrivi nella tua lingua per lavoro o per studio. Scrivila in italiano usando
- **le formule di apertura e di chiusura**
- **le formule per spiegare il motivo / lo scopo**
- **eventuali riferimenti a contatti futuri**
- **i connettivi e le parole che hai imparato in questa unità.**

Now compose an email that you would usually write in your own language for work or studies, using the language you have learnt in this unit.

Appendice

Lettera italiana

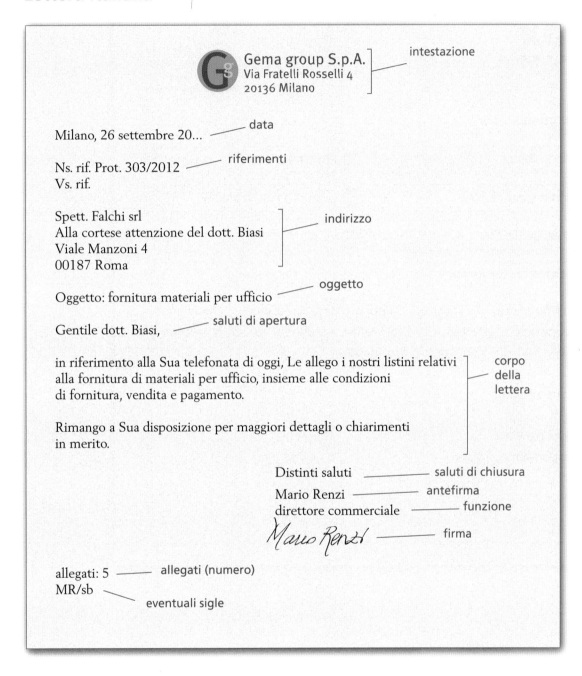

Gg Gema group S.p.A. ⎤ intestazione
Via Fratelli Rosselli 4 ⎦
20136 Milano

Milano, 26 settembre 20... —— data

Ns. rif. Prot. 303/2012 —— riferimenti
Vs. rif.

Spett. Falchi srl ⎤
Alla cortese attenzione del dott. Biasi ⎥ indirizzo
Viale Manzoni 4 ⎥
00187 Roma ⎦

Oggetto: fornitura materiali per ufficio —— oggetto

Gentile dott. Biasi, —— saluti di apertura

in riferimento alla Sua telefonata di oggi, Le allego i nostri listini relativi ⎤ corpo
alla fornitura di materiali per ufficio, insieme alle condizioni ⎥ della
di fornitura, vendita e pagamento. ⎥ lettera

Rimango a Sua disposizione per maggiori dettagli o chiarimenti
in merito. ⎦

Distinti saluti —— saluti di chiusura
Mario Renzi —— antefirma
direttore commerciale —— funzione

Mario Renzi —— firma

allegati: 5 —— allegati (numero)
MR/sb —— eventuali sigle

Modello di fax

fax
•••••

Falchi
srl
Viale Manzoni 4
00187 ROMA (Italia)

DATA DATE	10 ottobre 20...

A TO	Mario Renzi	**DA** FROM	Roberto Biasi
SOCIETÀ COMPANY	Gema group S.p.A.	**RIF.** REF.	Vs Rif. Prot. 303/2012
N. DI FAX FAX N.	02.98.28.62.22	**PAGINE** PAGES	1 **INCLUSA QUESTA** THIS ONE INCLUDED

NOTE
NOTES

Gentile dottor Renzi,

in riferimento alla fornitura da noi ordinata, Le comunico che la consegna andrà effettuata presso la nostra sede dal lunedì al venerdì, dalle 9.00 alle 17.00, orario continuato.

Cordiali saluti

Roberto Biasi
responsabile acquisti

Fare presentazioni

Indica in che occasioni fai o hai fatto presentazioni nella tua lingua o in una lingua straniera.

Say on which occasions you have given a presentation in your language or in a foreign language.

	nella mia lingua	in una lingua straniera
• per un prodotto o servizio della mia azienda	☐	☐
• per illustrare una strategia	☐	☐
• per un colloquio di lavoro	☐	☐
• per un progetto o la tesi all'università	☐	☐
• altro …?	☐	☐

La tecnica del volo

 Leggi il testo e completalo con le frasi nei box.

Read the text and complete it with the sentences in the boxes.

> Esponete la vostra tesi con esempi, citazioni, paragoni e dati.

> Le ultime parole sono quelle che si ricordano di più.

> Cominciate con una frase forte a effetto, un esempio, o un aneddoto.

Quali sono le tecniche per una presentazione di successo? Alcuni esperti hanno paragonato la struttura di una presentazione efficace all'immagine di un viaggio in aereo.

Il decollo o l'apertura. Il decollo è utile per catturare l'attenzione. È importante evitare introduzioni non necessarie e presentare subito l'argomento principale. _____

La fase di volo o l'esposizione dei contenuti fondamentali. _____
Le statistiche sono importanti per dimostrare la validità delle vostre idee. In genere, per organizzare la fase di volo, procedete dalle informazioni più importanti a quelle più marginali e dai punti più generali a quelli più specifici.

L'atterraggio o la conclusione. Nell'atterraggio riassumete il contenuto della presentazione e terminate con una frase che abbia un certo impatto.
_____ . Il successo di una presentazione si misura perlopiù dalla reazione del pubblico alla fase finale. Preparatela quindi molto bene.

adattato da: www.uniroma3.it

Lavorate in coppia e discutete.
Work in pairs and discuss.

- Per me la parte più difficile / facile / interessante di una presentazione
  è il decollo / la fase di volo / l'atterraggio…

Funzioni *Presentarsi e introdurre l'argomento*

Leggi la prima parte della presentazione di Paolo Berni e completa la tabella.
Read the first part of Paolo Berni's presentation and complete the table.

Buonasera, sono Paolo Berni, il direttore commerciale della Zinchi. Sono lieto di essere qui stasera.

In questa presentazione, vorrei illustrare le fasi e i costi del progetto di cui sono responsabile.

La mia presentazione durerà 40 minuti.

presentarsi
introducing yourself

- Buonasera, sono _____, _____
- Sono _____ stasera.

introdurre l'argomento
introducing the subject

- In questa _____,
  vorrei _____ / spiegare / descrivere / presentare
  le principali attività della nostra società / la nostra nuova gamma di prodotti.
- La mia _____ _____ 40 minuti.

Lessico

Abbina i verbi ai nomi nel box. Sono possibili più combinazioni.
Match the verbs to the nouns in the box. Several combinations are possible.

1. evidenziare _____
2. fare _____
3. avanzare *una proposta* _____
4. tracciare _____
5. indicare _____
6. discutere _____
7. proporre _____
8. delineare _____
9. trattare _____
10. analizzare _____

- i punti chiave
- la / una proposta
- progetti a breve / lungo termine
- il / un sommario
- la/una soluzione / soluzioni
- lo / uno schema
- il / un quadro
- le linee generali
- il tema / la questione

Abbina le frasi della colonna A a quelle della colonna B.

Match the phrases in column A to those in column B.

A
1. Oggi illustrerò i
2. Tratteremo la
3. Infine vorrei analizzare eventuali
4. Permettetemi di delineare il
5. Traccerò a sommi capi lo
6. Vorrei evidenziare con voi le

B
a. schema generale del processo di implementazione.
b. soluzioni di cui possiamo discutere dopo la pausa.
c. progetti di ristrutturazione cui il nostro dipartimento lavora da gennaio.
d. quadro della situazione che dobbiamo affrontare nei prossimi mesi.
e. linee generali del nostro approccio al cliente.
f. questione dei finanziamenti in un secondo tempo.

> **Osserva**
>
> Alcune parole che terminano in **-ma** sono maschili.
>
> - il tema
> - lo schema
> - il problema
> - il sistema

La struttura della presentazione

Ascolta alcune frasi estratte da diverse presentazioni e segna quelle che senti.

Listen to the following extracts from different presentations. Tick which sentences you hear.

1. In questa prima fase Vi mostrerò un video dei nostri ultimi modelli.	✔
2. Dopo vorrei illustrare i fattori che hanno determinato la crisi del settore.	
3. Devo scusarmi per il ritardo. Ho avuto un imprevisto.	
4. Infine, parlerò del mercato estero e, in particolare, dei nuovi mercati di sbocco.	
5. Prego, fate pure domande quando desiderate durante la presentazione.	
6. Vediamo ora i vantaggi delle nuove direttive comunitarie per il nostro mercato.	
7. Spero che il grafico sia chiaro. Questa mattina abbiamo avuto un inconveniente tecnico.	
8. Questo esempio evidenzia le potenzialità di crescita del nostro mercato. È questa la ragione per cui è importante esaminarlo attentamente.	
9. Vorrei sottolineare il significativo aumento del nostro fatturato. La dottoressa Bianchi, che ha preparato la relazione, evidenzierà i punti principali.	

Funzioni

Lavorate in coppia. Completate la tabella con le parole nel box.

Work in pairs. Complete the table with the words in the box.

grafico	prendiamo	in sintesi	concludere	luogo
prossimo	mostrare	~~quattro~~	tutto	

organizzare la presentazione
structuring the presentation

- La presentazione è suddivisa in _quattro_ parti.

- In primo _____

supporto visivo e attrezzature tecniche
audio visual support

- Vorrei _____ alcune immagini / tabelle / alcuni grafici / un video

- Riuscite a vedere lo schermo?

terminare una parte della presentazione
concluding a part of the presentation

- Questo è _____ sulla prima parte.

- Vorrei _____ la prima parte.

passare al punto / all'argomento successivo
moving on to the next point/subject

- Vorrei ora passare al _____ punto.

introdurre un esempio
introducing an example

- Come potete vedere dal _____

- _____ un esempio

evidenziare un'idea
highlighting

- Vorrei evidenziare

riassumere
summarising

- _____ _____ abbiamo visto

I connettivi

Leggi questo estratto da una presentazione che un'azienda fa all'agenzia di pubblicità che deve creare una campagna pubblicitaria per la loro ultima linea di prodotti. Completa il testo con i connettivi nel box.

Read this extract from a company's presentation to the advertising agency that will devise a campaign for their latest products. Complete the text with the linking expressions in the box.

Inoltre	In secondo luogo	Infine	infatti	in seguito	In primo luogo

Benvenuti a tutti. Sono qui per presentare la nostra ultima linea di prodotti. ____ _____ _____ vorrei illustrare le caratteristiche del nostro mercato e quindi delle sue potenzialità. ____ _____ _____ parlerò del nostro tipo di consumatore e _____ _____ mostrerò l'andamento attuale delle vendite e il prezzo dei nostri prodotti. Credo, _____, che il prezzo competitivo sia un nostro punto forte. _____ vi mostrerò le caratteristiche dei prodotti della concorrenza. _____ concluderò con una sintesi dei nostri obiettivi per questa campagna pubblicitaria.

Abbina le frasi della colonna A a quelle delle colonna B.

Match the phrases in column A to those in column B.

A
1. Ecco i sei elementi del prodotto che considereremo oggi: caratteristiche, qualità, prezzo e,
2. Nella prima parte della presentazione esamineremo gli obiettivi a breve termine,
3. Il primo grafico illustra i risultati trimestrali di quest'anno,
4. Nella terza fase della presentazione vi mostrerò la
5. E infine il finanziamento del progetto:
6. Questo è tutto per quanto riguarda l'andamento delle

B
a. tabella con i dati del fatturato attuale.
b. vendite nel secondo semestre.
c. successivamente, mercato, target, concorrenza.
d. questo è l'ultimo punto che intendo sviluppare.
e. il grafico accanto, quelli dell'anno scorso.
f. in un secondo momento valuteremo quelli a lungo termine.

Funzioni *Conclusioni e ringraziamenti*

Ecco le frasi finali della presentazione di Paolo Berni.
Here are the final sentences of Paolo Berni's presentation.

concludere
concluding

- Questo è tutto.
  Mi auguro che la presentazione vi abbia fornito un quadro esauriente della situazione.

ringraziare
thanking

- Grazie a tutti per la partecipazione.
  Un ringraziamento particolare all'organizzatore, il dottor Ronchi.

Presentazione

Ora lavorate in gruppo. Immaginate di dover preparare una presentazione:
- **per un gruppo di clienti sui prodotti / servizi della vostra società**
- **a nuovi studenti sul vostro corso universitario.**

Preparate insieme lo schema della presentazione. Seguite le indicazioni qui sotto e il lessico nei box colorati dell'unità. Dopo dividetevi le sezioni e fate la presentazione davanti al gruppo.

Now work in groups. Imagine you have to give a presentation
- *to a group of clients on your company's products and services*
- *to new students on your university course.*

Prepare together the structure of the presentation using the instructions below and the vocabulary in the coloured boxes of the unit. Then decide which section you are going to introduce and give your presentation in front of the group.

1. Saluta e presentati.
2. Chiedi se i partecipanti possono sentire bene / vedere il supporto visivo.
3. Spiega il contenuto della presentazione e introduci l'argomento principale.
4. Spiega com'è suddivisa / organizzata la presentazione.
5. Riassumi i punti principali.
6. Termina la presentazione.
7. Ringrazia i partecipanti.

Prodotto / Servizio

nome prodotto / servizio	_____
caratteristiche / prestazioni	• È un marchio • È realizzato in un materiale /... • Si usa per ... • Offre / fornisce ... • I vantaggi sono ...
prezzo	• Il costo è competitivo / conveniente / basso rispetto a ...
target	• Si rivolge a una fascia ... / a un mercato ...
concorrenza	• I nostri concorrenti sono ... / offrono...

Corso di laurea

corso di laurea in	• _____
indirizzo di studio	• Il corso propone 2/3 indirizzi di studio ...
durata	• Ha una durata annuale / biennale / triennale ...
requisiti	• I requisiti sono il diploma di scuola secondaria superiore / il titolo ...
esami	• Gli esami di base comprendono ... / l'esame finale ...
prospettive professionali	• Il corso prepara a posizioni nel campo ... / nei settori ...

Consigli tecnici per una presentazione

 Lavorate in coppia e abbinate la prima parte della frase nella colonna A alla seconda nella colonna B. Dopo leggete il testo alla pagina seguente e verificate le vostre risposte.

Work in pairs and match the phrases in column A to those in column B. Then read the text on the next page and check your answers.

A	B
1. Le diapositive devono contenere	a. essere sintetiche.
2. Le diapositive devono	b. sono chiare ed efficaci.
3. Le liste puntate	c. commentate e non lette.
4. I caratteri non	d. solo un messaggio.
5. La presentazione deve avere uno	e. stile sobrio.
6. Le diapositive devono essere	f. devono essere troppo piccoli.

Durante un incontro con giovani neoassunti, Virginia Rossi, consulente aziendale, dà alcuni consigli tecnici per una presentazione.

Prima di tutto direi che una diapositiva dovrebbe contenere solo un'idea, un messaggio, un concetto, altrimenti il pubblico si confonde. In secondo luogo, consiglierei di scrivere massimo 6 righe su ogni slide, più il titolo. I titoli sintetizzano il contenuto della diapositiva, quindi li preparerei con cura. Utilizzerei elenchi e liste puntate, perché sono chiari ed efficaci. A questo proposito, vorrei ricordare che gli elenchi a gruppi di 3 sono facili da memorizzare. In generale, sarebbe molto utile mostrare grafici, tabelle, immagini. Inoltre sceglierei diversi simboli, elementi geometrici, frecce. I colori, poi, non dovrebbero essere più di 4. Non userei un carattere troppo piccolo e riguardo alle maiuscole, solo quando sono necessarie. E modererei l'uso del grassetto. Cercherei di evitare animazione e suoni: non cadiamo in tentazione! In sintesi, inviterei a uno stile sobrio. Infine, vorrei precisare che è importante commentare le diapositive e non leggerle.

So che alle 15.00 avete il prossimo workshop, quindi penso che sarebbe meglio ora passare alle domande. Giancarlo, vorrebbe cominciare Lei? Grazie.

Funzioni *Invitare a fare domande, fare domande, interrompere*

 Prima metti in ordine le frasi e poi indica la funzione.
First unscramble the sentences and then tick their function.

frasi	invitare a parlare / intervenire	fare domande	interrompere
1. domanda? / posso / una / Mi scusi, / farLe	☐	☐	☐
2. desiderate / fate pure / la presentazione. / Prego, / domande / durante / quando *Prego, fate pure domande quando desiderate durante la presentazione.*	☑	☐	☐
3. interromperLa? / posso / Mi scusi,	☐	☐	☐
4. Gentilmente, / le domande / fare / Grazie. / alla fine? / tutte / potreste	☐	☐	☐

Forme e usi

Il condizionale semplice

> • **Scriverei** massimo 6 righe.
> • **Utilizzerei** elenchi e liste puntate.

Lavorate in coppia. Prima trovate nel testo 'Consigli tecnici per una presentazione' le forme del condizionale presente e dopo scrivetele nella tabella secondo il loro uso.

Work in pairs. First find in the text 'Consigli tecnici per una presentazione' the forms of the present conditional. Then write them in the table according to their use.

Gli usi del condizionale

consiglio / suggerimento	ipotesi	desiderio	richiesta
consiglierei ...	*Penso che sarebbe meglio ...*		

Completate ora la tabella con le forme del condizionale presente nel box.

Now complete the table with the forms of the present conditional in the box.

> scriveremmo   finireste   utilizzerebbe   scriverei
> finiresti   finirei   utilizzerei   scriveresti   utilizzerebbero

	-are utilizzare	-ere scrivere	-ire finire
io			
tu	utilizzeresti		
lui/lei/Lei		scriverebbe	finirebbe
noi	utilizzeremmo		finiremmo
voi	utilizzereste	scrivereste	
loro		scriverebbero	finirebbero

Alcune forme irregolari alla prima persona

- sarei (saresti, sarebbe, ...)
- avrei
- starei
- farei
- darei
- direi
- potrei
- dovrei
- saprei
- vedrei
- vivrei
- cadrei
- vorrei
- verrei
- berrei
- terrei
- manterrei

- I verbi in **-are** e **-ere** hanno la desinenza simile. Es. us-**erei**; scriv-**erei**.

- I verbi che terminano in **-care** / **-gare** prendono la 'h' davanti alla 'e' della desinenza. Es. cercherei; pagherei.

- I verbi che terminano in **-ciare** e **-giare** perdono la 'i' prima della 'e' della desinenza. Es. comincerei.

Lessico

Cancella la parola estranea.
Delete the odd man out.

1. organizzare / ascoltare / preparare / dire   una presentazione
2. cancellare / interrompere / ringraziare / invitare   l'ospite
3. spiegare / illustrare / esaminare / stipulare   dati/informazioni
4. riassumere / stringere / analizzare / sintetizzare   un argomento
5. fare / porre / aprire / chiarire   una domanda

Forme e usi

I pronomi relativi

Leggi qui di seguito alcune frasi che hai incontrato in questa unità. Osserva i pronomi relativi sottolineati e indica le lettere corrispondenti alla spiegazione nel box.
Read some of the sentences below that you have worked on in this unit. Look at the underlined relative pronouns in the sentences and indicate whether a/b/c applies.

	a / b / c
1. Vorrei illustrare le fasi e i costi del progetto <u>di cui</u> sono responsabile.	
2. Permettetemi di tracciare il quadro della situazione <u>che</u> dobbiamo affrontare nei prossimi mesi.	
3. Dopo vorrei illustrare i fattori <u>che</u> hanno determinato la crisi del settore.	
4. È questa la ragione <u>per cui</u> è importante esaminarlo attentamente.	
5. La dottoressa Bianchi, <u>che</u> ha preparato la relazione, evidenzierà i punti principali.	

a. I pronomi relativi **che** e **cui** si riferiscono a **cose** e **persone**.
b. Il pronome **che** introduce il **soggetto** o l'**oggetto diretto** della frase relativa.
c. Il pronome **cui** introduce sempre l'**oggetto indiretto**, di solito preceduto da una preposizione.

Usa i pronomi relativi per collegare le frasi della colonna A a quelle della colonna B.

Use the relative pronouns to link the phrases in column A to those in column B.

A
1. Sono qui per illustrare la ricerca di
2. Mi scusi, può ripetere la domanda
3. Nella seconda parte prenderò in esame la relazione
4. Queste sono le ragioni
5. Dobbiamo discutere il finanziamento per

che

cui

B
a. _____ mi sto occupando.
b. _____ ha appena fatto?
c. _____ la Commissione ci ha recentemente inoltrato.
d. _____ ci hanno spinto a prendere questa decisione.
e. ____ abbiamo fatto domanda.

Lavorate in coppia e discutete.
Work in pairs and discuss.

Partecipi o hai mai partecipato a riunioni nella tua lingua o in una lingua straniera?

Che tipo?	In che ruolo?	Con chi?
• riunioni formali / informali	• come partecipante • come relatore • come presidente / moderatore	• con colleghi / con dirigenti / superiori • con clienti • altro …?

A che scopo?		Dove?
• per informare • raccogliere opinioni • prendere decisioni • per migliorare la comunicazione / le capacità organizzative • altro …?		• in sala riunioni • fuori sede (bar / ristorante / hotel) • altro …?

Il bar agevola la "corporate identity"

Già da diversi anni le aziende americane, in particolare californiane, hanno spazi informali, dove i dipendenti possono socializzare e condividere idee di lavoro. È questa la cosiddetta tendenza 'lounge' delle aziende. In Silicon Valley è più importante la produttività, anche se in un salotto. Al contrario, in Italia la riunione davanti alla macchina del caffè è vista spesso come inefficace. Culture differenti. Ma nel palazzo in cristallo e cemento di Renzo Piano, dove ha sede Il Sole24Ore, c'è un'area lounge: un bar con i tavolini, dove i dipendenti si incontrano per discutere di lavoro. E gli ospiti esterni commentano: "Come, in orario di lavoro e non dice niente nessuno?"

adattato da: http://jobtalk.blog.ilsole24ore.com

Il termine **corporate** è correntemente usato come sinonimo di **aziendale**.

Lessico

Abbina le parole nel box alla loro definizione.
Match the words in the box to their definition.

il verbale	~~il presidente~~	i partecipanti	il relatore/la relatrice
gli interventi	l'ordine del giorno/l'agenda		gli argomenti

1. le persone che prendono parte a una riunione, un evento, un'iniziativa	
2. i discorsi, le relazioni in una riunione, una conferenza, un'assemblea, un dibattito	
3. chi presenta fatti o argomenti a una riunione, conferenza, assemblea	
4. chi sovraintende, coordina una riunione formale, un'assemblea	*il presidente*
5. documento che riporta i nomi dei partecipanti, gli interventi della riunione e le decisioni prese	
6. i temi di una riunione, un'assemblea	
7. lista di argomenti da discutere in una riunione	

Organizzare, convocare e gestire una riunione

 Leggi il testo e dopo completalo con le parole nel box.
Read the text and then complete it with the words in the box.

> Le riunioni sono importanti momenti di confronto, di sintesi, di aggregazione aziendale, ma risultano anche ai primi posti nella classifica del malcontento dei dipendenti. Infatti, diversi studi di settore indicano che la maggioranza delle persone considera le riunioni inutili. In queste occasioni, inoltre, emergono divergenze culturali, quando ci sono colleghi di diverse nazionalità. Per questo motivo, le differenze culturali devono essere considerate con attenzione dai partecipanti.

┌─── **Come organizzare una riunione** ───┐

→ **specificate** l'obiettivo dell'incontro e la durata prevista

→ **indicate** l' _____ del giorno e **inviatelo** a tutti i partecipanti prima della riunione

→ **preparate** una lista dei _____

→ **pianificate** gli argomenti in sequenza logica

• **riassumete** gli elementi della riunione precedente

• **invitate** a fare degli _____ brevi e focalizzati

• **sintetizzate** dati e informazioni

• **stilate** un _____ esauriente e **distribuitelo** a tutti i partecipanti

interventi
ordine
verbale
partecipanti

Lessico

Lavorate in gruppo. Abbinate i verbi della colonna A al loro equivalente nella colonna B.

Work in groups. Match the verbs in column A to their equivalent in column B.

A		B	
1.	stilare, redigere	a.	concludere
2.	indire	b.	partecipare a
3.	intervenire a	c.	scrivere
4.	approvare	d.	convocare
5.	sciogliere	e.	ratificare

Completate ora la tabella con le parole nel box.

Now complete the table with the words in the box.

1. convocare / indire _____

2. stendere / compilare / stilare / redigere _____

3. presentare / indicare _____

4. _____ un documento / all'unanimità / a maggioranza

5. _votare_ a favore / contrario / per alzata di mano; astenersi

> il verbale
> ~~votare~~
> approvare
> una riunione
> l'ordine del
> giorno

Ascolta l'apertura di tre riunioni e indica il livello di formalità.

Listen to the opening of three meetings and say whether they are formal or informal.

formale / informale
1.
2.
3.

Ascolta di nuovo l'apertura delle tre riunioni e indica il tipo di riunione.

Listen to the three openings again and indicate the type of meeting.

a. seminario internazionale   n. _____

b. riunione informativa   n. _____

c. breve riunione   n. _____

Leggi ora la trascrizione dell'ascolto.
Now read the transcript of the listening exercise.

1.	Benvenuti e grazie per essere qui. Oggi discuteremo la possibilità di aggiornare il nostro sistema informatico e la sua fattibilità in termini di costi. Vorrei presentarvi Livio Macchi della Infomat, la società che si occuperà dell'operazione. Livio illustrerà sullo schermo fasi e costi.
2.	Cari colleghi della Commissione, questo mercoledì esamineremo il nuovo progetto sull'ambiente. Apriamo quindi la riunione con l'intervento del professor Livi.
3.	Buongiorno a tutti. Oggi illustreremo rapidamente i punti essenziali dell'evento. Dovremmo cercare di limitare i nostri interventi a 5/7 minuti massimo per dare spazio a tutti. Marco, per cortesia, puoi tenere il verbale? Marina comincerà con la sintesi degli obiettivi dell'evento, grazie.

Completa la tabella con le parole nel box.
Complete the table with the words in the box.

Vi presento	analizzeremo	Inizierà	Vi ringrazio	parleremo	tenere

Funzioni

dare il benvenuto ai partecipanti *welcoming*	• Benvenuti a tutti. _____ _____ per essere qui. • Buongiorno a tutti.
dichiarare l'obiettivo / **presentare l'ordine del giorno** *introducing the agenda*	• Oggi _____ delle vendite di questo mese. • Questa sera_____ tutte le fasi dell'evento.
introdurre un relatore *introducing a speaker*	• _____ _____, Ada Serri della Gestin. • _____ Francesco.
nominare il segretario *appointing a secretary*	• Marisa, vuoi _____ il verbale? Grazie.

I connettivi

Completa le frasi con le parole nel box.
Complete the sentences with the words in the box.

Infine	allora	Dopo	Successivamente	tra breve

1. Bene, _____, possiamo cominciare la nostra sessione.

2. Dopo la mia relazione, daremo spazio agli interventi del nostro analista, il dottor Milani, che approfondirà l'aspetto tecnico-finanziario. Il dottor Milani sarà qui _____ _____.

3. Prima di tutto, illustreremo i dati. _____, analizzeremo insieme eventuali azioni da prendere. _____ faremo il punto della situazione.

4. _____ la pausa caffè fisseremo la data per il nostro prossimo incontro. Ci sono domande?

Ecco alcune coppie di connettivi. Decidi qual è più usato nella lingua informale (I) e quale in quella più formale (F).
Here are some pairs of linking words. Decide which word belongs to standard language and which one is more formal.

	I / F
1. allora	
2. dunque	
3. tra breve	
4. fra un po'	
5. poi	
6. successivamente	
7. nuovamente	
8. ancora	
9. prima	
10. in primo luogo	

Metti in ordine le frasi mischiate.
Unscramble the sentences.

1. Benvenuti / di oggi. / alla riunione

_____

2. Lo scopo / l'aggiornamento del sistema. / è / discutere / di questo incontro

_____

3. Sono lieto / che parlerà / la dottoressa Rossi / della situazione attuale. / di presentare

_____

4. Oggi / un'agenda / fitta di punti / abbiamo / all'ordine del giorno.

_____

5. Dottor Lissi, / il verbale / riunione / per favore? / può tenere / della

_____

track 21 **Ascolta alcune frasi estratte da diverse riunioni e completa con le parole mancanti.**
Listen to the following extracts from different meetings. Fill in the gaps with the missing words.

1. _____ con lo studio del nostro dipartimento sulle energie rinnovabili.

2. Vorrei _____ un grafico che illustra il rendimento del nostro _____.

3. L'ufficio marketing ha contattato un'agenzia interna per _____ l'evento.
   Ci sono domande o _____?

4. Condividete la mia _____ sulle offerte della concorrenza?

5. Per la prossima riunione, potreste _____ la documentazione?

Funzioni _Le espressioni nelle riunioni_

iniziare la discussione _starting the meeting_	• Cominciamo / Iniziamo con lo studio / la relazione / l'analisi / l'esame / la valutazione / la sintesi
chiedere di intervenire _asking for opinions_	• Ci sono domande / suggerimenti / obiezioni? • Qual è la Sua / tua opinione?
concludere l'incontro _ending the meeting_	• Abbiamo trattato tutti gli argomenti. Possiamo concludere qui e fissare la data del nostro prossimo incontro.

Abbina le frasi della colonna A a quelle della colonna B.
Match the phrases in column A to those in column B.

A	B
1. Giulio, vorrei ringraziarti	a. È la prima. So che deve andare via presto.
2. Bene, vedo che avete tutti una copia dell'agenda. Sandra, vuole iniziare Lei?	b. discutere il programma della conferenza in dettaglio.
3. L'obiettivo di questo incontro è	c. Va bene martedì prossimo?
4. Per favore, cercate di fare interventi brevi e focalizzati,	d. non abbiamo molto tempo. Grazie.
5. Quando fissiamo la prossima riunione?	e. per essere qui con noi questo pomeriggio.

Ora prepara lo schema generale di una tua prossima riunione o della tua prossima riunione in Italia. Usa il linguaggio nei box colorati dell'unità.

Now prepare the plan for your next meeting or your next meeting in Italy, using the language in the coloured boxes of the unit.

- L'obiettivo di questa riunione ...
- Oggi vorrei illustrare ...
- I punti da discutere sono ...
- ...

La riunione come luogo di negoziazione

> "Generate una gamma di possibilità, di alternative, prima di decidere che azione prendere."
>
> R. Fisher, W. Ury, *L'arte del negoziato*

Lessico

Forma il maggior numero possibile di combinazioni tra i verbi e i nomi.

Form as many combinations as possible between the verbs and the nouns.

• fare	• accettare	• finalizzare
• firmare	• sciogliere	• condurre
• stipulare	• proporre	• ultimare
• concludere	• rifiutare	• rinviare
• raggiungere	• respingere	
• stringere	• annullare	

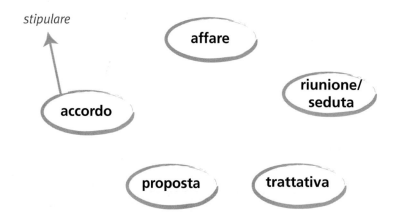

stipulare

affare

riunione/ seduta

accordo

proposta

trattativa

presente irregolare condurre	
io	conduco
tu	conduci
lui/lei/Lei	conduce
noi	conduciamo
voi	conducete
loro	conducono
verbi simili produrre / introdurre / tradurre	

presente irregolare porre	
io	pongo
tu	poni
lui/lei/Lei	pone
noi	poniamo
voi	ponete
loro	pongono
verbi simili proporre / supporre / imporre	

Sottolinea ora la parola corretta.
Now underline the correct word.

1. Non conducete / respingete subito la proposta, riflettete con calma. Abbiamo tempo.
2. Dopo lunghe trattative, le parti hanno firmato / condotto l'accordo.
3. Non hanno ancora stipulato / confermato la riunione. Aspettano l'email della dottoressa Bielli.
4. Concluderemo / Scioglieremo presto un importante affare con una grande azienda di import export.

Ascolta i mini dialoghi e decidi se le affermazioni sono Vere o False.
Listen to the short conversations and decide if the statements are True or False.

	V	F
1. C'è un'obiezione sui costi dell'operazione.	☐	☐
2. Clara vuole confermare domani il servizio catering.	☐	☐
3. Enrico propone uno sconto del 3%.	☐	☐

Ascolta di nuovo i mini dialoghi e completa con le parole mancanti.
Listen to the short conversations again and fill in the gaps with the missing words.

1

a. Questo è tutto sui costi dell'operazione. Credo che abbiamo _____ un accordo.

b. Mi scusi, penso che Lei non prenda in considerazione l'altra nostra proposta. Mi corregga se _____. Forse non ho capito bene.

2

a.   Bene, allora, questa mattina direi di _____ subito il servizio catering.

b.   Scusa Clara, sei d'accordo se contattiamo un'altra azienda di catering?

Sembra che offrano prezzi migliori. So che non abbiamo molto tempo, ma al momento è importante che si limitino i _____. Che ne pensi?

a.   Non so se sia una buona idea.

3

a.   Dario, i nostri prezzi sono già abbastanza _____. Come sai, il prezzo è invariato da due anni. Comunque, vista la quantità richiesta, proporrei uno sconto del 3%. Che ne pensi?

b.   Enrico, mah, non saprei ... eh, _____ da ... Siete disposti a farci uno sconto maggiore, magari del 10%, con pagamento in _____?

Funzioni *Le espressioni nelle negoziazioni*

esprimere opinioni *expressing opinions*	• Penso / Suppongo / Immagino / Credo che abbiamo raggiunto un accordo.
esprimere accordo / disaccordo / obiettare *agreeing / disagreeing / objecting*	• Sei d'accordo su questo punto? • Non sono completamente d'accordo.
fare una proposta *making an offer*	• Proporrei uno sconto del 3%. • Siete disposti a farci uno sconto maggiore?
chiedere un chiarimento *asking for clarification*	• Non so se ho capito bene. • Mi corregga se sbaglio.

Prima completa le frasi nella colonna A con le parole nel box. Dopo abbina le frasi della colonna A a quelle della colonna B.

First complete the phrases in column A with the words in the box. Then match the phrases in column A to those in column B.

interrompo	sono d'accordo	dite	raggiungere

A	B
1. Andrea, non _____ _____ su questo punto,	a. vogliamo rivedere prima l'ultima offerta?
2. Vorremmo _____ un accordo, ma	b. È meglio se facciamo una pausa.
3. Scusi se La _____, ma	c. non ho capito bene la sua proposta.
4. Che ne _____ di aggiornarci più avanti?	d. sei disposto a farmi uno sconto maggiore?

Forme e usi

Il congiuntivo presente

track 22

Ascolta alcune frasi dei mini dialoghi e completale con le forme del congiuntivo presente.
Listen to some sentences from the mini dialogues and fill in the gaps with the present subjunctive.

1. Penso che lei non _____ in considerazione l'altra nostra proposta.
2. Sembra che _____ prezzi migliori.
3. È importante che ____ _____ i costi.
4. Non so se _____ una buona idea.

L'uso del congiuntivo

Ora lavorate in gruppo. Ecco alcuni usi del congiuntivo. Indicate accanto a ciascuna frase l'uso corretto.
Now work in groups. Here are some uses of the subjunctive tense. Write next to each sentence the correct use.

verbo di opinione
(pensare / credere, …)

verbo o espressione che esprime dubbio / incertezza
(dubito che … / non so se …)

verbo o struttura impersonale
(occorre … / bisogna che … / è + *aggettivo* + che …)

	USO il congiuntivo dipende da un …
1. Penso che lei non **prenda** in considerazione l'altra nostra proposta.	
2. Sembra che **offrano** prezzi migliori.	
3. È importante che **si limitino** i costi.	
4. Non so se **sia** una buona idea.	

• *Io* credo **che** *Enrico* non **accetti** la nostra proposta.
• *Io* penso **di** non **accettare** la proposta.

Quando il soggetto della frase principale è lo stesso della frase dipendente si usa l'infinito e non il congiuntivo.

Osservate la coniugazione del congiuntivo presente regolare. Ecco alcune indicazioni per memorizzare le desinenze.

Look at the conjugation of the present subjunctive. Here are some tips for memorising the endings.

	-ARE APPROVARE	-ERE CONCLUDERE	-IRE PARTIRE	-IRE (-ISC) INSERIRE
io	approv-**i**	conclud-**a**	part-**a**	inser-**isca**
tu	approv-**i**	conclud-**a**	part-**a**	inser-**isca**
lui/lei/Lei	approv-**i**	conclud-**a**	part-**a**	inser-**isca**
noi	approv-**iamo**	conclud-**iamo**	part-**iamo**	inser-**iamo**
voi	approv-**iate**	conclud-**iate**	part-**iate**	inser-**iate**
loro	approv-**ino**	conclud-**ano**	part-**ano**	inser-**iscano**

Per memorizzare

1. Che cosa noti nella terminazione di 'io' / 'tu' / 'lui' - 'lei' - 'Lei' ? ....
2. Che cosa noti nella terminazione di 'noi'? ....
3. Che cosa noti nella terminazione di 'voi'? ....
4. Che cosa noti nella terminazione di 'loro'? ....

Il congiuntivo presente irregolare

Ecco alcune forme del congiuntivo presente irregolare. Scrivi l'infinito accanto alla forma coniugata.

Here are some examples of the irregular present subjunctive. Write the infinitive next to each one.

Alcune forme irregolari

- sia .....*essere*.....
- vada ....
- possa ....
- abbia ....

- stia ....
- voglia ....
- dia ....
- venga ....

- dica ....
- sappia ....
- tenga ....
- debba ..*dovere*..

Completa ora questa tabella con un altro verbo a scelta della tabella precedente.

Now complete this table with a verb chosen from the previous table.

	ESSERE	ANDARE	....
io	sia	vada	
tu	sia	vada	
lui/lei/Lei	sia	vada	
noi	siamo	andiamo	
voi	siate	andiate	
loro	siano	vadano	

Coniuga ora i verbi tra parentesi al congiuntivo presente.
Put the verbs in brackets into the present subjunctive.

1. È meglio che i clienti (ricevere) _____ la documentazione entro oggi. Potresti inviarla tu, per favore?

2. Non occorre che Luisa (confermare) _____ l'orario. Ho già inviato una mail io.

3. È importante che tu (chiarire) _____ la tua posizione all'incontro di domani.

4. Penso che la riunione di oggi (tenersi) _____ al 5° piano. Devo controllare il numero della sala.

5. Credo che (essere) _____ tutto al momento.

Cultura in azione ▶▶▶ *Riunioni di lavoro*

È bene essere preparati alla creatività degli Italiani

Lavorate in gruppo e discutete. Leggete le informazioni nei box. Nella vostra esperienza professionale, ci sono elementi più tipici di una riunione con colleghi/clienti italiani? O, se non avete avuto esperienza, come potrebbe essere una riunione con Italiani, secondo voi?

Work in groups and discuss. Read the information in the boxes. In your professional experience which characteristics are more typical of your Italian colleagues/clients in meetings? Or, if you don't have any experience, what might a meeting with Italians be like in your opinion?

┌─ **riunioni** ─────────────────────┐
│ • orientate all'analisi   ☑ │
│ • orientate alla decisione   ☐ │
└────────────────────────────────────┘

┌─ **negoziazione** ─────────────────────┐
│ • negoziazione lunga   ☐ │
│ • negoziazione breve   ☐ │
│ • processo decisionale gerarchico   ☐ │
│ • processo decisionale non gerarchico ☐ │
│ • preferenza per soluzioni ad hoc   ☐ │
└──┘

┌─ **interazione** ──────────────────┐
│ • interrompere chi parla   ☐ │
│ • non interrompere chi parla   ☐ │
└────────────────────────────────────┘

• Nella mia esperienza professionale le riunioni con colleghi italiani **sono** …

• Penso che le riunioni con Italiani **siano** … / Penso che gli Italiani **preferiscano** …

Ora leggete il testo e confrontate il contenuto con le vostre risposte.
Now read the text and compare it with your answers.

> Quando si partecipa a una riunione d'affari in un Paese
> straniero, è importante considerare le differenze culturali
> e i diversi modi di comunicazione.

In Italia

Socializzare

In Italia, all'inizio e alla fine di una riunione, di una negoziazione, la conversazione leggera è comune,
perché agli Italiani piace creare un rapporto più personale con i loro partner d'affari.

Riunioni/Negoziazioni/Trattative

Il carattere delle riunioni è più analitico che operativo-decisionale. Le riunioni, infatti, hanno principalmente lo scopo di approfondire e analizzare gli argomenti in discussione.

Le negoziazioni possono essere spesso lunghe, perché opportunità e rischi sono valutati molto attentamente. Inoltre la struttura gerarchica manageriale è piuttosto rigida e questo rallenta il processo decisionale.
È bene essere preparati alla creatività degli Italiani. A volte gli Italiani preferiscono adottare soluzioni *ad
hoc* per specifiche situazioni, piuttosto che seguire una prassi o una regola per risolvere problemi.

Interazione comunicativa

Interrompere chi parla in una discussione è tollerato, perché è visto come un modo di introdurre elementi
appena questi emergono.

adattato da: Passaporto d'affari, www.ae.salford.ac.uk

 **Lavorate in coppia e discutete. Nella vostra esperienza professionale quali elementi di una riu-
nione sono più tipici di certe culture/nazionalità? Completate lo schema.**
*Work in pairs and discuss. In your professional experience which characteristics are more typical
of certain cultures/nationalities in meetings? Complete the box below.*

cultura / nazionalità	riunioni	negoziazione
Italiani	*orientate all'analisi*	

Presentare un'azienda

Lavorate in coppia. In base al grafico annotate le informazioni che conoscete su una grande azienda internazionale.

Work in pairs. Take notes based on the chart to describe a well-known international company.

Tipi di società

Lessico commerciale

- soci   chi fa parte di una società o impresa economica, e partecipa ai rischi e agli utili dell'impresa.

- capitale / patrimonio   l'insieme dei beni di una persona fisica o giuridica.

- quote   parti in cui è diviso il capitale di una società.

Abbina le sigle ai tipi di società.

Match the acronyms to the types of companies.

1. S.n.c.   **a.** società in accomandita semplice

2. S.a.s.   **b.** società per azioni

3. S.r.l.   **c.** società in nome collettivo

4. S.p.a.   **d.** società a responsabilità limitata

Ci sono due grandi gruppi di società:
le **società di persone** e le **società di capitali**.

Le società di persone
Nelle società di persone i **soci** sono responsabili verso terzi sia con il **capitale** dell'azienda che con il **patrimonio** personale.

Le società di capitali
Nelle società di capitali, l'azienda è responsabile verso terzi. La responsabilità dei soci è limitata alle **quote** di capitale conferito.

Il nome della società:
ragione sociale e denominazione sociale
Il nome delle società **di persone** è detto **ragione sociale**.
Quello delle società **di capitale** è detto **denominazione sociale**.

Abbina ora il tipo di società alla definizione.

Now match the type of company to its definition.

| a. società a responsabilità limitata | b. società in nome collettivo |

| c. società per azioni | d. società in accomandita semplice |

1. Società di capitali in cui le quote sociali sono rappresentate da azioni. _____

2. Società di capitali in cui le quote di partecipazione sociale
   non possono essere rappresentate da azioni. _____

3. Società di persone in cui c'è responsabilità totale e collettiva. _____

4. Società di persone in cui la responsabilità dei soci è diversa. ___*d*___

Ecco il profilo aziendale della Padi, un'azienda di arredamento di Ferrara. Abbinate le frasi della colonna A ai titoli della colonna B.

Here is the company profile of a furniture company based in Ferrara. Match the sentences in column A to the headings in column B.

A	B
1. L'azienda è stata fondata nel 1950.	a. quotazione
2. Ha sede a Ferrara e ha filiali in tutto il mondo.	b. prodotti / servizi
3. Opera nel campo dell'arredamento.	c. settore
4. Offre ai suoi clienti un'ampia gamma di prodotti per soddisfare le esigenze del mercato.	d. storia
5. Si è affermata a livello globale grazie a una serie di acquisizioni.	e. posizione internazionale
6. I valori che caratterizzano l'azienda sono fedeltà alla tradizione, semplicità ed eleganza delle composizioni.	f. valori / filosofia aziendale
7. È quotata in Borsa dal 2003.	g. sede / filiali

Un profilo aziendale

Tiscali S.p.A.

Leggi il testo e abbina il titolo al paragrafo giusto.
Read the text and match the heading to the right paragraph.

| a. La sfida come ragion d'essere | b. Siamo un team europeo e multiculturale | c. Il Gruppo |

tiscali.

1. _____

Tiscali S.p.A., fondata nel gennaio del 1998 a seguito della liberalizzazione del mercato delle telecomunicazioni in Italia, si è affermata come uno dei principali operatori di telecomunicazioni alternativi in Europa.

Tiscali si distingue come operatore 'indipendente' di telecomunicazioni, caratteristica che ha influito in maniera significativa al suo successo.

Il Gruppo ha raggiunto una considerevole posizione a livello internazionale grazie ad una serie di acquisizioni mirate, che hanno portato ad una rapida espansione nei principali mercati europei […].

2. La forza dei nostri risultati nasce dall'impegno e dalla passione

[…] Tiscali fornisce ai suoi clienti un'ampia gamma di servizi, dall'accesso a Internet, in modalità Narrowband e Broadband, a prodotti più specifici e tecnologicamente avanzati per soddisfare le esigenze del mercato. [...]

I risultati, in costante crescita, mostrano […] un impegno continuo, appassionato e fortemente orientato al cliente nell'offerta di servizi integrati, basati su standard competitivi per qualità e convenienza.

3. _____

Le varie acquisizioni […] hanno contribuito a rafforzare la presenza di Tiscali sul mercato, grazie ad una piattaforma IPTV all'avanguardia e al valore aggiunto creato collaborando con un team di lavoro internazionale. Tiscali fa tesoro di questo scambio di competenze tecnologiche e culture diverse ed è proprio da queste sinergie che il Gruppo trae forza per il suo sviluppo futuro. Il futuro di Tiscali continua a essere basato su principi comuni di etica del business e valori di fondo che guidano una società che cresce.

4. _____

Sono molte le sfide che Tiscali deve affrontare nel suo futuro, ma due in particolare appaiono di fondamentale importanza:

espandere e potenziare la propria rete, per poter offrire servizi innovativi a banda larga, […] in modo da offrire ai propri clienti sempre nuove opportunità di crescita, di scambio e di conoscenza;

favorire l'effettiva concorrenza tra tutti gli operatori presenti sul mercato per rendere l'accesso a Internet più facile, più competitivo e realmente vantaggioso per l'utente.

adattato da: www.tiscali.it

Lessico

Abbina la parole nella colonna A ai loro sinonimi nella colonna B.

Match the words in column A to their synonyms in column B.

— A —	— B —
1. gamma	a. addetti, agenti
2. sviluppo	b. competizione
3. operatori	c. varietà, serie
4. esigenze	d. dedizione, applicazione
5. impegno	e. crescita, espansione
6. concorrenza	f. bisogni, richieste

Ora completa le frasi con le parole nel box.

Now fill in the gaps with the words in the box.

operatori	gamma	impegno	concorrenza	esigenze	sviluppo

1. Recentemente l'_____ delle aziende per la difesa dell'ambiente è cresciuto.

2. Il documento contiene indicazioni per la realizzazione e lo _____ del progetto.

3. La formazione universitaria non sempre soddisfa le _____ del mercato.

4. Molti _____ economici e finanziari sono in attesa di proiezioni aggiornate.

5. La società offre una vasta _____ di servizi tecnologici.

6. Il capitolo tratta dell'analisi della _____.

Completa le domande con le giuste espressioni interrogative nel box e abbinale alle risposte corrette.

Complete the questions with the correct interrogative expressions in the box and then match the questions to the correct answers.

Come	Dove	In quale	Su quali (x 2)	Quando

1. _____ è stata fondata l'azienda?

2. _____ ha sede la società?

3. ___ _____ settore opera?

4. ___ ____ mercati è presente?

5. _____ si articola la rete distributiva?

6. ___ _____ valori si basa la filosofia aziendale?

a. Si basa su quattro valori fondamentali: assistenza clienti, innovazione, affidabilità e integrità.

b. La rete di distribuzione comprende 40 punti vendita.

c. Opera nel campo dell'informatica.

d. La società ha sede a Roma.

e. L'azienda nasce nel 1984.

f. Sul mercato interno e ha una crescente presenza sui mercati emergenti.

Presentazione

Ora vai alla sezione Report, dove trovi il materiale su cui lavorare per preparare un profilo aziendale e fare una presentazione.

Now go to the Report section. You will find material to prepare a company profile and give a presentation.

storia
company history
- La società / l'azienda / il gruppo … nasce / è stato/a fondato/a …
- da …
- in / a…

sede e distribuzione
Head Office and distribution
- ha sede / con sede in / a…
- ha filiali in / a …
- la rete distributiva comprende … negozi / uffici / stabilimenti / …

settore
sector
- opera nel settore di …
- è uno dei maggiori operatori nel settore di …
- leader nel settore / campo di…
- azienda leader operante nel settore …

prodotti e servizi
products and services
- offre un servizio esclusivo / servizi basati su …
- con standard competitivi per qualità e convenienza
- la gamma di servizi / prodotti si caratterizza per la capacità di …

posizione internazionale
international position
- è presente / ha una forte presenza sul mercato estero / sui mercati emergenti / in … nei Paesi…
- ha raggiunto una considerevole posizione a livello internazionale / globale

filosofia aziendale e valori
corporate values
- alla base del successo vi è un impegno costante e orientato al cliente …
- i valori che caratterizzano l'azienda sono …
- il marchio è sinonimo di …

quotazione in borsa
stock exchange listing
La società è quotata in Borsa dal … / da …

"L'economia aiuta a selezionare i fatti, i dati, che sono davvero rilevanti nel capire un fenomeno. Ma non deve stare nella torre d'avorio."

Tito Boeri, economista, ideatore del Festival dell'Economia

Il termine **performance** è correntemente usato per indicare **rendimento**, **risultato**.

Performance finanziaria aziendale

Lavorate in gruppo e fate un brainstorming sulle parole o espressioni che illustrano dati e cifre.

Work in groups. Brainstorm and classify any words or expressions indicating data and figures.

nomi	verbi	espressioni
la crescita	crescere diminuire	rispetto all'anno precedente

Decimali e percentuali

- 18,8 % = diciotto – **virgola** – otto – **per cento**
  In Italiano la virgola indica i decimali.

- **il** 18%
  Le percentuali sono precedute dall'articolo.

Lessico

 Leggi il comunicato stampa A e dopo abbina le parole in grassetto alla definizione.

Read press release A and match the words in bold to their definitions.

A

> Si è chiusa la riunione del **Cda** di TGroupItalia, che ha approvato i risultati dell'**esercizio** corrente e il prossimo piano triennale. Il Gruppo ha archiviato l'anno con un **utile** netto pari a 2,448 miliardi di euro, in calo del 18,8% rispetto all'anno precedente. I ricavi hanno raggiunto i 31,30 miliardi, in linea con il **fatturato** dell'anno precedente, mentre il debito finanziario netto a fine anno è calato a 35,7 miliardi.

I numeri

migliaia
il **punto** indica le migliaia

1.000 mille	15.000 quindicimila
2.000 duemila	150.000 centocinquantamila

milioni

1.000.000 un milione	10.000.000 dieci milioni
2.000.000 due milioni	100.000.000 cento milioni

miliardi

1.000.000.000 un miliardo	
10.000.000.000 dieci miliardi	100.000.000.000 cento miliardi

1. Profitto realizzato attraverso l'esercizio di un'attività economica   _____

2. Ammontare delle fatture emesse da un'azienda in un determinato periodo   _____

3. Consiglio di amministrazione: organo amministrativo di una società composto da membri, eletti dagli azionisti, responsabili della conduzione dell'impresa e della politica aziendale   _____

4. Periodo corrispondente all'attività di gestione di un'azienda   _____

Ora leggi il comunicato B e completa la tabella con i verbi e le espressioni mancanti.
Now read press release B and complete the table with the missing verbs and expressions.

B

Conti in crescita per Gruppo Fati Moda. I ricavi netti del Gruppo nel primo semestre hanno raggiunto i 12 milioni di euro. Il settore tessile ha incrementato le vendite di 1,2 milioni raggiungendo i 2,5 milioni. Mentre nell'Abbigliamento si raggiungono i 3,2 milioni, in riduzione di 0,6 milioni rispetto al primo semestre dello scorso anno. I mercati consolidati presentano un andamento in sostanziale tenuta. Sono aumentate le vendite nei mercati emergenti dell'Europa orientale; in calo invece nel mercato del Sud-Est asiatico. In leggera diminuzione le vendite in Nord-America.

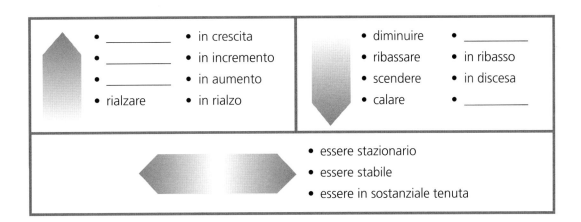

Bollettini finanziari

 Ascolta questi bollettini finanziari e sottolinea la parola o espressione corretta.
Listen to these financial news headlines and underline the correct word or expression.

1. Inizio positivo per il Gruppo Viri. Il fatturato cresce / cala del 9%.

2. Poco entusiasmo tra gli analisti. La giornata chiude in ribasso / in rialzo. Perdono anche gli hedge fund.

3. Mercato immobiliare ancora debole. Aumenta / Diminuisce la richiesta di appartamenti e uffici commerciali.

4. Stabile il mercato europeo dell'auto. Rimane forte / stazionario anche quello dei motori di grossa cilindrata.

5. Risultati soddisfacenti per TIRI. La società ha chiuso il primo trimestre con un utile in diminuzione / in aumento del 3,5%.

Forme e usi

Verbi con il doppio ausiliare

Alcuni verbi che si usano per illustrare dati e cifre, al passato prossimo richiedono sia *essere* che *avere*. Nota il loro uso negli esempi qui sotto. Dopo abbina la frase alla spiegazione a o b.

Some verbs used to describe data and figures take both essere and avere in the present perfect. Note their use in the following examples. Then decide whether a or b applies.

spiegazione a.	**spiegazione b.**
Qui usiamo **avere** perché il verbo è seguito da un oggetto diretto. Un oggetto è diretto quando non c'è preposizione tra il verbo e il nome che segue.	Qui usiamo **essere** perché il verbo non è seguito da un oggetto diretto. In questo caso la terminazione del participio passato concorda con il soggetto.

1. I nostri outlet <u>hanno calato</u> i prezzi degli articoli. _____
2. **Il debito** finanziario <u>è cala**to**</u> a 35,7 miliardi. _____
3. Il settore tessile <u>ha incrementato</u> le vendite di 1,2 milioni. _____
4. **Gli utili** del Gruppo <u>sono incrementat**i**</u> del 25%. _____

Altri verbi che richiedono il doppio ausiliare		
salire	cominciare / iniziare	continuare
scendere	finire / terminare	cambiare
crescere	peggiorare	migliorare

Ora completa le frasi con *essere* o *avere* nel riquadro.

Now complete the sentences with the forms of either essere or avere in the box.

sono (x 2)   è (x 2)   ha (x 2)

1. Le esportazioni dei Paesi dell'Europa centrale _____ aumentate significativamente.
2. In base alle stime preliminari, il PIL _____ calato dello 0,2 % rispetto al trimestre precedente.
3. L'Ecopass _____ migliorato la situazione del traffico in centro.
4. Con la nuova gestione il servizio _____ peggiorato negli ultimi 5 anni.
5. Le vendite _____ crollate del 50%.
6. Nel secondo anno di attività la società _____ raddoppiato i suoi profitti.

Descrivere un grafico

**Questo grafico rappresenta l'andamento delle vendite di una nota casa automobilistica.
Completa la descrizione con le parole mancanti.**

*This chart represents the sales performance of a well-known car manufacturing company.
Complete the description with the missing words.*

sono aumentate	diminuzione	ha incrementato	In ribasso	rispetto allo

In calo le vendite nel primo trimestre di quest'anno _____ _____ stesso trimestre dell'anno precedente. A gennaio le vendite _____ _____ del 15% rispetto a gennaio dello scorso anno. Hanno raggiunto, infatti, le 75.000 unità. _____ _____ invece le vendite a febbraio con una _____ di 6.000 unità rispetto al mese precedente. Leggera ripresa a marzo. Il Gruppo _____ _____ le vendite raggiungendo le 70.000 unità rispetto a febbraio.

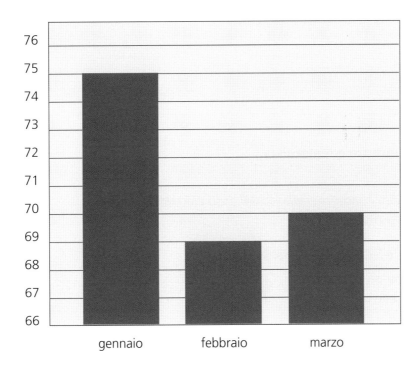

Combina la preposizione all'articolo.

Combine the preposition and the article.

rispetto	**a** + **l'**	anno precedente	*Rispetto **all'**anno precedente.*
1. in calo/in crescita	**di** + **il**	18%	_____
2. pari	**a** + **il**	12%	_____
3. aumentato	**di** + **l'**	11%	_____
4. diminuito	**di** + **il**	2%	_____

Le parole per confrontare dati e cifre

 Leggi il testo e sottolinea le parole per confrontare dati e cifre. Dopo completa la tabella dei contrari.
Read the text and underline the words which make comparisons between data and figures. Then complete the table with the opposite terms.

Quest'anno l'aumento **maggiore** del fatturato è stato raggiunto dalle imprese energetiche con risultati finanziari migliori del previsto (+18,8%). La migliore performance dell'anno è Salgas Energia. Risultati peggiori delle attese invece per il settore automobilistico. Riguardo al comparto manifatturiero, si sono registrate vendite minori rispetto all'anno precedente. Infatti le aziende del settore hanno chiuso il bilancio con una posizione finanziaria netta ancor più negativa dell'anno precedente. Nel settore delle costruzioni, nel Centro Italia la ripresa è più costante che nel Sud Italia.

- _____
- migliori
- più positiva
- _____

- minore
- _____
- _____
- più instabile

I comparativi irregolari

- migliore / più buono
- peggiore / più cattivo
- maggiore / più grande
- minore / più piccolo

Comparativi di maggioranza e minoranza

più / meno ... di / che

La posizione finanziaria netta è ancor più negativa dell'anno precedente.

- si usa **più / meno** + aggettivo + **di**

Nel Centro Italia la ripresa è più costante che nel Sud Italia.

- si usa **più / meno ... che** per confrontare
  - due espressioni precedute da una preposizione
  - due aggettivi
  - due infiniti
  - due sostantivi

Scegli tra **di** e **che**.
*Choose either **di** or **che**.*

1. Gli utili sono stati più bassi che / di un anno fa.

2. A dicembre il fatturato è stato maggiore di / che a novembre.

3. L'attuale risultato è meno importante che / di quello raggiunto precedentemente.

Presentazione

Fai una ricerca sulla performance finanziaria più recente della tua società o di una società che conosci. Puoi scegliere tra utili, fatturato, vendite.

- Scrivi un breve comunicato stampa sui modelli che hai trovato in questa unità.
  Utilizza il linguaggio nel box colorato.
- Dopo riporta i dati sul grafico più adatto.
- Fai una presentazione alla classe.

Research the most recent financial performance of your company or of a company you know. You can choose between profit, turn-over and sales.

- *Write a brief press release based on the models which you have found in this unit. Use the language in the coloured box.*
- *Then show the data and figures using the appropriate chart.*
- *Give a presentation to the group.*

---

descrivere la performance finanziaria aziendale
describing company financial performance

- Il 20... si è confermato un anno **positivo** / **negativo** ...
- Nel 20... / nell'anno corrente / nell'**esercizio** passato / precedente

- Il Gruppo / la società ha realizzato / ha registrato ...
  - un **utile** / un **fatturato** di .... di euro / di dollari / di ...
  - una **crescita** / un **calo del** 5% / **dell'**8%
- Il Gruppo / la società **ha aumentato** / **diminuito** le vendite /...
- Le vendite **sono aumentate** / **diminuite** del 14%
- Gli utili sono **maggiori** / **minori** di / che ...
- pari a ...
- rispetto a ... / al 20... / all'esercizio precedente

Storia del marchio

Lavorate in gruppo. Fate un brainstorming sui marchi storici che conoscete e sulle loro date di fondazione.

Work in groups. Brainstorm the dates when well-established brands that you know were created.

La FIAT è nata **alla fine del 1800**.

L'Ikea è stata fondata **negli anni '40**.

La Luxottica nasce **nel 1961**.

La Microsoft è stata fondata **negli anni '70**.

Una fabbrica del design italiano

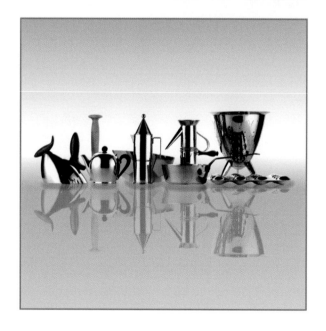

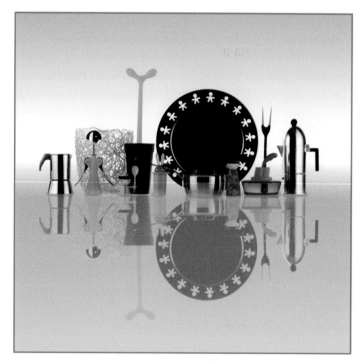

La Alessi, una delle più importanti "Fabbriche del design italiano", ha sede a Crusinallo di Omegna, sul Lago d'Orta, in Piemonte. Impiega 500 dipendenti. Esporta il 65% circa del suo fatturato in oltre 60 Paesi e può contare su una rete di circa 5000 negozi in tutto il mondo, di cui 26 monomarca. Collabora con oltre 200 designer italiani e internazionali.

Leggi la storia del marchio Alessi e decidi se le affermazioni sono Vere o False.

Read the history of the brand Alessi and decide if the statements are True or False.

Nel 1921 Giovanni Alessi ha fondato la Alessi. Durante gli anni '20 e '30, nella sua officina si creavano regolarmente oggetti artigianali per la tavola e la casa in vari materiali. Giovanni Alessi aveva una vera ossessione per la qualità e il lavoro ben fatto, per questo la sua produzione è diventata subito famosa. Durante la II guerra mondiale, la Alessi produceva stellette per le divise dei soldati e componenti per gli aerei militari. Alla fine del conflitto, la Alessi fabbricava mestoli d'ottone per l'esercito statunitense. E in quegli anni, il figlio di Giovanni, Carlo, intuiva che l'acciaio inossidabile si avviava a conquistare il mercato degli oggetti per la casa. Negli anni '50, mentre in Italia iniziava il boom economico, la Alessi ha cominciato a lavorare con progettisti esterni. Nel tempo, ha collaborato con i più grandi talenti del design industriale internazionale, come Aldo Rossi, Ettore Sottsass, Achille Castiglioni e Philippe Starck. Oggi la Alessi è più un "laboratorio di ricerca nel campo delle arti applicate" che una tipica industria tradizionale.

adattato da: www.alessi.it

Quando si parla di **boom economico** in Italia, ci si riferisce al periodo di forte crescita economica tra gli anni '50 e '60.

	V	F
1. La Alessi è nata alla fine degli anni '20.	☐	☐
2. La qualità era fondamentale per Giovanni Alessi.	☐	☐
3. Negli anni '40 la Alessi fabbricava aerei militari.	☐	☐
4. Giovanni Alessi ha capito l'importanza dell'acciaio per l'oggettistica della casa.	☐	☐
5. Molti famosi progettisti hanno creato oggetti per la Alessi.	☐	☐

Leggi di nuovo la storia del marchio Alessi e completa le frasi con le forme verbali dell'imperfetto nel box.

Read the history of the brand Alessi again and complete the sentences with the missing verbs in the imperfect tense in the box.

iniziava	intuiva	avviava	fabbricava	creavano	aveva

Nel 1921 Giovanni Alessi ha fondato la Alessi. Durante gli anni '20 e '30, nella sua officina si _____ _____ regolarmente oggetti artigianali per la tavola e la casa in vari materiali. Giovanni Alessi _____ _____ una vera ossessione per la qualità e il lavoro ben fatto, per questo la sua produzione è diventata subito famosa. Durante la II guerra mondiale, la Alessi produceva stellette per le divise dei soldati e componenti per gli aerei militari. Alla fine del conflitto, la Alessi _____ mestoli d'ottone per l'esercito statunitense. E in quegli anni, il figlio di Giovanni, Carlo, _____ che l'acciaio inossidabile si ___ _____ a conquistare il mercato degli oggetti per la casa. Negli anni '50, mentre in Italia _____ _____ il boom economico, la Alessi ha cominciato a lavorare con progettisti esterni. Nel tempo, ha collaborato con i più grandi talenti del design industriale internazionale, come Aldo Rossi, Ettore Sottsass, Achille Castiglioni e Philippe Starck. Oggi la Alessi è più un "laboratorio di ricerca nel campo delle arti applicate" che una tipica industria tradizionale.

adattato da: www.alessi.it

Forme e usi

L'uso dell'imperfetto

Leggi ora le frasi con l'imperfetto e abbina ciascuna frase alla spiegazione dell'uso.
Now read the sentences with the imperfect tense. Then match each sentence to its explanation.

1. Durante gli anni '20 e '30, nella sua officina si creavano regolarmente oggetti artigianali per la tavola. _____

2. Giovanni Alessi aveva una vera ossessione per la qualità. ___b___

3. Durante la II guerra mondiale, la Alessi produceva stellette per le divise dei soldati. _____

4. Alla fine del conflitto, la Alessi fabbricava mestoli d'ottone. _____

5. In quegli anni il figlio di Giovanni, Carlo, intuiva che l'acciaio inossidabile si avviava a conquistare il mercato degli oggetti della casa. _____

6. Negli anni '50, mentre l'Italia viveva il periodo di boom economico, il *Financial Times* scriveva … _____

a. L'imperfetto si usa per descrivere un'azione non finita e che continua nel passato.

b. L'imperfetto descrive luoghi, persone e una condizione fisica o emotiva.

c. L'imperfetto si usa per esprimere un'azione abituale o che si ripete nel passato.

d. L'imperfetto si usa per esprimere azioni parallele nel passato.

Completa adesso la tabella con le forme dell'imperfetto mancanti.
Now complete the table with the missing forms of the imperfect tense.

creava   finiva   finivate   avevi   avevamo   creavate   creavo

	-are creare	-ere avere	-ire finire
io		avevo	finivo
tu	creavi		finivi
lui/lei/Lei		aveva	
noi	creavamo		finivamo
voi		avevate	
loro	creavano	avevano	finivano

Forme irregolari dell'imperfetto alla prima persona

- ero (eri, era, …)
- facevo
- dicevo
- bevevo
- stavo
- traducevo
- producevo

Completa le frasi con le forme dell'imperfetto nel box.

Complete the sentences with the forms of the imperfect tense in the box.

era	viveva	erano	scriveva	si producevano	insegnavano	volevano

1. In Italia negli anni '50 e '60 _____ _____ molti oggetti per la casa di design.
2. Negli anni '70 studenti e giovani architetti di molte parti del mondo _____ venire a imparare il design in Italia.
3. Alla Domus Academy _____ i grandi maestri del design tradizionale e delle nuove tendenze. Ancora oggi è una scuola rinomata nel mondo.
4. Mentre l'Italia _____ il periodo di boom economico, il *Financial Times* _____ che la lira _____ la moneta più stabile in Europa.
5. I primi designer italiani _____ quasi tutti architetti.

Lavorate in coppia. Pensate alla vostra prima esperienza di lavoro e rispondete alle domande.

Work in pairs. Think back to your first work experience and answer the questions.

1. Di che cosa ti occupavi?
2. Com'era la società per cui lavoravi? Una piccola o media azienda? O una grande società?
3. Che compiti e mansioni svolgevi?
4. Seguivi normalmente dei corsi di formazione / di aggiornamento?
5. Che cosa ti piaceva o non ti piaceva del tuo lavoro?
6. Avevi più o meno tempo libero di adesso?

Passato prossimo e imperfetto

Osserva l'uso del passato prossimo e dell'imperfetto.

1. Mentre in Italia **iniziava** il boom economico, la Alessi **ha cominciato** a lavorare con progettisti esterni.	L'**imperfetto** indica un'azione in corso che si incontra con un'altra azione che avviene in un momento preciso ed è espressa dal **passato prossimo**.
2. Giovanni Alessi **aveva** una vera ossessione per la qualità, per questo la sua produzione **è diventata** subito famosa.	L'**imperfetto** indica una situazione, mentre il **passato prossimo** un'azione compiuta.

Coniuga i verbi tra parentesi all'imperfetto o al passato prossimo.
Put the verbs in brackets into the imperfect tense or present perfect.

1. I fratelli Castiglioni (**creare**) _____ la lampada Arco, mentre (**collaborare**) _____ con la Flos.

2. La Fiat 500 (**essere**) _____ la prima vettura sul mercato ad un prezzo accessibile, per questo (**avere**) _____ subito successo.

3. Si (**cominciare**) _____ a parlare di design industriale agli inizi degli anni '50 sulla rivista Domus, che (**essere**) _____ diretta dall'architetto e designer Gio' Ponti.

Metti le espressioni di tempo in ordine.
Put the expressions below in chronological order.

alla fine degli anni '60   a partire dagli anni '70

nel 2009   a metà degli anni '60

tra gli anni '80 e '90   ~~durante gli anni '50~~

all'inizio/agli inizi degli anni '60   all'inizio del mese

alla fine del mese   all'inizio di quest'anno

1. *durante gli anni '50* _____
2. _____
3. _____
4. _____
5. _____
6. _____
7. _____
8. _____
9. _____
10. _____

Il Piemonte

Il Piemonte è la più grande regione italiana dopo la Sicilia. Confina a nord con la Svizzera e a sud con la Liguria. Torino è il capoluogo della regione. Le altre città importanti sono: Alessandria, Asti, Biella, Cuneo, Novara, Vercelli e Verbania. Torino è un posto in cui, in genere, si fanno le cose con molta serietà e molto rigore, dice lo scrittore Alessandro Baricco. Torino è una città con eleganti palazzi ed edifici, come la Mole Antonelliana, simbolo della città, che oggi ospita il Museo Nazionale del Cinema. Nel capoluogo piemontese hanno sede gli uffici della FIAT e del quotidiano nazionale La Stampa. In Piemonte, accanto all'industria automobilistica, troviamo anche il famoso settore dell'oreficeria. Gli orafi di Valenza Po sono conosciuti nel mondo per le loro raffinate creazioni di gioielli. Biella, invece, è uno dei maggiori centri lanieri mondiali. Il prodotto di specializzazione del distretto di Biella e Vercelli è quello dei filati e dei tessuti, realizzati prevalentemente in lana. Nel distretto operano alcuni gruppi industriali di grande tradizione come Ermenegildo Zegna e Loro Piana, ma anche tante piccole e medie imprese che realizzano ottimi prodotti di qualità. Verso sud, nel Monferrato, ad Alessandria, è nato il Borsalino, il celebre cappello di Humphrey Bogart. Le suggestive colline del Monferrato e delle Langhe sono rinomate per i vini riconosciuti a livello internazionale, come il Barolo e l'Asti Spumante, e per il pregiato tartufo bianco. L'industria agroalimentare piemontese è di antica tradizione ed è molto attiva. A Bra, in provincia di Cuneo, è nata l'Associazione Internazionale Slow Food. Slow Food promuove, comunica e studia la cultura del cibo in tutti i suoi aspetti.

adattato da: www.piemonteitalia.eu

> "Ciò che contraddistingue un'organizzazione di successo non è il fatto di non avere problemi, ma è il fatto di non avere più quelli dell'anno scorso."
>
> *Maria Ludovica Lombardi Varvelli, consulente di organizzazione*

Funzioni aziendali

 Lavorate in gruppo e rispondete alle domande.

Work in groups and answer the questions.

In quale ufficio / dipartimento lavori? / E in quale ti piacerebbe lavorare e perché?

Lessico

Osserva l'organigramma di struttura funzionale. Dopo abbina la funzione mancante alla definizione.

Look at the company structure. Then match the function to its definition.

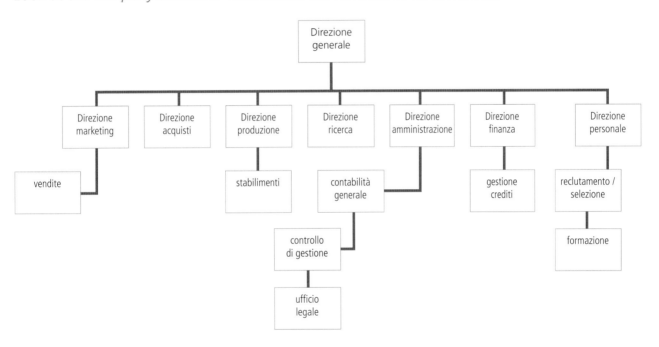

1. **Direzione Generale:** si occupa della previsione, della pianificazione, dell'organizzazione e del comando dell'azienda.

2. _____ : gestisce la contabilità generale dell'azienda.

3. **Direzione acquisti:** cura le relazioni con i fornitori per ottenere prodotti competitivi.

4. _____ : si occupa della gestione del personale, delle nuove assunzioni e della formazione.

5. _____ : si occupa dello sviluppo di nuovi prodotti.

6. **Direzione produzione:** governa i processi di trasformazione delle materie prime nel prodotto finito.

7. _____ : immette i prodotti sul mercato grazie a campagne di marketing mirate.

8. _____ : si occupa della gestione delle attività finanziarie dell'azienda.

Forma il maggior numero di combinazioni possibili tra i verbi e le parole e espressioni nei box.

Form as many combinations as possible between the verbs and the words and expressions in the boxes.

occuparsi (di) ...
curare ...
governare ...
fornire ...
gestire ...
immettere ...
sviluppare ...

i prodotti
gli ordini
il lancio di un nuovo prodotto
i processi di trasformazione
il personale
la pianificazione
l'organizzazione
il comando dell'azienda
le relazioni con i clienti / fornitori
le risorse

1. occuparsi (di): _____
2. curare: _____
3. governare: _____
4. fornire: _____
5. gestire: _____
6. immettere: _____
7. sviluppare: _____

Descrivi ora brevemente le funzioni della società per cui lavori o per cui hai lavorato, seguendo le indicazioni.

Now briefly describe the functions of the company you work for or of a company you have worked for, using the prompts below.

1. Nella società in cui lavoro ci sono ... uffici / ... dipartimenti
   Nella società in cui ho lavorato, c'erano ... uffici / dipartimenti

2. L'ufficio ... cura / si occupa di ... / controlla ... Invece l'ufficio ...

3. Io lavoro per l'ufficio ..., che si occupa di ...

4. Nel mio lavoro ho spesso contatti con l'ufficio / gli uffici ...

Lavorare in team

Lavorate in gruppo e discutete.
Work in groups and discuss.

a. *Quali sono le capacità, le caratteristiche, le qualità personali più importanti in un gruppo di lavoro /di studio?*

b. *Per me le qualità più importanti sono l'intraprendenza /l'essere intraprendenti, la creatività /l'essere creativo ...*

* creatività / creativo
* ambizione / ambizioso
* dinamicità / dinamico
* affidabilità / affidabile
* autorevolezza / autorevole
* flessibile / flessibilità
* efficienza / efficiente

* competenza / competente
* collaborazione / collaborativo
* sicurezza / sicuro di sé
* disponibilità / disponibile
* propositività / propositivo
* altro ... ?

Leggi gli annunci di lavoro e trova nell'organigramma a pagina 147 la funzione corrispondente alla posizione richiesta.
Read the job ads below and find in the company structure on page 147 the function corresponding to the position advertised.

1. _____

Responsabilità: Consulenza legale per filiali estere.
Capacità: Buone capacità comunicative
e relazionali; capacità di autosviluppo;
adattabilità e flessibilità; capacità di lavorare
in team.

2. _____

Ruolo/responsabilità
La posizione riporta al Direttore Generale. Ha la
responsabilità della gestione e del coordinamento
della struttura amministrativa.
Caratteristiche personali
Autorevolezza e determinazione completano
il profilo.

3. _____

Il ruolo prevede assistenza al Direttore Marketing:
gestione segreteria generale.
Fondamentali: ottime doti organizzative,
disponibilità, riservatezza.

Lessico

Trova il contrario delle parole nella lista.
Find the opposites of the words in the list below.

- insicurezza / insicuro   _____ / _____
- inefficienza / inefficiente   _____ / _____
- inaffidabilità / inaffidabile   _____ / _____
- pigrizia / pigro   _____ / _____
- disorganizzazione / disorganizzato   _____ / _____
- inflessibilità / inflessibile   _____ / _____

 Devi prepararti per un colloquio di lavoro. Fai una lista dei tuoi punti forti e deboli.
You are going to prepare for a job interview. Make a list of your strengths and weaknesses.

┌─ punti forti ───────────	─┌─ punti deboli ───────────

Cultura in azione ▶▶▶ *Gli stili manageriali*

 Lavorate in gruppo e discutete gli stili manageriali nei box.
Work in groups and discuss the management styles in the boxes.

Quali di questi stili di direzione pensi siano ...

- più efficaci e perché?
- più praticati nel tuo Paese?
- più praticati in Italia?

Penso che lo stile direttivo *sia* il più importante / il meno importante perché ...

a. **Stile direttivo** «Direttive e non direzioni»	b. **Stile autorevole / visionario** «Visione e direzione di lungo termine»	c. **Stile affiliativo** «Prima le persone, poi i compiti»
d. **Stile partecipativo** «Coinvolgere gli altri»	e. **Stile battistrada / esemplare** «Seguimi, fai come me»	f. **Stile coaching / dell'allenatore** «Sviluppo a lungo termine»

adattato da: www.leonardofortius.eu

a. È uno stile caratterizzato da un rigido controllo sul lavoro dei collaboratori.
   Si preferisce non delegare.

b. Questo stile dà ai collaboratori una visione chiara dell'obiettivo a lungo termine
   da raggiungere.

c. I leader affiliativi tendono a dare una grande importanza alle persone
   e dopo ai risultati ottenuti.

d. Lo stile partecipativo è tipicamente caratterizzato da numerose riunioni, ascolto,
   frequenti feedback positivi e rari feedback negativi.

e. Il leader battistrada si pone come esempio di grande competenza
   e determinazione per i suoi collaboratori.

f. I leader coach aiutano gli individui a riconoscere le proprie doti e individuare
   i propri limiti e a metterli in relazione con aspirazioni personali e professionali.

 Leggi il testo e decidi se le affermazioni sono Vere o False.

Read the text and decide if the statements are True or False.

Una ricerca HAY ha studiato gli stili di direzione più praticati dai manager italiani in Italia e all'estero.

Una leadership basata sul consenso
di Giuseppina Gentili e Anne Galles (HAY GROUP)

Nelle aziende internazionali la leadership sta cambiando. Da un lato, il mercato sta diventando sempre più complesso per i frequenti scambi e per la concorrenza globale. Dall'altro, all'interno delle organizzazioni, l'autorità sta diventando più informale. Una ricerca condotta da Helen Scott, General Manager di Hay Group Asia Pacific, evidenzia, infatti, come i nuovi leader preferiscano le dimensioni di squadra e di relazione.

La ricerca ha mostrato come ci siano essenzialmente sei stili manageriali fondamentali: stile direttivo, autorevole, affiliativo, partecipativo, battistrada, coaching. In realtà, non esiste uno stile di management «giusto» o «sbagliato». Ogni stile può essere efficace se adeguato alle caratteristiche di situazioni quali per esempio:

• il tipo di collaboratori e la loro esperienza
• i punti di forza e di miglioramento dei collaboratori
• la natura e la complessità del compito
• i rischi per raggiungere gli obiettivi
• le risorse disponibili

E cosa possiamo dire dei leader italiani? Quali stili manageriali praticano di solito? Dallo studio emergono delle differenze tra gli stili manageriali di manager italiani che lavorano in Italia e quelli che lavorano all'estero. Il campione è costituito da 118 manager italiani (20 donne e 98 uomini) di cui 67 lavorano in Italia e 51 lavorano all'estero. In tutti e due i casi i manager lavorano in realtà multinazionali. I primi pensano di essere più 'direttivi', perché generalmente si presentano come modello di riferimento. Preferiscono non delegare e non collaborare molto con i colleghi. Al contrario, i manager italiani che lavorano all'estero pensano di essere maggiormente 'partecipativi'. Lo stile partecipativo è tipicamente caratterizzato da numerose riunioni, ascolto, frequenti feedback positivi e rari feedback negativi.
Secondo questo studio, comunque, la globalizzazione e i contesti multinazionali tendono a ridurre le differenze culturali e a uniformare lo stile di leadership.

adattato da: Harvard Business Review Italia

Osserva
• Il mercato **sta diventando** sempre più complesso.
Vedi workshop **Forme e usi**, p. 194

	V	F
1. Nelle organizzazioni globali il modello di leadership sta diventando più informale.	☐	☐
2. Nelle organizzazioni globali ai nuovi dirigenti piace il lavoro di team.	☐	☐
3. Esiste solo uno stile manageriale efficace.	☐	☐
4. I manager italiani che lavorano in Italia tendono a non delegare.	☐	☐
5. Per i manager italiani all'estero non è importante coinvolgere i collaboratori.	☐	☐
6. Oggi negli ambienti multinazionali gli stili manageriali tendono a essere omogenei.	☐	☐

> "La leadership è la capacità di trasformare la fantasia in realtà."
>
> *Warren G. Bennis*

Il business della tavola

> "I prodotti dovrebbero essere 'buoni' per quanto riguarda il gusto, 'puliti' per quanto riguarda la loro sostenibilità, e 'giusti' nella misura in cui gratificano le persone che li producono – culturalmente, economicamente e fisicamente."
>
> *Carlo Petrini, Fondatore di Slow Food*

Leggi il testo e dopo abbina le parole o espressioni evidenziate al loro significato.

Read the text and then match the words or expressions in bold to their meaning.

L'industria agroalimentare è il secondo **comparto** produttivo dopo quello manifatturiero. Anche se cresce la competizione internazionale, le **imprese** reagiscono: rafforzano la denominazione di origine Dop (Denominazione origine protetta) e di Igp (Indicazione geografica protetta), e puntano su prodotti di qualità.

Riguardo all'occupazione, oltre 67.000 aziende **impiegano** direttamente più di 470.000 **addetti**. L'export è in crescita. Ma l'Italia non è tra i primi Paesi esportatori di prodotti alimentari nella classifica mondiale. I maggiori **concorrenti** in Europa sono Spagna, Francia, Olanda, Germania e Belgio; al di fuori dell'Europa, gli Stati Uniti, la Cina e l'Australia. La maggior parte delle esportazioni e importazioni agroalimentari si concentra nelle grandi regioni del Nord: Piemonte, Lombardia, Veneto ed Emilia Romagna. Regioni del Sud, come ad esempio la Puglia e la Campania, contribuiscono, invece, alle esportazioni di prodotti freschi.

Per il rilancio dell'export italiano le imprese propongono varie soluzioni, tra cui attuare alleanze strategiche con il turismo – turismo enogastronomico – politiche **fiscali** per incentivare gli investimenti in innovazione tecnologica e la disponibilità di **finanziamenti agevolati** alle imprese.

L'industria agroalimentare biologica è un settore molto dinamico. L'Italia è esportatrice mondiale di prodotti biologici con circa 50.000 aziende bio. Molte di queste aziende si trovano nelle regioni meridionali. Il **fatturato** complessivo del biologico in Italia è stimato intorno ai 3 miliardi di euro. La ricerca scientifica in questo settore è portata avanti indipendentemente da progetti di diversi Enti e Istituti di ricerca, privati, pubblici e universitari. Ma riveste ancora una quota molto bassa delle risorse destinate alla ricerca in campo agricolo e agroalimentare.

adattato da: www.convoimagazineseat.it, www.strumentires.com

1. comparto
2. imprese
3. impiegano
4. addetti
5. concorrenti
6. fatturato
7. fiscali
8. finanziamenti agevolati

a. relativi alle tasse
b. settore
c. giro d'affari
d. persone che lavorano in un determinato settore
e. aziende
f. prestiti a un tasso di interesse inferiore a quello di mercato
g. danno lavoro a
h. competitori

Leggi ora il testo di nuovo e completa la scheda con le informazioni mancanti.

Now read the text again and complete the table with the missing information.

Il business della tavola

Agroalimentare	*è il secondo comparto produttivo dell'economia italiana.*
Numero di aziende	
Numero di addetti	
Maggiori concorrenti in Europa	
Maggiori concorrenti al di fuori dell'Europa	
Maggiori regioni esportatrici e importatrici	
Soluzioni per il rilancio dell'export	
Settore agro-alimentare biologico	*esportatrice mondiale di prodotti biologici*

Progetto

Lavorate in gruppo e preparate una presentazione. Ciascun gruppo sceglie un comparto agro-alimentare della tabella. Utilizzate la scheda per raccogliere informazioni sul web per la vostra presentazione. Per il linguaggio delle presentazioni e lo schema andate all'Unità 9.

Work in groups and prepare a presentation. Each group chooses one of the food and agriculture sectors below. Use the table below to gather information from the web for your presentation. For the language of presentation and its structure go to Unit 9.

dolciario / pastiario	cerealicolo	ortofrutticolo	olivicolo
acque minerali	enologico	lavorazione e conservazione della carne / del pesce	lattiero-caseario

comparto agro-alimentare

Area/aree geografica/che di produzione	
Numero di aziende	
Numero di addetti	
Fatturato	
Esportazioni	

Governance è correntemente usato come sinonimo di **governo societario**: l'insieme di regole che disciplinano la gestione dell'impresa. Del governo societario fanno parte principalmente gli azionisti e il Consiglio di amministrazione.

Il termine **performance** è correntemente usato per indicare **rendimento, risultato**.

La classifica del Reputation Institute incorona l'industria dolciaria di Alba

Ferrero è il marchio più affidabile e con la miglior reputazione del mondo. Il riconoscimento al gruppo piemontese, famoso per la Nutella e i cioccolatini Rocher, arriva dall'inchiesta annuale del Reputation Institute, che ha stilato una classifica sulle società con la migliore reputazione del mondo. La società ha ottenuto un indice di 85,17 su un totale di 100. L'indice del Reputation Institute è costruito su criteri quali la fiducia, l'ammirazione, il rispetto e la stima, oltre che su valori, come l'innovazione, la **governance** e la qualità della **performance**.

www.lastampa.it, 7/5/2009

I vini autoctoni

 Prima leggi il testo e dopo trova i sinonimi delle parole elencate sotto.
First read the text and then find the synonyms of the words below.

L'Italia ha un vastissimo panorama vitivinicolo. Accanto a vitigni internazionali, come ad esempio lo Chardonnay, il Merlot, il Cabernet Sauvignon, ci sono oltre 350 vitigni autoctoni, ovvero vini di vigne storicamente caratteristiche di un determinato territorio. Sono vini autoctoni, per esempio, il Nero d'Avola in Sicilia, il Corvina in Valpolicella e il Nebbiolo nelle Langhe. Le aziende vinicole propongono vini di vitigni antichi come prodotti di qualità che differenziano il mercato del vino italiano da quello estero.
La qualità dei vini italiani nel mercato europeo è tutelata dai marchi di denominazione d'origine. I vini a denominazione d'origine si distinguono tra vini DOC (denominazione d'origine controllata), vini Docg (denominazione d'origine controllata e garantita) e Igt (indicazione geografica tipica).

adattato da: www.amordivino.net

1. grandissimo _____
2. insieme a _____
3. tipiche _____
4. locale _____
5. offrono _____
6. protetta _____

alcuni vini italiani

vino/provenienza	colore	profumo e sapore
Brachetto d'Acqui/Piemonte	rosso rubino	mediamente intenso, aromatico, spumante
Amarone della Valpolicella/Veneto	rosso rubino carico	speziato, robusto
Vernaccia di San Gimignano/Toscana	giallo paglierino	asciutto armonico
Greco di Tufo/Campania	giallo paglierino	intenso, morbido, secco

I marchi delle auto
Report e delle moto

> "Mi toglievo il cappello ogni volta che vedevo passare un'Alfa."
> *Henry Ford, industriale*

Leggi il testo e dopo scegli la risposta corretta.
Read the text and then choose the correct answer.

Il Gruppo FIAT rappresenta l'industria automobilistica italiana. Il gruppo comprende i marchi FIAT, Lancia e Alfa Romeo e le auto sportive Ferrari e Maserati. La FIAT è tra i maggiori produttori di auto in Europa e ha circa 200.000 **dipendenti**. La sede del Gruppo è a Torino, ma gli **impianti**, oltre che in Italia, si trovano in Argentina, Brasile, Polonia e Turchia. Negli ultimi decenni la FIAT ha risentito delle crisi che hanno toccato il mercato automobilistico. Infatti, per competere in un mercato globale, l'accordo tra FIAT S.p.A. e Chrysler LCC è d'importanza strategica. L'alleanza mette insieme la tecnologia FIAT, tra le più innovative e avanzate a livello mondiale per le vetture medie e piccole, e la grande tradizione della Chrysler che ha una forte **rete di distribuzione** in Nord-America.

La Ferrari è il marchio storico delle fuoriserie Made in Italy. Il design della Ferrari è il frutto di una collaborazione con grandi progettisti e designer industriali come Sergio Pininfarina e Giorgetto Giugiaro. La Ferrari ha sede a Maranello e impiega circa 3.000 dipendenti. Det Norske Veritas, uno dei principali organismi di Certificazione del mondo, ha assegnato alla Ferrari certificazioni ISO come riconoscimento dell'impegno nella **riduzione** dell'impatto ambientale delle attività dell'azienda. Il mercato principale per il business delle Ferrari continua a essere quello del Nord-America, con la Cina in crescita come altro grande mercato di sbocco.

Il business italiano delle moto, che comprende anche scooter e ciclomotori, ha come simbolo d'eccezione il marchio Vespa. Insieme a Gilera, Aprilia, Moto Guzzi, Derbi e Scarabeo, Vespa fa parte del Gruppo Piaggio. Come Piaggio anche il marchio Ducati è sinonimo di stile italiano ed elevato know-how tecnologico. Tra i maggiori concorrenti del mercato motociclistico italiano figura il Giappone. Negli ultimi anni, la concorrenza di nuovi produttori asiatici ha indebolito il mercato. L'industria motociclistica, infatti, ha ricevuto degli incentivi che hanno dato una **spinta** al settore. Ma manifestazioni importanti come BikeAsia hanno permesso di aprire opportunità di business in un grande mercato potenziale, come quello del Sud-est asiatico: per tradizione "il mercato delle due ruote".

adattato da: www.fiatspa.com, www.corriereasia.it

1. a. Il Gruppo FIAT è l'industria automobilistica italiana.
   b. Il Gruppo FIAT è l'industria italiana.
   c. Il Gruppo FIAT simboleggia il mercato automobilistico italiano.

2. a. Le fabbriche della FIAT si trovano anche all'estero.
   b. Le fabbriche della FIAT si trovano solo a Torino.
   c. Le fabbriche della FIAT non si trovano in Italia.

3. a. La FIAT si avvale di tecnologia innovativa per le auto medie e piccole.
   b. La FIAT è una delle industrie più innovative e avanzate tecnologicamente nel mondo.
   c. La FIAT produce solo auto piccole e medie.

4. a. La Ferrari ha ricevuto certificazioni per l'inquinamento dei suoi impianti.
   b. La Ferrari è stata premiata per il suo sforzo per limitare l'inquinamento prodotto dai suoi stabilimenti.
   c. La Ferrari ha riconosciuto l'impatto ambientale dei suoi stabilimenti.

5. a. Al gruppo Piaggio appartiene solo la Vespa.
   b. Al Gruppo Piaggio appartiene anche la Vespa.
   c. A differenza del Gruppo Piaggio, Ducati rappresenta lo stile italiano.

Abbina ora le parole o espressioni evidenziate nel testo al loro sinonimo.

Now match the words or expressions in bold to their synonyms.

1. dipendenti	a. stabilimenti, fabbriche
2. impianti	b. diminuzione
3. rete di distribuzione	c. impulso
4. riduzione	d. impiegati
5. spinta	e. canale di vendita

Progetto

Prepara una presentazione. Scegli un'azienda automobilistica o motociclistica italiana o straniera. Utilizza la scheda per raccogliere informazioni sul web per la tua presentazione. Per il linguaggio delle presentazioni e lo schema vai all'Unità 9.

Prepare a presentation. Choose a car or motorbike manufacturer. Use the table below to gather information from the web for your presentation. For the language of presentation and its structure go to Unit 9.

Azienda	
Anno di fondazione	
Sede e stabilimenti	
Accordi internazionali	
Concorrenti	
Modelli più venduti	
Mercati esteri di sbocco	

Report **I distretti industriali**

Abbina il tipo d'impresa alla definizione.

Match the type of enterprise to its definition.

1. Microimpresa   2. Piccola impresa   3. Media impresa

- occupa meno di 250 dipendenti
- ha un fatturato annuo non superiore a 50 milioni di euro

_____

- occupa meno di 50 dipendenti
- ha un fatturato annuo non superiore a 10 milioni di euro

_____

- occupa meno di 10 dipendenti
- ha un fatturato annuo non superiore a 2 milioni di euro

_____

Leggi il testo e dopo scegli la risposta corretta.

Read the text and then choose the correct answer.

I distretti industriali rappresentano un tipico modello organizzativo del sistema produttivo italiano, basato sulla piccola e media impresa (PMI). Sono pochi, infatti, i grandi gruppi industriali. Il distretto industriale è un raggruppamento di imprese di uno stesso settore, concentrate in una determinata area geografica. Ogni impresa è specializzata in prodotti, parti di prodotto o fasi del processo di produzione.

In Italia, il sistema dei distretti ha creato sviluppo, perché ha unito la realtà industriale alla tradizione artigianale e culturale tipica di una determinata area geografica. I vantaggi di questa forma d'imprenditorialità sono molteplici. Tra questi ci sono la vicinanza geografica, che facilita la diffusione del know-how, e la creazione di rapporti molto stabili, spesso basati su relazioni di reciproca fiducia tra gli imprenditori. Questi fattori favoriscono coordinamento e integrazione.

Ma nel contesto globale attuale, il sistema dei distretti non è sempre in grado di anticipare il mercato e di dare risposte rapide. Diversi sono i fattori di queste difficoltà: la concorrenza dei Paesi emergenti, la burocrazia italiana e comunitaria, e, non ultima, per alcuni settori, la mancanza o la scarsità d'investimenti nell'innovazione e nella formazione.

In Italia ci sono circa 200 distretti industriali.

Il **Nord-Ovest** conta circa 40 distretti distribuiti tra Piemonte e Liguria. Un caso importante è rappresentato dal polo hi-tech ligure.

Il **Nord-Est**, area d'eccellenza nella diffusione del modello distrettuale italiano, conta più di 40 distretti, circa il 27% del totale italiano, e rappresenta una realtà in continua espansione.

Il **Centro-Nord** conta più di 30 distretti, per una quota superiore al 22% sul totale nazionale. Settori particolarmente significativi sono pelle/cuoio, calzature, ceramica, tessile e abbigliamento.

Nei distretti del **Sud** ci sono circa 10.000 imprese.

adattato da: www.pmi.it

a) 1. Il sistema produttivo italiano è basato sulla grande industria.
    2. In Italia ci sono molte aziende di piccole e medie dimensioni.
    3. In Italia non esistono grandi gruppi industriali.

b) 1. In un distretto industriale si trovano aziende di uno stesso settore.
    2. In un distretto industriale ci sono aziende di settore e non imprese.
    3. Il distretto industriale è un concentrato di grandi industrie di settore.

c) 1. In Italia i distretti hanno sviluppato un sistema con la cultura e la tradizione locale.
    2. Il sistema dei distretti è solo culturale.
    3. In Italia il sistema dei distretti ha generato sviluppo attraverso un legame tra l'industria e la tradizione locale.

d) 1. In un distretto non ci sono scambi tra le aziende.
    2. In un distretto le aziende non sono distanti geograficamente.
    3. In un distretto le aziende collaborano poco tra loro.

e) 1. In un distretto le competenze tecniche si diffondono facilmente.
    2. In un distretto manca il know-how.
    3. Il distretto è basato solo sul know-how.

f) 1. Il mercato non dà risposte rapide.
    2. Il sistema dei distretti è sempre capace di anticipare il mercato.
    3. Il sistema dei distretti è più lento di fronte alle esigenze del mercato globale.

Completa la tabella in base alle parole del testo.

Complete the table with the words from the text.

nome	aggettivo	verbo
organizzazione	_____	organizzare
_____	_____	produrre
_____	diffuso	diffondere
	coordinativo	coordinare
globalizzazione	_____	globalizzare
_____	innovativo	innovare
_____	formativo	formare

Mappa dei distretti associati alla
Federazione Distretti Italiani
(2009)

● Abbigliamento - Moda
● Automazione - Meccanica
● Arredo - Casa
○ Alimentare - Agroindustriale - Ittico

Progetto

Prepara una presentazione. Scegli una regione italiana e uno dei suoi distretti. Utilizza la scheda per raccogliere informazioni sul web per la tua presentazione. Per il linguaggio delle presentazioni e lo schema vai all'Unità 9.

Prepare a presentation. Choose a region and one of its industrial districts. Use the table below to gather information from the web for your presentation. For the language of presentation and its structure go to Unit 9.

il distretto industriale di ....

specializzazione	
territorio	
storia e tradizione culturale	
punti di forza del distretto	

Report I mass-media

"Un buon reportage deve avere un punto di vista."

Milena Gabanelli, giornalista

Leggi il testo e dopo abbina le parole evidenziate al loro significato.

Read the text and then match the words in bold to their meaning.

Esistono diversi tipi di giornali in Italia:
- d'opinione e **quotidiani** nazionali e regionali: es. *Corriere della Sera, la Repubblica, La Stampa, Il Giornale, Il fatto quotidiano, La Nazione*
- finanziari: es. *Il Sole24ORE, Italia Oggi, Milano Finanza*
- politici e di partito: es. *L'Unità, Il Manifesto, La Padania*
- sportivi: es. *La Gazzetta dello Sport, Il Corriere dello Sport*
- religiosi: es. *L'Osservatore Romano*, **organo** ufficiale del Vaticano
- periodici: es. *l'Espresso, Panorama*
- stampa specialistica: es. *Casabella, Geo, Quattroruote*
- stampa femminile: es. *Io Donna, Amica*

La **Stampa** italiana è caratterizzata da un trend negativo nel numero dei lettori, rispetto al resto dell'Europa. Infatti, nel corso degli anni, il numero di copie vendute continua a diminuire. Tra le ragioni ci sono il ruolo sempre più crescente della televisione e quella di Internet come strumenti informativi. I quotidiani nazionali più importanti sono le **testate** del *Corriere della Sera, la Repubblica* e *La Stampa*, con sede rispettivamente a Milano, Roma e Torino. Esistono, comunque, **redazioni** ed edizioni locali in quasi tutte le grandi città italiane. A differenza di alcuni Paesi europei, in Italia non c'è la tradizione di quotidiani scandalistici, i *tabloid*. Il quotidiano più letto è *La Gazzetta dello Sport*, a contendersi il secondo posto sono, a periodi alterni, *Corriere della Sera* e *la Repubblica*.

La televisione è il media più seguito in Italia. Ma anche la radio ha alti indici di ascolto. Esistono due grandi gruppi: la Rai, il servizio pubblico, e Mediaset, la tv commerciale. I maggiori canali della Rai sono RaiUno, RaiDue, RaiTre, Rai5, RaiNews e Rai Storia. Per il servizio Rai, i telespettatori devono pagare un **canone** annuale. Guadagni aggiuntivi provengono dalla pubblicità, che domina lo spazio televisivo.

Mediaset è formata principalmente da Canale Cinque, Retequattro e Italia Uno e non richiede un canone annuale. Del gruppo Telecom Italia Media Broadcasting fanno parte MTV e La7, quest'ultima si propone da alcuni anni come un'alternativa ai due grandi gruppi. Esistono anche molte **emittenti** televisive locali e regionali.

In Italia la quota di tele e radio-ascoltatori multimediali è ancora piuttosto bassa rispetto alla media europea.

1. quotidiani   a. stazioni per la trasmissione di programmi radio o televisivi

2. organo   b. insieme di giornali, riviste, periodici

3. Stampa   c. giornali pubblicati ogni giorno

4. testate   d. gli uffici in cui lavorano i redattori di un giornale, di una casa editrice

5. redazioni   e. giornale portavoce ufficiale di un partito, di un'associazione sindacale o professionale, di un'autorità civile o religiosa

6. canone   f. tassa pagata periodicamente per usufruire del servizio televisivo

7. emittenti   g. altra parola per giornali

Progetto

Prepara una presentazione sui mezzi di informazione del tuo Paese sul modello del testo che hai appena letto. Usa le indicazioni nel box per raccogliere le informazioni sul web per la tua ricerca. Per il linguaggio delle presentazioni e lo schema vai all'Unità 9.

Prepare a presentation on the media in your country based on the text you have just read. Use the table below to gather information from the web for your research. For the language of presentation and its structure go to Unit 9.

---- mezzi di informazione ----

- Tipi di giornali e andamento delle vendite
- Reti pubbliche / reti private e indici di ascolto

Il business
Report della moda

Leggi il testo e dopo abbina le parole o espressioni evidenziate al loro significato.
Read the text and then match the words or expressions in bold to their meaning.

L'Italia è, dopo la Cina, il secondo esportatore mondiale di prodotti tessili e abbigliamento con circa 22.000 aziende esportatrici, di cui fanno parte **marchi** noti a livello internazionale. Il Sistema Moda Italia deve la sua competitività a livello internazionale agli investimenti nell'innovazione, alla ricerca e **sviluppo** del prodotto, e, soprattutto, a una lunga tradizione di creatività e abilità manifatturiera. La **quota** delle vendite estere di abbigliamento sul fatturato complessivo raggiunge la **soglia** di circa il 60%. Accanto ai mercati tradizionali europei, USA e Giappone, l'offerta delle imprese italiane si rivolge sempre più ai mercati dell'area BRIC (Brasile, Russia, India, Cina). Nel corso degli anni, alcuni fattori economici, come, ad esempio, la concorrenza dei prezzi, ha spinto le imprese italiane a concentrarsi sulla **fascia** alta o di lusso dei prodotti. L'industria Tessile-Moda è diffusa su tutto il territorio nazionale. Esistono, comunque, concentrazioni di industrie in distretti industriali, come, ad esempio, quelli di Biella, Carpi, Como, Prato, Vicenza. La produzione è organizzata prevalentemente in imprese di dimensione piccola e media, altamente specializzate e che operano spesso in nicchie di mercato. Anche il settore della pelletteria, con circa 6000 aziende produttrici, di cui 1500 esportatrici, vede un export di fascia alta o di lusso. Quanto al comparto occhialeria, l'Italia è il primo Paese esportatore con una quota pari al 28% del commercio mondiale, seguita dalla Cina. Nel segmento degli occhiali da sole raggiunge la quota del 40%. USA ed Europa sono i principali **mercati di sbocco**. Riguardo al comparto dell'oreficeria, in Italia si trasforma il 69% dell'oro fino lavorato in Europa e il 16% di quello trasformato nel mondo, pari a circa 25 milioni di pezzi di oreficeria e gioielleria. La produzione di questo comparto si concentra principalmente nelle regioni Piemonte, Toscana e Veneto, e nel distretto industriale di Marcianise - Torre del Greco, tra Napoli e Salerno. Tra i dieci maggiori Paesi di destinazione troviamo gli Stati Uniti e gli Emirati Arabi.

adattato da: www.cameramoda.it   www.convoimagazineseat.it

1. marchi   a. parte

2. sviluppo   b. segmento

3. quota   c. livello

4. soglia   d. crescita

5. fascia   e. mercati target

6. mercati di sbocco   f. brand

Ora leggi il testo di nuovo e dopo indica se le affermazioni sono Vere o False.
Now read the text again. Then decide whether the statements are True or False.

	V	F
1. L'Italia è il principale esportatore mondiale di prodotti tessili.	☐	☐
2. La moda italiana è competitiva anche per la sua lunga tradizione artigianale.	☐	☐
3. Il mercato italiano della moda si rivolge sempre più ai Paesi emergenti.	☐	☐
4. Il mercato della moda italiana è sempre stato caratterizzato da prodotti di lusso.	☐	☐
5. L'industria della moda è caratterizzata da grandi imprese.	☐	☐
6. L'Italia è il principale esportatore mondiale di occhiali.	☐	☐
7. La produzione del comparto oreficeria è distribuita su tutto il territorio italiano.	☐	☐

Completa le frasi con la parola corretta.
Complete the sentences with the correct word.

soglia	marchi	comparti	sbocco	quota

1. Oggi è più semplice e conveniente ottenere la protezione dei _____ per le imprese dell'Ue.

2. Grazie alle nuove strategie, la _____ dei nostri prodotti esportati è del 15%.

3. Aumentano le aziende che hanno raggiunto la _____ dei 100 milioni di fatturato.

4. L'area è suddivisa in 3 _____: logistico, industriale e Polo servizi.

5. In questa prima parte illustrerò la tipologia dei nuovi mercati di _____. Iniziamo con la Cina.

Progetto

Lavorate in gruppo e preparate una presentazione su una azienda italiana del settore moda. Ciascun gruppo sceglie un settore del comparto della tabella. Utilizzate la scheda per raccogliere informazioni sul web per la vostra presentazione. Per il linguaggio delle presentazioni e lo schema andate all'Unità 9.

Work in groups and prepare a presentation on an Italian company. Each group chooses one of the fashion sectors below. Use the table below to gather information from the web for your presentation. For the language of presentation and its structure go to Unit 9.

tessile	abbigliamento	occhialeria
pelletteria	oreficeria e gioielleria	

settore: ....

Storia del marchio	
Tipo di brand	
Filosofia aziendale	
Concorrenti	
Fatturato	

Tipi di brand

Le imprese del "lusso esclusivo": prezzi alti, continuità del prodotto, per esempio Brioni, Zegna, Armani. Sono in concorrenza con i brand del lusso francesi. La loro missione è attualizzare l'heritage del brand.

Le imprese "high fashion": prezzi alti, contenuto moda, per esempio Prada, Gucci, Dolce & Gabbana. Sono in concorrenza con i designer internazionali. La loro missione è imporre le nuove tendenze.

I "premium brand": prezzo intermedio, continuità di prodotto, per esempio Corneliani, Fratelli Rossetti. Sono in concorrenza con i brand americani e nordeuropei. La loro missione è assicurare al cliente il migliore *value for money*.

Le imprese del "fashion accessibile": prezzo intermedio, contenuto moda, per esempio Pinko, Patrizia Pepe. Non hanno concorrenti significativi a livello internazionale. La loro missione è industrializzare rapidamente e rendere accessibili ad un mercato più ampio dell'high fashion le tendenze moda.

www.italiannetwork.it/news

Trova la giusta definizione per le seguenti espressioni.

Find the correct definition for the following expressions.

1. Strutture ricettive

2. Turismo sostenibile

3. Patrimonio culturale

Beni di particolare rilievo storico, culturale ed estetico che costituiscono la ricchezza di un luogo e di una popolazione.

_____

Alberghi, pensioni, villaggi turistici, aziende agrituristiche.

_____

È una forma di turismo caratterizzato da un'attenzione per l'ambiente e per il benessere delle popolazioni locali.

_____

Leggi il testo e dopo scegli la risposta corretta.

Read the text and then choose the correct answer.

L'Italia possiede il più ampio **patrimonio** culturale mondiale con oltre 3.400 musei, 2.000 aree e parchi archeologici e oltre 45 siti UNESCO. Ai primi posti dei siti italiani più visitati ci sono il Colosseo e il Palatino di Roma, gli scavi di Pompei e la Galleria degli Uffizi a Firenze. Nonostante questa grande ricchezza artistica, l'Italia non ha sempre un ritorno commerciale. Nel settore culturale e creativo, la scarsità d'investimenti ha generato una perdita di competitività. In Europa, la Francia e la Spagna sono i maggiori concorrenti dell'Italia. Nella classifica dei musei più visitati al mondo fra i primi cinque troviamo il Louvre e il Beaubourg e anche due musei inglesi, il British Museum e la Tate Modern. In Italia un discreto successo riscuotono i musei d'impresa, come, ad esempio, la Galleria Ferrari. La loro fruizione è, comunque, condizionata dall'organizzazione e dal business aziendale soprattutto riguardo agli orari e le modalità di accesso al pubblico.

In altri comparti del settore turistico, ormai da diversi anni, aumenta la richiesta di **strutture ricettive** alternative, quali le aziende agrituristiche, concentrate prevalentemente nel Nord Italia. Il turismo enogastronomico è, infatti, uno dei veri motori del made in Italy. Impiega circa cinque milioni di addetti ai lavori in quasi 600 comuni. Accanto alla domanda di agriturismi, cresce anche quella di centri e luoghi del benessere per la cura del corpo, così come quella del **turismo sostenibile** dell'open air. Tuttavia, non esiste ancora una chiara politica economica che mira a sviluppare strategicamente questo tipo di soggiorno. Nonostante il basso impatto ambientale di strutture di ospitalità come campeggi e villaggi turistici, in Italia ci sono ancora ostacoli da parte delle amministrazioni locali influenzate dalle lobby d'immobiliaristi e costruttori. Milano, città simbolo del business, resta la destinazione per eccellenza del turismo d'affari, che deve a questa città oltre il 70% del suo fatturato.

adattato da: www.liquida.it

1. a. L'Italia ha un costante ritorno commerciale dal suo patrimonio artistico.
   b. L'Italia non trae sempre un profitto dal suo patrimonio artistico.
   c. L'Italia trae sempre un profitto dal suo patrimonio artistico.

2. a. Si fanno grandi investimenti nei settori artistici.
   b. Nel settore culturale e artistico si investe per la competitività.
   c. Nel settore culturale e creativo si investe poco.

3. a. Alcuni musei francesi e inglesi sono tra i più visitati del mondo.
   b. Il Louvre non figura nella classifica dei musei più visitati al mondo.
   c. Il British Museum è al primo posto tra i musei più visitati al mondo.

4. a. I musei d'impresa non sono molto visitati.
   b. I musei di impresa hanno un discreto numero di visitatori.
   c. I musei d'impresa sono molto difficili da visitare.

5. a. La richiesta di agriturismi è in calo.
   b. Le aziende agrituristiche non sono diffuse in Italia.
   c. Le aziende agrituristiche sono per la maggior parte nel Nord Italia.

6. a. I campeggi e i villaggi turistici non promuovono il turismo sostenibile.
   b. Gli immobiliaristi e i costruttori ostacolano il turismo sostenibile.
   c. In Italia c'è una grande politica che promuove il turismo sostenibile.

7. a. Al turismo d'affari si deve un'alta percentuale del fatturato di Milano.
   b. Per il turismo d'affari Milano non è competitiva.
   c. Il turismo d'affari non produce abbastanza profitto.

Cancella la parola estranea.
Delete the odd man out.

1. ritorno / guadagno / perdita / profitto
2. scarsità / abbondanza / carenza / insufficienza
3. uso / consumo / fruizione / disuso
4. aumentare / diminuire / crescere / incrementare
5. basso / minimo / elevato / limitato

Progetto

In base alla scheda prepara una presentazione su un museo d'impresa italiano di tua scelta. Fai una ricerca su Internet per cercare le informazioni che non conosci. Per il linguaggio delle presentazioni e lo schema vai all'Unità 9.

Prepare a presentation on an Italian company museum of your choice. Research the information you don't have on the web and complete the table. For the language of presentation and its structure go to Unit 9.

museo ....

Breve storia	
Collezioni	
Curiosità	
Orari e servizi	

Report Le fonti energetiche

Leggi il testo.
Read the text.

Negli ultimi anni il settore energetico italiano ha visto diversi cambiamenti sia a livello istituzionale che di mercato. Lo sviluppo delle fonti rinnovabili, la riforma del mercato elettrico e del gas, la promozione dell'efficienza, del risparmio energetico e della sicurezza degli approvvigionamenti hanno influito sensibilmente sulla composizione delle fonti che soddisfano la domanda energetica. Sta diminuendo la quota di disponibilità di energia da petrolio, mentre sta salendo quella da fonti rinnovabili (es. sole, vento, mare, calore della Terra) e quella da gas naturale. Risultano stabili invece le quote di combustibili solidi (es. legname e carbone) e energia elettrica. Dal punto di vista degli approvvigionamenti, infatti, l'Italia, si trova in una posizione di vulnerabilità rispetto agli altri Paesi dell'Unione europea, per la maggiore dipendenza dalle importazioni estere e dagli idrocarburi.

Tra i settori utilizzatori finali di energia la quota più elevata è finora attribuita al settore degli usi civili che include il settore domestico, il commercio, i servizi e la Pubblica Amministrazione; seguono il settore dei trasporti e quello industriale.

Per promuovere una crescita sostenibile, l'Unione europea ha fissato nella Strategia europea 20/20/20 tre obiettivi per il 2020: la riduzione del 20 per cento delle emissioni di gas a effetto serra, rispetto ai livelli del 1990; il raggiungimento della quota di fonti rinnovabili del 20 per cento rispetto al consumo finale lordo; il miglioramento dell'efficienza degli usi finali dell'energia del 20 per cento. Per attuare questa strategia l'Italia dovrà, rispetto ai livelli del 2005, raggiungere una quota di energia rinnovabile pari al 17 per cento del consumo finale lordo e dovrà inoltre ridurre i gas serra del 14 per cento. Questa riduzione sarà in accordo con l'ETS (*Emission Trading Scheme*)*, uno degli schemi lanciati dall'Unione europea per rispettare gli impegni assunti nel Protocollo di Kyoto e interesserà in gran parte settori industriali ad alto consumo di energia, come il termoelettrico, la raffinazione, la produzione di cemento, l'acciaio, la carta, la ceramica e il vetro. Dovranno provvedere alla riduzione delle emissioni, sebbene in misura minore, anche settori non previsti dallo schema ETS, come, ad esempio, i trasporti, l'edilizia, i servizi, l'agricoltura, i rifiuti e i piccoli impianti industriali.

* *Emission Trading Scheme* – È un sistema di scambio delle quote di CO2 che ha l'obiettivo di aiutare gli Stati membri dell'Ue a limitare o ridurre le emissioni di gas serra in maniera economicamente efficace. Il sistema ETS è un sistema *"cap-and-trade"*: fissa un tetto massimo al livello totale delle emissioni ma, all'interno di questo limite massimo, consente ai partecipanti di acquistare e vendere quote secondo le loro necessità.

adattato da: Ambiente e territorio_ fonte Istat luglio 2010

Ora trova nel testo i nomi corrispondenti ai verbi della colonna A.
Now find in the text the nouns corresponding to the verbs in column A.

A	B
1. promuovere	
2. comporre	
3. raggiungere	
4. migliorare	
5. ridurre	
6. produrre	

Obiettivo Professione 169

Lavorate in coppia e discutete.
Work in pairs and discuss.

Ecco alcuni consigli per risparmiare energia: voi li seguite?

• In azienda / all'università: (Non) Spengo / Spegniamo sempre ...

il computer
Spegnete il computer alla fine della giornata. Un computer acceso consuma molta energia. Usate anche prese multiple con interruttore on/off.

il riscaldamento
Ricordate che le porte lasciate aperte causano la fuoriuscita di aria calda.

l'illuminazione
Spegnete sempre la luce quando uscite da un locale.

l'ascensore
Salite le scale invece di prendere l'ascensore.

il monitor
Spegnete il monitor quando fate una pausa di oltre 15 minuti. Il consumo del monitor è pari a quello della stampante e del PC insieme.

la macchina del caffè
Spegnete la macchina del caffè dopo l'utilizzo.

il cellulare
Staccate dalla presa il trasformatore per la carica del cellulare e di altri apparecchi elettronici dopo l'uso.

l'acqua
Non fate scorrere l'acqua dal rubinetto quando non la usate.

la carta e altri materiali
Fate la raccolta differenziata per la carta e altri materiali riciclabili.

la stampante
Spegnete completamente la stampante nei momenti in cui non la utilizzate. Gran parte del consumo elettrico avviene quando le stampanti sono in stand-by.

Lavorate in coppia. Conoscete le linee guida per il risparmio energetico dell'organizzazione per cui lavorate o dell'università in cui studiate? Se non le conoscete, come dovrebbero essere, secondo voi? Provate a scrivere una breve lista.

Work in pairs. Do you know the guidelines for energy saving in the organisation in which you work or where you study? If not, what do you think they should be? Write a brief list.

"Ma Lei lascia spesso apparecchi elettronici in stand-by?"
"Purtroppo sì, perché il più delle volte poi non so riaccenderli." :-)
Enrico Bertolino, "Io e l'energia"

"Sono un architetto giapponese, uno scenografo americano, un designer industriale tedesco, un direttore artistico francese, un designer di mobili italiano."
Philippe Starck

Leggi il testo e dopo completa la sintesi con le frasi nei box.
Read the text below and then complete the summary with the sentences in the boxes.

Il design italiano è una delle voci più importanti del Made in Italy. La cultura del design si è affermata prevalentemente nell'area milanese. Storicamente Milano è una città caratterizzata da un'attività artigianale, commerciale e industriale, dinamica e creativa. Per la sua particolare posizione geografica, incrocio di importanti vie commerciali, l'area milanese si è arricchita di talenti individuali e conoscenze tecniche. Questa combinazione di fattori ha favorito lo sviluppo di un artigianato evoluto e sofisticato.

In Italia, a partire dalla fine della seconda guerra mondiale, l'incontro tra imprenditori audaci e progettisti aperti alla sperimentazione crea un modello progettuale, unico e originale. Tra i più geniali esponenti di questa nuova generazione emergono personalità come Vico Magistretti, Ettore Sottsass, Achille e Piergiacomo Castiglioni, Roberto Mango, Carlo Mollino e Carlo Scarpa. In questo clima di grande libertà creativa nascono mobili, lampade, oggetti per la casa, elettrodomestici, autovetture – la celebre 500 – che diventano il simbolo del boom economico italiano. In particolare si comincia a parlare di design industriale agli inizi degli anni '50 sulla rivista Domus, diretta dall'architetto e designer Gio' Ponti.

Nel corso degli anni il design italiano ha attraversato diverse fasi creative, reinterpretando modelli tradizionali con stili nuovi, a volte volutamente ironici e provocatori. Nel tempo, il design italiano ha continuato a ricevere impulsi creativi non solo da designer dell'area milanese, ma anche da progettisti provenienti da altre parti d'Italia e dall'estero. La storica Triennale di Milano è rappresentativa del carattere cosmopolita della cultura del design italiano.

adattato da: www.mi.camcom.it

ha ideato modelli ispirati alla tradizione, ma li ha reinterpretati

si espongono oggetti e opere di artisti di tutto il mondo

creano oggetti che diventeranno il simbolo della rinascita economica

è la città italiana del design

Per tradizione Milano _____, grazie alla sua vivacità creativa e ai suoi frequenti contatti con altre culture. Verso la fine degli anni '40, un gruppo di industriali, aperti a idee innovative, accoglie le proposte di progettisti all'avanguardia. Molti di loro _____. In questo periodo la rivista Domus di Gio' Ponti inizia a diffondere il concetto di design industriale. Nel corso del tempo, il design italiano _____ in maniera a volte anche giocosa e trasgressiva. Il design italiano ha affermato il suo carattere internazionale, promuovendo progetti di designer non solo italiani. Infatti alla famosa Triennale di Milano _____ .

Progetto

Ecco alcune note creazioni del design italiano. Fai una ricerca su Internet sulla loro storia e completa la tabella. Dopo presenta al gruppo la tua ricerca. Per il linguaggio delle presentazioni e lo schema vai all'Unità 9.

Here are some well known objects of Italian design. First research their history on the web and fill in the table below. Then present your research to your group. For the language of presentation and its structure go to Unit 9.

macchina da scrivere Valentine

Vespa

Contenitore Simplon

Lampada Tolomeo

televisore Algol

Spremiagrumi Juicy Salif

Designer	
Anno di produzione	
Profilo dell'azienda	
Curiosità	

Forme e usi

Il presente dei verbi essere e avere

Prima scegli tra *essere* o *avere* e dopo coniuga nel modo appropriato.

First decide if the following sentences require essere *or* avere *and then conjugate accordingly.*

	essere	avere
io	sono	ho
tu	sei	hai
lui/lei/Lei	è	ha
noi	siamo	abbiamo
voi	siete	avete
loro	sono	hanno

1. Il dipartimento _____ bisogno al più presto della documentazione.

2. Non (noi) _____ d'accordo sugli ultimi punti del programma.

3. Sì, tu e Andrea _____ ragione. È una strategia rischiosa.

4. Prima di ripartire, Roberto e Claudio _____ intenzione di visitare la nuova sede.

5. Scusa, (io) _____ di fretta. Ne riparliamo più tardi.

6. Luca,_____ voglia di un caffè? Facciamo un salto al bar.

Le preposizioni di tempo da e per

Completa le frasi con la preposizione corretta *da* o *per*.

Complete the sentences with the correct preposition da *or* per.

1. _____ quanto tempo lavori in questa società?

2. _____ quanto tempo studi l'italiano?

3. Sai, lascio il lavoro e ho intenzione di viaggiare _____ 6 mesi.

4. Lavoro in proprio* già _____ 2 anni.

5. Ho lavorato come libero professionista _____ 5 anni.

   *lavorare in proprio: avere una propria attività, non essere dipendente di un'azienda, di una società.

L'articolo determinativo

Inserisci l'articolo singolare appropriato.

Insert the correct singular article.

articoli determinativi				
maschile singolare			femminile singolare	
il	lo	l'	la	l'
maschile plurale			femminile plurale	
i	gli		le	

1. ..il... manager
2. ...... dottore
3. ...... dottoressa
4. ...... direttore
5. ...... avvocato
6. ...... scrittore
7. ...... scrittrice
8. ...... giornalista
9. ...... addetta stampa

Il plurale dei nomi

Ora fai il plurale delle professioni e degli articoli dell'attività precedente, come nell'esempio.
Now write down the professions in the previous exercise in the plural form, as in the example.

1. *il manager / i manager**
    ....
2. ....
3. ....
4. ....
5. ....
6. ....
7. ....
8. ....
9. ....

*I nomi di origine straniera non cambiano al plurale.

nomi	
singolare	plurale
-o	-i
-e	-i
-a	-e

nomi in -a	
maschile singolare	femminile singolare
il colleg**a**	**la** colleg**a**
il commercialist**a**	**la** commercialist**a**
maschile plurale	**femminile plurale**
i collegh**i**	**le** collegh**e**
i commercialist**i**	**le** commercialist**e**

L'articolo indeterminativo

Classifica i luoghi di lavoro in base all'articolo indeterminativo.
Classify the workplaces according to their indefinite article.

articoli indeterminativi			
maschile singolare		femminile singolare	
un	uno	una	un'

~~clinica~~ studio legale impresa di costruzioni ufficio amministrativo
laboratorio casa di moda agenzia turistica dipartimento

un	uno	una	un'
		una clinica	

Il presente dei verbi regolari

Coniuga i verbi tra parentesi al presente.

Put the verbs in brackets into the present tense.

> Verbi in -isc: capire, stabilire, gestire

1. Raramente (io - **prendere**) .... appunti durante le riunioni.
2. I delegati (**attendere**) .... l'esito della votazione della conferenza.
3. Ti (io - **ringraziare**) .... per la tua disponibilità.
4. Matteo, (**conoscere**) .... già Carla Giorgi?
5. Non preoccuparti, (io - **capire**) .... che sei molto occupato. Ci sentiamo più tardi.
6. Giovanni Morani (**preparare**) .... l'ordine del giorno per la riunione.
7. Le aziende (**stabilire**) .... gli obiettivi e (**valutare**) .... costantemente i risultati.
8. La dottoressa Marchi (**gestire**) .... con molta professionalità il suo gruppo di lavoro.

Sottolinea la forma corretta del tempo presente.

Underline the correct form of the present tense.

es.: (Noi) vi **spedisci** / **spediamo** il prospetto questa sera.

1. La riunione **cominci** / **comincia** alle 8.00 e **finite** / **finisce** alle 9.30.
2. Le presentazioni **duriamo** / **durano** 45 minuti.
3. (Voi) **partecipate** / **partecipano** spesso a conferenze?
4. (Noi) **riceviamo** / **ricevono** molte email dagli amici che **viviamo** / **vivono** all'estero.
5. (Lei) **vivi** / **vive** fuori Milano?
6. (Tu) **vedi** / **vede** ancora Luisa?
7. **Avvertite** / **Avvertono** loro del cambiamento di orario?
8. Le **servo** / **serve** adesso la relazione?
9. Lei **segue** / **segui** un corso di Italiano?

Trasforma le forme del presente dal singolare al plurale o viceversa.
Change the present tense singular into the plural or vice versa.

1. Complimenti, voi parlate italiano molto bene.
    ...., Lei...

2. Lei viaggia spesso per lavoro?
    Voi...

3. Per favore, questa volta paghiamo noi il conto.
    ....io....................

4. Al momento la società concorrente offre condizioni molto vantaggiose.
    ....le società concorrenti...

5. Quali sono i rischi se io investo in queste azioni?
    ....noi...

6. Discutete voi quel punto del programma?
    ....tu..

7. Loro svolgono un lavoro interessante, ma con molte responsabilità.
    Lui.. ....

Il presente dei verbi irregolari andare, bere, fare, uscire

Metti in ordine le frasi, coniugando il verbo al presente.
Put the sentences in order and conjugate the forms of the present tense.

1. A luglio / con gli amici. / (noi) **andare** / in Portogallo

2. un pranzo d'affari / non / io / alcolici. / **bere** / Durante / mai

3. **fare** / viaggi avventurosi. / Gianluca e Irene / sempre

4. ha / Filippo / da lavorare. / Stasera / **uscire** / non / molto / perché

Prima coniuga i verbi tra parentesi nella colonna A. Poi abbina le frasi della colonna A a quelle della colonna B.

First conjugate the verbs in brackets in column A. Then match column A to column B.

— A —
es. Sì, Claudia non (bere) ..*beve*.. alcolici.
1. Per rilassarmi (io / **fare**) ....
2. (Noi / **bere**) .... un caffè e
3. Andrea, (noi / **fare**) ....
4. E a che ora (voi / **uscire**) ....
5. Ultimamente (tu / **uscire**) .... spesso con i tuoi colleghi.
6. Sai, a maggio Tiziana e Valeria (**andare**) .... a fare un corso di lingua francese a Lione.
7. Dottoressa, (**andare**) .... sempre a correre,

— B —
es.: È astemia.
a. Ti trovi bene con loro?
b. Se ti interessa, perché non le chiami?
c. poi torniamo al lavoro?
d. due passi? La riunione comincia più tardi.
e. vero?
f. dall'ufficio?
g. lunghe nuotate in piscina.

I pronomi indiretti

Cerchia il pronome indiretto corretto.

Circle the correct indirect pronoun.

1. Per me va bene. Non vi / le / mi dà fastidio il fumo.
2. A Clara non piace molto il nuovo capo. Le / gli / ti sembra troppo formale.
3. Luca e Pia sono sempre molto eleganti. Le / vi / gli piacciono abiti ricercati.
4. A te e a Giovanna serve ora il documento? O gli / ti / vi serve più tardi?
5. Dottor Bini, ti / Le / vi interessa la proposta?

Completa le frasi con il pronome indiretto corretto.

Complete the sentences with the correct indirect pronoun.

1. Enrica, come _____ sembra questa immagine? Potrebbe andare?
2. Avvocato, _____ interessa questa nuova offerta?
3. Chiudete la porta, per favore. Questo rumore _____ dà fastidio, non possono studiare.
4. Giulia si diletta in cucina, _____ piace preparare piatti elaborati.
5. Andate a casa? Non _____ va un aperitivo?
6. Non _____ piacciono i vini rossi, preferisco i bianchi.
7. A Gabriele? No, non _____ interessa il giro dei musei.

La struttura impersonale

> **singolare**
> • Il pesce **si abbina** a un rosato di medio corpo.
> **plurale**
> • I salumi **si abbinano** a un rosato leggero e delicato.

Sottolinea la forma corretta della struttura impersonale.
Underline the correct form of the impersonal construction.

es.: Alla Fiera del Gusto (si trova / si trovano) prelibatezze di ogni tipo.

1. Di solito un piatto elaborato (si accompagna / si accompagnano) a un vino complesso e robusto.

2. La Fiera (si raggiungono / si raggiunge) facilmente in auto e in metro.

3. Generalmente i piatti leggeri e delicati (si sposano / si sposa) a un vino giovane.

4. Allora, prima (si fanno / si fa) la lista degli invitati, dopo (si spedisce / si spediscono) gli inviti. Direi di aspettare prima di prenotare il locale.

I possessivi

> **Osserva**
> • Sono stato diverse volte in Puglia con **la mia** famiglia.
> • A me e a **mia moglie** piace molto questa regione …
>   e **la sua** cucina, naturalmente.
> • **I miei figli** sono stati con gli amici alle Isole Tremiti.

Osserva la scheda degli aggettivi possessivi e dopo completa la tabella con il possessivo corretto e l'articolo, se necessario.
Look at the table of possessive adjectives and then complete the table accordingly.

	singolare		plurale	
	maschile	femminile	maschile	femminile
io	mio marito il mio lavoro	mia moglie la mia famiglia	i miei figli i miei colleghi	le mie figlie le mie colleghe
tu	tuo figlio il tuo collega	tua figlia la tua collega	i tuoi zii i tuoi orecchini	le tue zie le tue scarpe
lui/lei/Lei	suo fratello il suo gruppo	sua sorella la sua collega	i suoi fratelli i suoi documenti	le sue sorelle le sue riunioni
noi	nostro nipote il nostro amico	nostra nipote la nostra responsabile	i nostri nipoti i nostri siti	le nostre nipoti le nostre amiche
voi	vostro cognato il vostro addetto	vostra cognata la vostra addetta	i vostri cognati i vostri soci	le vostre cognate le vostre filiali
loro	il loro padre il loro conoscente	la loro madre la loro conoscente	i loro cugini i loro conoscenti	le loro cugine le loro conoscenti

• I membri della famiglia al singolare non richiedono l'articolo prima del possessivo. Es.: mia figlia

• La terminazione del possessivo concorda con il nome a cui si riferisce. Es.: mia moglie

• Il possessivo 'loro' è invariabile e richiede sempre l'articolo, anche con i membri della famiglia al singolare. Es.: la loro madre

maschile		femminile	
mio padre **il mio** giornale	**i miei** fratelli **i miei** colleghi	**mia** madre **la mia** agenda	**le mie** sorelle **le mie** riunioni
.... zio	.... zii	.... nipote	.... nipoti
.... colloquio	*i tuoi* .... colloqui	.... ragione	*le tue* .... ragioni
il suo .... appuntamento	.... appuntamenti	.... valutazione	.... valutazioni
.... figlio	.... figli	*la nostra* ricerca	.... ricerche
.... preventivo	.... preventivi	.... figlia	.... figlie
.... progetto	.... progetti	.... prenotazione	.... prenotazioni

Completa ora le frasi con l'aggettivo possessivo corretto.

Now complete the sentences with the correct possessive adjective.

1. Sono andati a trovare (loro) _i loro_____ amici ad Amburgo.

2. (io) _____ figlio studia all'università.

3. (loro) _____ valutazione mi sembra eccessiva.

4. Non ha voluto sentire (io) _____ ragioni.

5. (Lei) _____ appuntamento è stato spostato a venerdì.

6. (io) _____ genitori vivono ora in Francia.

7. Non abbiamo (Lei) _____ prenotazione nel nostro sistema.

8. (noi) _____ ricerca è stata pubblicata su *Science* il mese scorso.

9. Quando pensate di inviarci (voi) _____ risposta?

10. No, ci dispiace. (noi) _____ catalogo non contiene questo articolo.

Il presente dei verbi irregolari rimanere, salire, dare, dire

Coniuga i verbi tra parentesi al presente.

Put the verbs in brackets into the present tense.

1. Tutte le camere (**dare**) _____ sulla piazza.

2. Se i signori (**salire**) _____ con l'ascensore, la terrazza è a destra.

3. Mi (**voi / dare**) _____ una mano con la fotocopiatrice? C'è un guasto.

4. Lei (**salire**) _____ a piedi o prende l'ascensore?

5. Che ne (**Lei / dire**) _____ della sistemazione?

6. Come (**noi / rimanere**) _____? A che ora ci incontriamo?

7. Mi (**tu / dire**) _____ quando parti? Così ci organizziamo.

8. Non vado via, (**io / rimanere**) _____ per la festa.

Il presente dei verbi servili dovere, volere, potere

Coniuga i verbi servili tra parentesi al presente.
Put the verbs in brackets into the present tense.

1. (Voi - volere) .... vedere il sito dell'albergo?

2. Ettore, mancano gli asciugamani nella camera 7. (Tu - volere) .... provvedere, per favore?

3. Certamente, (voi - potere) .... lasciare le valigie qui accanto alla reception.

4. Dottor Betti, (dovere) .... assaggiare questo vino. È un ottimo Primitivo.

5. Sai, l'estate prossima (io - volere) .... fare un corso di tedesco.

6. Ma certo, (noi - dovere) .... tenerci in contatto.

7. (Noi - potere) .... ordinare o (io - dovere) .... fare prima lo scontrino?

Conoscere o sapere?

Prima scegli il verbo corretto e dopo coniugalo al presente.
First choose the correct verb. Then put the verb into the present tense.

1. Scusi, (Lei - conoscere / sapere) ....
come posso arrivare in centro?

2. (tu - sapere / conoscere) ....
l'edificio? La caffetteria è al primo piano.

3. Non (io - conoscere / sapere) .... che cosa
regalarle. Vedrò di trovare qualcosa al duty-free.

4. Scusa, ma non (noi - conoscere / sapere)
.... usare questo programma.

5. Non (noi - conoscere / sapere) ....
ancora i termini dell'accordo. Ci informano a breve.

6. La maggior parte delle piccole imprese non (conoscere / sapere) .... la disponibilità di
offerte del mercato.

conoscere + nome
sapere + verbo

- **Conosce** questa marca?
- Scusi, mi **sa** dire dov'è la lounge?
- **Sa** come riempire il modulo on-line?

presente

	conoscere	sapere
io	conosco	so
tu	conosci	sai
lui/lei/Lei	conosce	sa
noi	conosciamo	sappiamo
voi	conoscete	sapete
loro	conoscono	sanno

I pronomi diretti e il partitivo ne

Scegli il pronome corretto.

Choose the correct pronoun.

1. La videocomunicazione è un'alternativa ai viaggi di lavoro. **Ne / La** preferisce il 28% dei manager inglesi.
2. Le valigie **le / ne** può lasciare al deposito bagagli.
3. Compro diversi libri all'aeroporto. Durante i viaggi di lavoro lunghi **ne / li** leggo alcuni.
4. **Mi / Ti** conosci da molti anni, sai che non mi piace prendere l'aereo!
5. Deve andare all'ufficio bagagli smarriti. **Lo / La** contatti al più presto.
6. Sì, questi occhiali da sole sono molto belli. **Li / Le** prendo.
7. I nostri uffici fanno orario continuato. **Ti / Li** può chiamare dalle 9.00 alle 18.00.

Abbina le frasi della colonna A a quelle della colonna B, completandole con il pronome appropriato nel box.

Match the phrases in column A to those in column B, completing them with the appropriate pronoun in the box.

| ~~Ci~~ | Vi | li | ne | Mi | lo | La | Le |

A

| 1. Dobbiamo ritirare il pacco entro domani. |
| 2. Signora, ha la carta d'imbarco? |
| 3. Mi informo sicuramente. |
| 4. I guanti |
| 5. Il modulo di prenotazione, |
| 6. Ecco, le condizioni del contratto sono qui in basso. |
| 7. Di questi biglietti della lotteria, quanti |
| 8. Scusate, non ricordo… controllo il volo. |

B

| a. *Ci* informate quando possiamo passare? |
| b. ____ contatti tra un paio di giorni. |
| c. ____ può compilare online. |
| d. ____ legga attentamente. |
| e. ____ vuole? |
| f. ____ desidera in pelle o di lana? |
| g. ____ richiamo subito. |
| h. ____ posso vedere? Così controllo. |

Il passato prossimo

Scrivi il participio passato dei seguenti verbi nella giusta colonna.

Put the past participle of the following verbs in the correct column.

~~mangiare~~   leggere   uscire   mettere   lavorare   bere   venire
fare   dormire   studiare   dire   sapere   scrivere   andare
vedere   viaggiare   pulire   stare   avere   prendere

-ato	-uto	-ito	irregolare
mangiato			

Scegli la forma corretta tra *essere* e *avere*.

Decide if the following sentences require essere *or* avere.

1. Che cosa (è / ha) _____ successo? (C'è / Ha)_____ stato un incidente?

2. Mi dispiace signora, (siamo / abbiamo) _____ appena venduto gli ultimi articoli.

3. Ci (siamo / abbiamo) _____ fermati in quell'albergo solo una notte.

4. Riccardo, (hai / sei) _____ aperto il regalo?

5. Voi (avete / siete) _____ già chiuso i bagagli?

Metti il verbo tra parentesi al participio passato.

Put the verb in brackets into the past participle.

1. Francesco e Simona Vinci hanno (vivere) _____ alcuni anni a Parigi.

2. La società ha (offrire) _____ una cena per l'inaugurazione del nuovo Punto vendita.

3. La dottoressa Bianchi è (nascere) _____ in America, ma è di origini italiane.

4. John ha (leggere) _____ molti libri di scrittori italiani.

5. L'Ingegner Serri ha (rispondere) _____ alla nostra mail?

6. Alessia e Luca sono (venire) _____ in metro, ma ora vanno via in taxi.

7. Che cosa hai (mettere) _____ ieri sera alla festa?

I pronomi diretti e il partitivo ne con il passato prossimo

Completa le frasi con il pronome e la terminazione corretti.

Complete the sentences with the correct pronoun and past participle endings.

a. Ha visto la dottoressa Caroli?

b. No, non __ ho vist___. Non è ancora arrivata.

a. Avete comprato i regali?

b. Sì, ___ abbiamo comprat__, ma non __ abbiamo ancora consegnat__

a. E poi hai comprato la borsa?

b. Sì, __ ho comprat__ al duty-free la settimana scorsa.

a. _____ ha preparat___ Lei le valigie?

b. Sì, certamente.

a. Hai comprato le sigarette per Luca?

b. Sì, _____ ho pres___ due stecche.

Le preposizioni articolate

Completa le frasi con le preposizioni articolate corrette nel box.
Complete the sentences with the correct compound prepositions in the box.

dall'	alla	dell'	al (x2)	ai	del	all'

1. Deve arrivare fino _____ piazza. Vede Palazzo Torti proprio davanti a Lei.
2. Accanto _____ albergo si trova un ristorante molto buono.
3. Scusi, per andare _____ Giardini Boboli, che autobus devo prendere?
4. _____ edicola _____ supermercato ci vogliono solo 5 minuti a piedi.
5. A destra _____ semaforo, si trova il nuovo negozio di prodotti biologici.
6. Prima _____ hotel, vede un parcheggio, proprio a sinistra.
7. La Direzione è in fondo _____ corridoio, vicino all'Ufficio clienti.

Prima completa i mini-dialoghi con le preposizioni articolate o l'articolo. Poi abbina le frasi della colonna A a quelle della colonna B.
First complete the short conversations with the correct compound preposition, or article.
Then match the sentences in column A to those in column B.

A

1. Senta, scusi, per andare _all'_ Accademia di Belle Arti?
2. Scusi dov'è il distributore più vicino?
3. Buonasera. Mi scusi, mi sono perso. Mi sa dire dov'e il ristorante Mori? So che non è lontano _____ qui.
4. Per cortesia, un'informazione: c'è una tabaccheria in zona?

B

a. Certo, non si preoccupi. Giri qui a sinistra _____ farmacia Vede il ristorante è proprio dopo il semaforo: è tra _____libreria e _____ negozio di scarpe.
b. Vede, è lì vicino _____edicola prima _____ cinema.
c. Prenda pure il 23 da qui e scenda alla prossima fermata. L'Accademia è accanto _____ teatro. La vede subito.
d. Guardi, vada in fondo _____ strada. Il distributore è proprio lì, dietro _____ stazione della metro.

Ci vuole o Ci vogliono?

Completa le frasi con *ci vuole* o *ci vogliono*.
Complete the sentences either with ci vuole *or* ci vogliono.

1. Direi che _____ _____ 20 minuti circa da qui all'aeroporto.
2. Quanto tempo _____ _____ per andare alla Fiera?
3. Deve calcolare almeno 45 minuti, ma se c'è traffico _____ _____ anche un'ora.
4. Se andiamo in macchina _____ _____ 2 ore, ma sarebbe meglio prendere il treno, è più comodo.

L'imperativo formale Lei

Separa le forme dell'imperativo formale regolari da quelle irregolari. Dopo indica il verbo all'infinito.

Decide which forms of the formal imperative are regular and which ones are irregular. Then write the infinitive form.

~~sia~~	salga	scusi	continui	dica	~~prosegua~~	faccia	giri
prenda	scelga	stia	guardi	vada	venga	rimanga	tenga
senta	abbia	esca	arrivi	non si preoccupi	sappia	dia	beva

imperativo formale regolare	imperativo formale irregolare
prosegua (proseguire)	sia (essere)

Completa le frasi con l'imperativo formale Lei dei verbi tra parentesi. Dopo abbina le frasi della colonna A a quelle della colonna B.

Complete the sentences with the formal imperative of the verbs in brackets. Then match the sentences in column A to those in column B.

A

1. Scusi, finisco di controllare l'email e sono da Lei.
2. Mi (dire) _____, come posso aiutarLa?
3. (Lei/ ricordarsi) ____ _____ di conservare la ricevuta.
4. Per la pressione dell'olio?
5. Senta, non riesco a trovare la Vip Lounge.
6. Ho perso il passaporto.

B

a. Non (preoccuparsi)___ _____, (rivolgersi) ____ _____ alla polizia aeroportuale. La potranno aiutare.
b. Devo richiederla o la rilasciano direttamente?
c. Non riesco a trovare l'Ufficio reclami.
d. Certo, (andare) _____ sempre dritto. È lì, dopo il bar.
e. La (controllare) _____ pure al primo distributore. È appena fuori dall'aeroporto.
f. Sì, certo, (fare) _____ pure.

Sostituisci ai verbi servili le forme dell'imperativo formale.
Change the modal verbs into the form of formal imperative.

es. Deve venire ▶ _*Venga*_ a trovarmi quando capita da queste parti.

1. Gentilmente, deve avere ▶ _____ un attimo di pazienza. Arrivo subito.

2. Per cortesia, mi deve dare ▶ _____ un suo recapito telefonico qui a Napoli.

3. Può stare ▶ _____ tranquillo, signore. È solo un leggero ritardo.

4. Può rimanere ▶ _____ in linea, prego. Controllo subito la prenotazione.

5. Grazie mille, può tenere ▶ _____ pure il resto.

6. Può fare ▶ _____ con comodo, non ho fretta.

7. Per favore, deve uscire ▶ _____ da questa parte. Qui è chiuso.

L'imperativo formale Lei *e informale* tu

Trasforma le frasi usando l'imperativo come nell'esempio.
Put the sentences into the imperative form, as in the example.

es. Chiedi a un cliente di rimanere in linea.
   Per favore, rimanga in linea.
   ....

1. Invita un amico a sedersi / accomodarsi.
   ....

2. Chiedi ai tuoi amici di lasciarti un messaggio sulla segreteria.
   ....

3. Invita la tua assistente a prendersi qualche giorno di riposo.
   (formale / informale)..

4. Invita un collega a venire a trovarti più spesso.
   (informale)..

5. Invita la tua collega ad assaggiare degli stuzzichini.
   (informale)..

6. Chiedi alla receptionist di non prenotare più il tavolo al ristorante.
   ....

7. Chiedi al tassista di non andare troppo veloce.
   ....

I pronomi di cortesia La / Le

Abbina ora le frasi della colonna A a quelle della colonna B.
Now match the phrases in column A with those in column B.

A
1. La ringrazio per la
2. La informiamo che abbiamo ricevuto l'
3. La contatteremo quanto prima per
4. Gentile dottore, Le rispondo con ritardo,
5. Egregio avvocato, Le chiediamo cortesemente di provvedere al
6. In allegato Le invio il catalogo,
7. Le confermo la consegna della

B
a. come da Lei richiesto.
b. estratto conto.
c. sua ultima email.
d. ma ho avuto un contrattempo.
e. merce per giovedì 6 aprile.
f. pagamento con bonifico bancario.
g. fissare un appuntamento.

Sottolinea il pronome corretto.
Underline the correct pronoun.

1. Certamente, (La / Le) inviamo il certificato nei prossimi giorni.

2. Posso contattar (La / Le) nel pomeriggio? O preferisce domani mattina?

3. Posso confermar (La / Le) che abbiamo inviato gli allegati questa mattina.

4. (La / Le) ritelefono appena ho un momento libero, non si preoccupi.

5. Mi scusi, (La / Le) devo salutare ora. Possiamo risentirci un altro momento?

6. Quando (La / Le) posso richiamare?

Completa le frasi con il pronome *La* o *Le*.
Complete the sentences with the pronoun La or Le.

1. Ida, ... chiamo per una questione delicata. Possiamo fissare un appuntamento?

2. Ingegnere, ... disturbo? Provo a richiamar..... più tardi?

3. Buongiorno signora, ... comunico che ha vinto un trattamento di bellezza.

4. Professore, ... informo che l'appuntamento di domani è cancellato.

5. Ragioniere, ... ricordiamo che la fattura è scaduta da 3 giorni.

6. ...... preghiamo di attendere. Tutte le linee sono momentaneamente occupate.

7. Signore, ... chiedo cortesemente di inviare un'email per la conferma.

8. Architetto, ... desiderano al telefono, ma se è occupato, ... faccio richiamare.

I verbi che si usano al telefono e nella corrispondenza con le preposizioni a e di

- La **invitiamo a** partecipare al nostro concorso letterario.
- **Provo a** chiamarLa più tardi?

- La **preghiamo di** attendere.
- **Finisco di** compilare il modulo e La richiamo.

• cominciare • continuare • impegnarsi • invitare • provare • riuscire • provvedere	**a**

• pregare • essere spiacente / lieto / grato • augurare • finire • chiedere • consigliare • scusarsi	**di**

Completa le frasi prima con la preposizione *di* o *a* e dopo con le parole nel box.

First complete the sentences with either the preposition di *or* a *and then with the words in the box.*

1. La preghiamo __di__ __firmare__ il documento.
2. Mi auguro ____ _____ presto personalmente.
3. Le consigliamo ____ _____ con bonifico bancario.
4. Ci impegniamo ____ _____ la nostra partecipazione quanto prima.
5. Le chiedo ____ _____ personalmente della pratica, abbiamo una certa urgenza.
6. Provvediamo ____ _____ la merce entro la data di scadenza.
7. Riuscirai ____ _____ la relazione prima di stasera? Fammi sapere.

occuparsi

spedirvi

confermarvi

~~firmare~~

incontrarLa

terminare

pagare

I connettivi

Sostituisci le espressioni tra parentesi con i loro sinonimi nel box.
Replace the linking words in brackets with the synonyms in the box.

Per essere sinceri	magari	Dunque	difatti	~~semmai~~	però

1. Senti, (eventualmente) _semmai_ posso andare via un po' prima? Avrei un altro impegno.

2. Non sono sicuro, ma (forse) _____ vengo dopo la riunione. Ti chiamo più tardi.

3. La sua proposta è interessante, (comunque) _____ abbiamo bisogno di tempo per valutarla.

4. (Allora) _____, dopo questo giro di mail, siamo tutti d'accordo?

5. (A dir la verità) _____ la presentazione mi è sembrata un po' lunga.

6. Marco è molto collaborativo, (infatti) _____ è sempre disponibile con tutti i colleghi.

Completa le frasi con il connettivo corretto.
Fill in the blanks with the correct linking word.

inoltre	Purtroppo	oppure	Infatti	ma

1. Elisa non potrà venire alla presentazione, ... ci raggiungerà dopo al ristorante.

2. No, non hanno ricevuto l'e-mail. .... hanno telefonato poco fa per avvisarci.

3. .... Andrea non ha superato l'esame.

4. Vieni con noi .... hai deciso di restare?

5. È arrivato alla riunione in ritardo, senza la documentazione e .... non si è neanche scusato.

Il futuro

Metti la frase in ordine e dopo coniuga il verbo al futuro.
Put the sentence in order. Then conjugate the verb in the future tense.

1. (noi) **inviare** / il materiale informativo. / La settimana prossima / vi / tutto

2. o / (Voi) **ricevere** / le informazioni richieste / via email / con raccomandata.

3. perché / molto brevi / questa pratica / è una questione urgente. / L'avvocato Marchi **gestire** / in tempi

4. / notizie / ti / (lo) **contattare** / più precise. / con / Nei prossimi giorni

5. tutti / l'azienda / **distribuire** / Entro il 18 dicembre / gli articoli regalo.

Completa l'email con i verbi irregolari al futuro.
Complete the email with the future tense of these irregular verbs.

A:	livia.berni@gov.it
Cc:	
Ccn:	
Oggetto:	Riunione 2 maggio - cambiamento di programma

Gentile Livia,

devo purtroppo comunicarti che (**noi / dovere**)_____ spostare la riunione del 2 maggio alle 17.30. Infatti il dottor Blanc non (**essere**)_____ disponibile per questa data, perché è subentrato un altro impegno istituzionale. Ma (**potere**)_____ essere presente all'incontro del 18 maggio alle 14.15, che (**avere**)_____ luogo presso l'Istituto di Management. Abbiamo saputo proprio ora del cambiamento di sede.

Riguardo alla documentazione, vi (**noi / dare**)_____ una risposta appena possibile. Il collaboratore del dottor Blanc la (**vedere**)_____ quanto prima. Al momento è in riunione.

Ti (**io / fare**)_____ sapere presto quando possiamo fissare la prossima riunione.

Cordiali saluti,

Louise

Il condizionale

Completa i verbi tra parentesi con la forma giusta del condizionale presente.
Put the verbs in brackets into the conditional tense.

1. Ora (**io - esaminare**) .... questo aspetto e dopo (**io - passare**) .... all'analisi del bilancio.

2. Daniela, (**riassumere**) .... quest'ultima parte, per favore? Non è molto chiara.

3. In primo luogo (**io - stabilire**) .... gli obiettivi dell'evento. Siamo tutti d'accordo?

4. (**Voi - invitare**) .... il professor Loggi? I suoi studi sono molto controversi.

5. Se vuoi un nostro parere, (**noi - guardare**) .... questo punto, ma non lo (**noi - analizzare**) .... in dettaglio.

6. Pensi che (**loro - prendere**) .... qualcosa da bere dopo l'incontro? O devono andar via subito?

Sottolinea la forma corretta del verbo irregolare al condizionale.
Underline the correct form of the conditional tense of these irregular verbs.

1. (Lei) **saprebbe / sapresti** dirmi a che ora cominciamo esattamente?

2. Se non ci sono obiezioni, (noi) **potreste / potremmo** rivedere questo punto.

3. Claudia e Sergio **andrebbero / andreste** via prima, se per voi va bene. Purtroppo non possono rimanere fino alla fine.

4. Capisco, ma tu e Rossella non **dovrebbe / dovreste** usare troppi colori per le diapositive.

5. Un attimo, per favore. Lea **vorrebbe / vorresti** avanzare una proposta.

6. Sonia, **saresti / sarei** libera giovedì sera dopo la presentazione?

7. (Io) **proporreste / proporrei** un grafico per illustrare questo punto.

8. Mi **faresti / farei** un piacere?

9. Non credo che Filippo e Lara **verrebbero / verremmo** alla conferenza. Non gli interessa l'argomento.

Individua ora l'uso del condizionale nelle frasi dell'esercizio precedente.
Indicate the use of the conditional tense in the sentences from the previous exercise.

	frase n.
• richiesta cortese	*1,*_____
• suggerimento	_____
• consiglio / esortazione	_____
• desiderio	_____
• ipotesi / supposizione	_____

I pronomi relativi

Completa le frasi con i pronomi relativi nel box.
Complete the sentences with the relative pronouns in the box.

di cui	per cui	in cui	(a) cui (x2)	che (x2)

1. Per cortesia Gianni, potrebbe dare un'occhiata ai dati _____ il capo si riferisce?

2. Spiegherò brevemente la ragione _____ ho deciso di affrontare questo aspetto in particolare.

3. Il grafico illustra la tendenza negativa, _____ abbiamo parlato precedentemente.

4. Vorrei ora passare al punto _____ ho accennato all'inizio, un punto _____ dobbiamo approfondire in questa sede.

5. Vorrei infine ringraziare Giorgio Milazzi _____ ha curato l'allestimento della mostra.

6. L'ufficio _____ ci trasferiremo è più centrale e collegato.

Il congiuntivo presente

Coniuga i verbi nel box al congiuntivo presente e completa le frasi.
Put the verbs in the box into the present subjunctive and complete the sentences.

1. chiarire	2. avere	3. venire	4. potere	5. avere
	6. occorrere	7. volere	8. aiutare	9. dovere

1. È importante che tu _____ la tua posizione all'incontro di domani.

2. Immagino che i delegati _____ già la cartella informativa.

3. Credo che _____ tutti alla cerimonia di inaugurazione.

4. L'impostazione non mi sembra chiara. Non so se _____ andare bene per il nostro target.

5. Mi sembra che la Silco _____ una sede anche a Livorno.

6. Sì, le condizioni sono allettanti, ma pensiamo che _____ uno studio approfondito di quest'aspetto.

7. Credo che il cliente _____ negoziare termini ancora più favorevoli. Direi di continuare a trattare comunque.

8. Il nostro obiettivo primario è rinforzare le aree più deboli del business. E penso che quest'azione non _____.

9. Mi corregga se sbaglio. Lei ritiene che si _____ ammortizzare ulteriormente i costi. Corretto?

I comparativi

Completa le frasi con *di* + l'articolo o con *che*.
Complete the sentences with either di + article or che.

1. In questo trimestre il fatturato è stato maggiore _____ in quello precedente.

2. Si registra una crescita a un ritmo più lento _____ previsto.

3. Non sono d'accordo: direi che i risultati sono più positivi _____ negativi.

4. Questa relazione è meno esauriente _____ precedente.

5. È una strategia basata più su obiettivi a lungo termine _____ a breve scadenza.

6. Nel mercato interno si è registrato un tasso di crescita maggiore _____ nel mercato estero.

7. In questo comparto le vendite sono migliori _____ mesi passati.

8. Secondo gli ultimi dati, il calo demografico in alcuni Paesi europei è meno accentuato _____ in altri.

Verbi con il doppio ausiliare

Coniuga i verbi tra parentesi al passato prossimo, facendo attenzione all'uso dell'ausiliare *essere* o *avere*.

Put the verbs in brackets into the present perfect, deciding whether they require essere *or* avere.

1. La crescita (**continuare**) _____ _____ per tutto il mese di marzo e aprile.
2. La riunione (**finire**) _____ _____ più tardi del previsto.
3. Il nostro collega Marchi (**cominciare**) _____ _____ il suo intervento un po' prima.
4. Io e i miei colleghi (**continuare**) _____ _____ a lavorare alla proposta durante il fine settimana.
5. Quando (**loro / iniziare**) _____ _____ il lavoro di revisione?
6. Ieri pomeriggio (**noi / finire**) _____ _____ l'inventario.
7. (**noi / passare**) _____ _____ le prime due prove scritte dell'esame.
8. Le quotazioni immobiliari nella capitale (**salire**) _____ _____ dell'8,3%.
9. Secondo le previsioni, il prezzo delle materie prime non (**scendere**) _____ _____ .

L'imperfetto

Completa le frasi con i verbi all'imperfetto. I verbi sono nell'ordine giusto.

Complete the sentences with the following verbs conjugated in the imperfect tense. The verbs are in the correct order.

1. lavorare	2. occuparsi	3. collaborare	4. coordinare	5. svolgere
6. essere	7. fare	8. lavorare	9. produrre	10. gestire

1. Quando (io) .... per la IRIN S.p.A., mi .... di gestione del personale.
2. Mentre (noi) .... con le ONG, ... diversi progetti all'estero.
3. Che mansioni (voi) .... quando .... alla TIRI?
4. Nel suo precedente lavoro, Martina Valli .... spesso molta contabilità.
5. L'azienda, per cui Elena e Filippo ...., ... tessuti per l'arredamento.
6. Prima io e Dario Ferrara .... il settore credito. Ma ora abbiamo cambiato ufficio.

Passato prossimo o imperfetto?

Abbina la domanda nella colonna A alla giusta risposta nella colonna B, coniugando i verbi della colonna B al passato prossimo o all'imperfetto.

Match the question in column A to the correct answer in column B, conjugating the verbs in column B according to whether they require the present perfect or imperfect tense.

A
1. Ti piaceva fare l'agente di commercio?
2. Fulvio ha fatto un corso di marketing?
3. Com'era la nuova sede?
4. Viaggiavate spesso per lavoro?
5. Quando sei stato trasferito a Parigi?
6. E quando hanno avuto la promozione?

B
a. Sì, lo (frequentare) _____ mentre (occuparsi) _____ del settore vendite.
b. No, (andare) _____ solo qualche volta all'estero.
c. Mentre (loro / lavorare) _____ al progetto Ambiente.
d. Quando (io / dirigere) _____ l'Ufficio Acquisti.
e. Quando (noi / trasferirsi) _____, l'ufficio era piccolo. Non (esserci) _____ molti dipendenti.
f. Sì, l' (fare) _____ per 8 anni. In quel periodo mi (piacere) _____ viaggiare e visitare i clienti.

Marco Zilli racconta di come ha cominciato a lavorare per la TRUD. Coniuga i verbi tra parentesi al passato prossimo o all'imperfetto.

Marco Zilli is talking about how he started working for TRUD. Conjugate the verbs in the brackets according to whether they require either the present perfect or imperfect tense.

(**cominciare**) _____ a lavorare alla TRUD quattro anni fa. (**entrare**) _____ come stagista. In quel periodo (**studiare**) _____ ancora all'università. (**frequentare**) _____ la facoltà di Business and Management in una università inglese. (**Essere**) _____ la TRUD che (**pagare**) _____ per le mie lezioni di tedesco: due ore tutti i giorni. La lingua (**migliorare**) _____ significativamente in due mesi. (**riuscire**) _____ a capire e a parlare al telefono molto bene. All'inizio (**limitarsi**) _____ a rispondere alle richieste di informazioni dei clienti per telefono o via email. Al termine del mio stage, già (**fare**) _____ parte dell'Ufficio Esteri, anche se con mansioni diverse e di minore responsabilità rispetto a quelle attuali. Il mio stipendio (**aumentare**) _____ considerevolmente a partire dal secondo anno. Durante questi quattro anni le mie conoscenze e competenze (**crescere**) _____ gradualmente. Una promozione dovrebbe essere imminente. E quindi non penso di lasciare la società per il momento.

Il presente progressivo

> ### Osserva
>
> • La leadership **sta cambiando**.
>
> • Gli operatori **stanno cercando** nuovi mercati di sbocco.
>
> Il Presente progressivo si forma con il presente del verbo **stare** + il gerundio.
> Le terminazioni del gerundio sono:
>
> -are ▶ **-ando**
>
> -ere ▶ **-endo**
>
> -ire ▶ **-endo**
>
> Irregolari: fare-facendo / bere-bevendo / dire-dicendo / produrre-producendo
>
> Il Presente progressivo si usa per parlare di azioni in corso, azioni che si svolgono nel momento in cui si parla.

Completa le frasi con la forma corretta di *stare* + gerundio.

Complete the sentences with the correct form of stare + the gerund form.

1. La FAO (realizzare) _____ un nuovo programma per la sicurezza alimentare.
2. La Ford (immettere) _____ sul mercato le nuove autovetture.
3. La società (sviluppare) _____ materiale informativo per il nuovo sito Internet.
4. Al momento (noi / gestire) _____ un progetto di cooperazione allo sviluppo.
5. Il dottor Carli e la professoressa Biasi (curare) _____ la Direzione Scientifica della mostra.

Professioni e luoghi di lavoro

Abbina la professione alla società.

Match the profession to the company.

A		B	
es.	Lukas è geometra e lavora alla ...	es.	Turner Construction Company
1.	Andrew è avvocato e lavora presso lo ...	a.	Grimshaw-Architects
2.	Irina è commercialista e lavora a ...	b.	Deloitte
3.	Riddhi è medico e lavora presso la ...	c.	Ford
4.	Alia è architetto e lavora da ...	d.	European Bank
5.	Charles è banchiere e lavora alla ...	e.	Medi Clinic
6.	Marcus è ingegnere e lavora alla ...	f.	Studio Legale Oldin&Partners

> Il **banchiere** lavora in una banca di investimento / d'affari, il **bancario** in una banca commerciale.

Completa ora le frasi secondo il modello, usando le parole nel box.

Now complete the sentences using the words in the box, as in the example.

~~avvocato / in uno studio legale~~	ingegnere / in un'azienda automobilistica	
banchiere / in una banca di investimento	architetto / in uno studio di architettura	
medico / in una clinica	commercialista / in una società di revisione	
	geometra / in un'impresa di costruzioni	

1. Andrew ...*è avvocato e lavora in uno studio legale.*...

2. Riddhi ....

3. Lukas ....

4. Alia ....

5. Charles ....

6. Marcus ....

7. Irina ....

Le nazionalità

Completa la tabella con le nazionalità mancanti.
Complete the table with the missing nationalities.

singolare	plurale
francese	francesi
italiana	italiane
	svizzeri
	tedeschi
americana	
spagnolo	
	portoghesi

> • Mi chiamo Paola e sono francese di origine italiana.

Completa ora le frasi con le nazionalità nel box, cambiando la terminazione se è necessario.
Now complete the sentences with the nationalities in the box, changing the ending as appropriate.

italiano	cinese	francese	~~indiano~~
russo	statunitense	tedesco	
giapponese	brasiliano	inglese	

aggettivi	
singolare	plurale
-o	-i
-e	-i
-a	-e

1. Ferrari è un marchio … ....

2. Aston Martin è un'automobile … ....

3. Amoy Food Limited è una società … ....

4. Cobra è una birra … *indiana* ....

5. Chanel è una casa di moda … ....

6. Adidas è un'azienda … ....

7. Ralph Lauren è un marchio … ....

8. Banco Bradesco è una banca… ....

9. Honda è una moto … ....

10. Sberbank Rossii è una banca … ....

Dove si trova?

Abbina i luoghi alle città e ai Paesi come nell'esempio.
Match the places to the cities and countries, as in the example.

> Italia / Roma   Russia / Mosca   negli Stati Uniti / New York   Francia / Parigi
> Italia / Torino   Brasile / San Paolo   Germania / Francoforte
> India / Bombay   Cina / Pechino   ~~Gran Bretagna / Londra~~
> Italia / Milano   Giappone / Tokyo   Italia / Firenze

1. Dove si trova **Canary Wharf**?

   a. *Si trova in Gran Bretagna, a Londra* ....

2. Dove si trova l'**ONU**?

   b. ....

3. Dove si trova **La Défense**?

   c. ....

4. Dove si trova l'aeroporto **Guarulhos**?

   d. ....

5. Dove si trova la **Piazza Rossa**?

   e. ....

6. Dove si trova il **Lingotto**?

   f. ....

7. Dove si trova **Piazza Affari**?

   g. ....

8. Dove si trova la **Città proibita**?

   h. ....

9. Dove si trova **Marine Drive**?

   i. ....

10. Dove si trova la **Frankfurter Wertpapierbörse**?

    l. ....

11. Dove si trova **Palazzo Pitti**?

    m. ....

12. Dove si trova il museo **Hayao Miyazaki**?

    n. ....

13. Dove si trova il **MAXXI**?

    o. ....

Maxxi

La Défense

La Città Proibita

Al ristorante

Indovina quale parola nel riquadro corrisponde alla definizione e scrivila nella tabella.
Guess which word corresponds to the definition and write it in the table.

| tovaglia | cucchiaio | forchetta | bicchiere | tovaglioli | coltello | ~~piatto~~ |

1											
2											
3											
4											
5	p	i	a	t	t	o					
6											
7											

1. Per gli intenditori ogni tipo di vino richiede quello giusto.
2. Quello dell'esercito svizzero è molto utile.
3. Si usa per mangiare il minestrone.
4. Si dice che una persona che ama mangiare è "una buona ...."
5. Generalmente è bianco, tondo, di ceramica o porcellana.
6. È la prima cosa che si mette quando si apparecchia la tavola.
7. Quelli di carta sono molto pratici.

Prima numera la sequenza di un menù italiano tradizionale e dopo completalo con le parole nel box.

First number the sequence of a classic Italian menu and then complete it with the words in the box.

○
primi

Penne di Gragnano* con pomodoro e ....
Gnocchetti burro e salvia

○
antipasti

Radicchio** alla griglia
Prosciutto e ....

○
frutta

Pesche
Albicocche

④
contorni

Spinaci al burro
Carote e asparagi con ....

○
dessert

Crostata di ....
Sorbetto al ....

○
secondi

Filetto di manzo al ....
Spigola al sale

aceto balsamico

fragole

basilico

tartufo

limone

melone

* Gragnano è un paese vicino a Napoli, in Campania, noto per una produzione di pasta di origine antichissima.

** Il radicchio rosso è una verdura coltivata in alcune zone del Veneto, come Treviso, Castelfranco Veneto, Padova e Venezia.

Che tempo fa?
Le previsioni del tempo

Trova tutte le possibili combinazioni di previsioni meteo ed espressioni per parlare del tempo.
Find all the possible combinations between the weather forecasts and expressions to talk about the weather.

1. sereno

2. variabile

3. coperto / nuvoloso

4. pioggia forte

5. temporale

6. neve

7. nebbia

8. vento debole

a. C'è nebbia.

b. È brutto.

c. Nevica.

d. Piove.

e. C'è vento. / Tira vento.

f. C'è il sole.

g. È bello.

h. Il tempo è incerto.

L'hotel

Abbina gli aggettivi ai loro contrari.
Match the adjectives to their opposites.

1. centrale
2. sporco
3. lussuoso
4. rumoroso
5. ottimo
6. conveniente
7. comodo

a. scomodo
b. pessimo
c. tranquillo
d. pulito
e. caro
f. periferico
g. modesto

Leggi la schermata della prenotazione e dopo trova nel testo le parole con lo stesso significato delle parole nel box. Nel box le parole sono in ordine.

Read the webpage for your hotel booking and then find in the text the words with the same meaning as the words in the box. In the box the words are in order.

1. protetto ....
2. ....
3. ....
4. ....
5. ....
6. ....

~~sicuro~~
fatto
assicurare
data finale
modulo
possessore

Dove si trova?
Dove si trovano?

Classifica le parole nella colonna giusta.

Put the words in the correct column.

"...via, entra e fatti un bagno caldo,
c'è un accappatoio azzurro..."
🎵 🎵 "Vieni via con me", Paolo Conte

le lenzuola	lo spazzolino da denti	il dentifricio	la coperta
il lavandino	l'armadio	l'asciugamano	la vasca	l'accappatoio
il sapone	il dopobarba	la spazzola	la gruccia	la doccia
il bagnoschiuma	il cuscino	la presa	il pettine	il rubinetto

in camera da letto	in bagno

Meteo negli aeroporti

> • Ci sono stati ritardi questa mattina a causa della nebbia.

Prima leggi le previsioni del tempo registrate in alcuni aeroporti internazionali nella colonna A. Abbina poi le previsioni al loro significato nella colonna B.

First read the airport weather forecasts in some international destinations in column A. Then match the forecasts to their meaning in column B.

A
1. **Milano Linate** - Banchi di nebbia. In serata temperature in diminuzione.
2. **Londra Heathrow** - Nuvolosità variabile con pioggia.
3. **Nairobi Jomo Kenyatta** - Molto soleggiato. In giornata temperature di 38 gradi in aumento.
4. **Mosca Vnukovo** - Molto nuvoloso con forti nevicate.
5. **Bombay Chhatrapati Shivaji** - Poco nuvoloso. Le temperature arrivano fino a 35 gradi.
6. **Tokyo Narita** - Ben soleggiato con vento debole.
7. **Pechino Shoudu Guójì Jichàng** - Parzialmente nuvoloso con temperature minime fino a -3.

B
a. C'è molta neve.
b. È un po' coperto.
c. Tira un po' di vento.
d. Il tempo è incerto e piove.
e. C'è molto sole e fa caldo. In giornata le temperature salgono.
f. C'è poca visibilità. In serata le temperature scendono.
g. Fa molto freddo.

Abbina ora le parole della colonna A ai contrari della colonna B.

Now match the words in column A to their opposites in column B.

A
1. in serata
2. in diminuzione
3. salgono
4. incerto
5. parzialmente
6. minime

B
a. massime
b. scendono
c. in mattinata
d. in aumento
e. completamente
f. stabile

I numeri
Gli ordinali

Osserva la formazione dei numeri ordinali e completa il box con gli ordinali mancanti in cifre o in lettere.

Note how to form the ordinal numbers and complete the box with the missing ordinals either in figures or in letters.

1°	primo	11°	undic(ĭ)esimo → undicesimo
2°	secondo	12°	vent(ĭ)esimo → ventesimo
3°	terzo	33°	trentatr(é)-esimo → trentatreesimo
4°	quarto	40°	....
5°	quinto	45°	....
6°	sesto	......	cinquantatreesimo
7°	settimo	......	sessantasettesimo
8°	ottavo	70°	....
9°	nono	......	settantacinquesimo
10°	decimo	98°	....

I cardinali (0-1000)

Completa il box con i numeri mancanti in cifre o in lettere.

Complete the box with the missing numbers either in figures or in letters.

0	....	....	ventuno	75	....
....	due	23	....	......	ottanta
4	....	....	ventisette	90	....
....	sei	28	....	......	novantanove
8	....	....	trenta	100	....
9	....	34	....	120	centoventi
....	dieci	40	....	......	duecento
12	....	....	quarantuno	300	....
13	....	50	....	508	....
....	quindici	....	cinquantotto	611	....
....	diciotto	60	....	......	ottocentoventitré
20	....	....	settanta	1000	....

Completa la tabella scrivendo i numeri in lettere.
Complete the puzzle with the numbers in letters.

		3	5	11	15	17	19	24	31	48
			53	62	79	86	93	100		

Date da ricordare

Quali sono le date più importanti da ricordare? Completa la tabella.
Which are the most important dates to remember? Complete the table.

Il compleanno del mio compagno è il 3 marzo. / Il compleanno del mio capo non lo so.

Il compleanno

- del mio capo ....
- dei miei colleghi ....
- di mia moglie / di mio marito ....
- del mio compagno / della mia compagna ....
- del mio ragazzo / della mia ragazza ....
- di mio figlio / di mia figlia ....
- del mio migliore amico / della mia migliore amica ....
- altre date…? ....

Regali

Che regali fai in queste occasioni?
What would you give as a present in these occasions?

una scatola di cioccolatini   un mazzo di fiori   una cena fuori   una penna stilografica
un libro   un fine settimana fuori   un capo d'abbigliamento   solo gli auguri
altro ...?

- Per il compleanno di .... regalo .... / faccio solo gli auguri.
- ....
- ....
- ....
- ....

Le ore
Che ora è? / Che ore sono?

12.00	È mezzogiorno.	10.10	• Sono **le** dieci **e** dieci.
		22.10	• Sono **le** ventidue **e** dieci.
24.00	È mezzanotte.	10.15	• Sono **le** 10 **e** un quarto.
			• Sono **le** 10 **e** quindici.
		22.15	• Sono **le** ventidue **e** quindici
1.00	È l'una.	10.30	• Sono **le** 10 **e** mezza.
			• Sono **le** 10 **e** trenta.
		22.30	• Sono **le** ventidue **e** trenta.
1.05	È l'una **e** cinque.	1.50	• Sono **le** due **meno** dieci.
			• È l'una **e** cinquanta.
		13.50	• Sono **le** 13 **e** cinquanta.

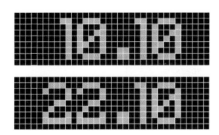

- Sono le dieci e dieci.
- Sono le ventidue e dieci.

- Sono le due meno dieci.
- È l'una e cinquanta.

L'orario
A che ora parte...? / A che ora arriva...?

- **A che ora** parte il prossimo treno per Perugia? ▶ Parte **alle** ventiquattro.

- **A che ora** arriva il volo LH 4236 da Parigi? ▶ Arriva **all'**una e trenta.

Leggi il tabellone e riporta gli orari di partenza e di arrivo dei voli in lettere.
Read the departure board and write the flight times in words.

1. *Il volo X3 3575 per Colonia / Bonn parte alle ventiquattro e arriva all'una e dieci.*

2. ....

3. ....

4. ....

5. ....

voli di linea			
destinazione	**n. volo**	**Partenza**	**Arrivo**
Colonia/Bonn	X3 3575	24:00	01:10
Lussemburgo	LG 504	10:05	12:15
Stoccolma	FR 5212	14:20	17:00
Roma Fiumicino	A6 650	06:38	07:38
Monaco di Baviera	X3 3859	20:30	21:45

Acquisti al duty-free

Classifica gli articoli secondo la categoria.

Classify the items by category.

• Posso avere un pacchetto regalo?

una giacca	i trucchi	un vestito	un borsone da viaggio	un paio di stivali
una cravatta	un impermeabile	un tailleur	gli occhiali da sole	un'agenda
un portafoglio	una bottiglia di spumante		un amaro	un paio di pantaloni
i gemelli	una collana	un anello	un paio di orecchini	una gonna
	un orologio	una camicia	un cellulare	altro... ?

┌─ abbigliamento ─┬─ pelletteria, calzature e accessori ─┬─ ottica ──────┐
│   │   │   │
│   ├─ gioielleria e orologeria ──────   │   │
├─ profumeria ── │   ├─ vini e liquori ─┤
│   ├─ telefonia ─────────   │   │
│   │   │   │
└─────────────────┴──────────────────────────────────────┴───────────────┘

All'aeroporto

**Abbina le parole e espressioni della colonna A
a quelle della colonna B.**

Match the words in column A to those in column B.

┌─ A ───────────
1. confezione
2. riconsegna della
3. carta
4. modulo di
5. serbatoio
6. condizioni del

┌─ B ───────────
a. contratto
b. prenotazione
c. pieno
d. regalo
e. d'imbarco
f. vettura

Completa ora le frasi con 3 delle espressioni dell'esercizio precedente.

Now complete the sentences with 3 of the expressions from the previous activity.

Mi scusi, ma non ho ancora completato il ....

Se può attendere un attimo, Le faccio una ....

Le .... non sono molto chiare, dobbiamo ricontrollare.
Dov'è la polizza?

Il telefono

> • Attenda in linea, prego.

Completa le frasi con le parole nel box.
Complete the sentences with the words in the box.

segreteria	suoneria	numero verde	tasti	destinatario
	fisso	occupato	telefonino	

1. Questa è l'ultima versione del _____ firmato da una nota azienda italiana di moda.

2. Se chiama fuori orario, Le risponderà una _____ telefonica computerizzata.

3. L'interno è _____. Riprovi fra un po'.

4. I _____ sono bloccati, non riesco a comporre il numero.

5. Non siamo in discoteca. Potresti cambiare quella _____ del cellulare? Scusa, ma c'è un limite a tutto!

6. Posso chiamarti sul telefono _____?

7. In Italia il _____ _____ 800 è un servizio che addebita il costo della telefonata al _____.

Un messaggio in segreteria

Ricostruisci i due testi.
Put the two texts in order.

— segreteria telefonica —

richiamerò / nome / e / di telefono. /
Lasciate / Vi / numero /
appena possibile. / ~~Risponde~~ /
il vostro / il 33408072. / Grazie.

— messaggio —

Richiamami / la mail?/ per invitarti /
Non riesco / ~~Ciao Elio, sono Clara~~. /
alla presentazione. / appena puoi. /
Hai ricevuto / a contattarti. /
A presto. / Ti telefono

Risponde ....
....
....
....
....

Ciao Elio, sono Clara. ....
....
....
....
....

Sms

Abbina le abbreviazioni sms nella colonna A al loro significato nella colonna B.

Match the sms abbreviations in column A to their meaning in column B.

A	B
1. qlc	a. perché
2. qls	b. aperitivo
3. xché	c. ho sonno
4. cvd	d. qualcosa
5. :)	e. tristezza, malumore
6. :(	f. vengo dopo
7. $)	g. felice di aver vinto la lotteria
8. :-/	h. ci vediamo dopo
9. vng dp	i. sorriso
10. axitivo	l. scettico, non molto convinto
11. zzz	m. qualcuno

Oggetti in ufficio

- Lascio un appunto sulla sua scrivania.

Osserva gli oggetti e mobili per ufficio e indica il loro uso.

Look at the objects and office furniture and indicate their use.

la scrivania

il cestino

lo schedario

la stampante

il cassetto

la tastiera

la fotocopiatrice

il portapenne

lo scaffale

la lavagna magnetica

i raccoglitori

il vassoio

1. Si usa per buttare la carta   *il cestino*
2. Si usa per archiviare documenti, pratiche, informazioni   _____
3. Si usa per poggiare fogli, corrispondenza   _____
4. Si usa per scrivere note, lasciare messaggi   _____
5. Si usa per chiudere oggetti, materiale   _____
6. Si usano per ordinare fogli, documenti   _____
7. Si usa per scrivere al computer   _____
8. Si usa per stampare documenti   _____
9. Si usa per mettere penne e matite   _____
10. Si usa per fotocopiare documenti   _____
11. Si usa per mettere libri, riviste, pratiche   _____
12. Si usa per lavorare, pranzare, cenare…   _____

Biglietti
Che cosa scrivi in queste occasioni?

Abbina la frase alla situazione.
Match the sentence to the situation.

risultati aziendali	ringraziamenti	festività	inviti	~~promozioni~~

1. Vi inviamo i nostri migliori auguri di Buon Anno.   ....
2. Le invio un piccolo presente per la Sua gentilezza e disponibilità.   ....
3. Desidero congratularmi con te e il tuo team per i notevoli successi di quest'anno.   ....
4. Vorrei porgerLe le mie più vive congratulazioni per la Sua nomina a Direttore generale.   *promozioni*......
5. Saremmo molto lieti di averLa tra i nostri ospiti in occasione della presentazione.   ....

Che cosa rispondi in queste occasioni?

Abbina ora il biglietto alla giusta risposta.
Now match the card to the correct reply.

a. Vi ringrazio per il Vostro cortese invito, ma per impegni presi precedentemente,
    non potrò partecipare alla presentazione.   ......
b. RingraziandoVi, Vi auguriamo cordialmente Buone Feste.   ......
c. La ringrazio per il regalo molto gradito. È stato un piacere per me collaborare con Lei. ......
d. Insieme ai miei collaboratori ti ringrazio vivamente.   ......
e. La ringrazio cordialmente per gli auguri. La rivedrò con molto piacere
    alla prossima conferenza.   ..4..

Durante una presentazione

Abbina le parole e espressioni della colonna A a quelle della colonna B.

Match the words in column A to those in column B.

A	B
1. gamma di	a. situazione
2. progetto a	b. delle vendite
3. andamento	c. breve termine
4. linee	d. puntata
5. quadro della	e. prodotti
6. lista	f. generali

Completa ora le frasi con 4 delle espressioni dell'esercizio precedente.

Now complete the sentences with 4 of the expressions from the previous activity.

1. La _____ _____ mostra le aree strategiche di affari.
2. Sono qui per presentarVi la nostra nuova _____ _____ _____.
3. Dopo aver tracciato il _____ _____ _____ attuale, vorrei analizzare brevemente l'andamento storico del prezzo del petrolio.
4. Si tratta di un _____ _____ _____ _____. E illustrerò le sue fasi nella seconda parte del mio intervento.

Riunioni e negoziazioni

- Dario, i nostri prezzi sono già abbastanza competitivi.

Metti i verbi nel più probabile ordine cronologico.

Put the verbs in the most likely chronological order.

a. **proposta**	considerare	accettare	fare	1._____	2._____	3._____
b. **progetto**	lavorare a	presentare	concludere	1._____	2._____	3._____
c. **scadenza**	rinviare	fissare	rispettare	1._____	2._____	3._____
d. **soluzione**	trovare	cercare	analizzare	1._____	2._____	3._____
e. **decisione**	prendere	rinviare	rispettare	1._____	2._____	3._____
f. **accordo**	finalizzare	arrivare a	firmare	1._____	2._____	3._____

Ora per ciascun sostantivo scrivi una frase con uno dei verbi della lista.

Now for each noun write a sentence with one of the verbs from the list.

Es. *Pensiamo di accettare la proposta. Ci sembra interessante.*

1. _____

2. _____

3. _____

4. _____

5. _____

6. _____

Performance finanziaria aziendale

Abbina i verbi nel box ai nomi della lista. Sono possibili più combinazioni.

Match the verbs in the box to the nouns in the list. More than one combination is possible.

diminuire	anticipare	fondare	testare	quotare
promuovere	vendere aumentare	battere	distribuire	lanciare
espandere	gestire realizzare	sottovalutare		

1. società   _____

2. fatturato   _____

3. prodotto   _____

4. concorrenza   _____

Descrivere i gradi del cambiamento

Cancella la parola che cambia il significato della frase.

Delete the word that changes the meaning of the sentence.

1. Il prezzo del greggio è aumentato sostanzialmente / considerevolmente / significativamente / leggermente.

2. Il tasso d'interesse è diminuito leggermente / marginalmente / considerevolmente / moderatamente.

3. Il crollo della domanda è stato inaspettato / contenuto / imprevisto / improvviso.

4. L'aumento del fatturato negli ultimi anni è stato continuo / stabile / costante / improvviso.

Metti nell'ordine giusto le lettere della parola che corrisponde alla definizione.

Unscramble the letters of the words which match each definition.

Es.	L'insieme dei beni di una persona fisica o giuridica.	n p a o r t i i o m	*patrimonio*
1.	ammontare delle fatture emesse da un'azienda in un determinato periodo	u f o a r t t a t	....
2.	crescita	e a n e s s p n o i	....
3.	sezione distaccata di un'azienda	l i e a f i l	....
4.	luogo dove una persona, un ente, un'azienda svolge la propria attività	d s e e	....
5.	profitto realizzato attraverso l'esercizio di un'attività	l u e i t	....

Doti di leadership

Classifica nei box le doti, competenze e capacità della lista.

Classify the following skills and abilities according to the boxes below.

- abilità diplomatica
- capacità organizzative
- doti gestionali
- capacità di motivare i collaboratori
- doti persuasive
- versatilità

- capacità relazionali
- competenze multiculturali
- autorevolezza
- capacità di valorizzare le differenze
- capacità di autocontrollo
- pensiero strategico
- altro …?

doti e capacità	
le più importanti	**le meno importanti**

Testi

Le Banche d'affari

 Prima leggi la definizione delle seguenti parole e dopo completa le frasi con la parola appropriata.

First read the following definitions and then complete the sentences with the correct word.

> • Tra i nostri clienti abbiamo molte grandi **banche d'affari**.

> **quotazione in Borsa**: È una procedura. Una società, detta società emittente, emette azioni con l'obiettivo di ottenere mezzi finanziari nel mercato degli investitori.

> **obbligazione**: Prestito che gli investitori concedono a una società, un ente o uno Stato. Questi ultimi si impegnano a rimborsarlo con interessi prestabiliti.

> **emissione**: Complesso dei titoli azionari o obbligazionari relativi ad una singola operazione di finanziamento.

> **società**: Termine generico. Unione di due o più persone che partecipano a un'attività economica e dividono profitti, spese e perdite.

> **azioni**: Titoli di credito che rappresentano una quota del capitale di una società.

1. Molte società di successo valutano l'ipotesi di una *quotazione in Borsa* .

2. Questa .... milanese è specializzata nel credito al consumo.

3. La data di scadenza dell'.. è il 2018.

4. Il gruppo torinese ha annunciato un' .... di titoli a medio e lungo termine.

5. Le .... della società sono in ribasso.

Finanza etica, Socially responsible investment
Da alcuni anni si sta diffondendo una nuova cultura dell'investimento con caratteristiche etiche. Diversi investitori, infatti, mirano non solo alla speculazione, ma puntano su attività che rispondano a certi requisiti di responsabilità sociale e ambientale. La borsa è vista come un prezioso servizio all'economia di mercato, quando gli investimenti non sono semplici speculazioni e manipolazioni individuali. In Italia si discute sulla dimensione etica della finanza, anche grazie alle novità normative introdotte con la legislazione sulle Fondazioni bancarie. L'investimento etico consiste nella selezione e nella gestione degli investimenti (azioni, obbligazioni, prestiti) condizionata da criteri etici e di natura sociale.

adattato da www.finanza-etica.it

 Leggi il testo su alcune attività delle banche d'affari.

Read the text about some investment bank activities.

Le banche d'investimento forniscono diversi servizi. Tra i principali troviamo:

- **finanziamenti a società e a Governi locali**, attraverso la sottoscrizione e il collocamento di nuove emissioni di titoli

- **attività di intermediazione sui mercati mobiliari**, attraverso la negoziazione di azioni, obbligazioni e altri strumenti finanziari. Tra questi ci sono strumenti derivati come i Future e le Option

- **attività di consulenza finanziaria** su come investire e gestire i propri capitali

Finanziamenti a società e a Governi locali

Quando una società deve procurarsi fondi attraverso l'emissione di **azioni** e **obbligazioni**, una banca d'affari può acquistare, ossia sottoscrivere, l'intera emissione e rivendere i titoli in quantitativi più piccoli agli investitori. Gli **investitori** comprendono:

gli individui
le compagnie assicurative
i fondi pensione
le società fiduciarie
i fondi comuni d'investimento e altre istituzioni

L'acquisto di una nuova emissione può essere effettuato da una sola banca d'investimento o da un gruppo di banche, ovvero un **sindacato**.

Attività di intermediazione sui mercati mobiliari

L'ufficio d'intermediazione di una banca di investimento si occupa della **compravendita di titoli** in proprio o su commissione per conto di altri investitori; tra questi titoli ci sono, per esempio, valute estere e metalli preziosi.

Attività di consulenza finanziaria

Quest'area comprende:
- la **Finanza d'impresa / Corporate finance** che fornisce consulenza finanziaria e strategica a imprese di medie e grandi dimensioni. Parte della Finanza d'impresa include l'area delle **Fusioni e Acquisizioni / Mergers and Acquisitions**

- la **Finanza per lo sviluppo di un progetto / Project finance**.
  Nel project finance generalmente le banche offrono finanziamenti per opere di pubblica utilità.

Rileggi ora l'introduzione del testo e trova i verbi o i nomi mancanti della tabella.

Now read the introduction again and find either the missing verbs or nouns in the table.

nome	verbo
....	sottoscrivere
....	collocare
....	emettere
....	negoziare
....	consultare
investimento	....
gestione	....

Alessandro, analista in una banca d'affari
Francesca, avvocato in uno studio legale internazionale

 Prima leggi la descrizione di alcuni compiti e mansioni al lavoro di Alessandro e Francesca. Dopo completa la griglia.

First read the description of some of Alessandro's and Francesca's day-to-day job tasks. Then complete the table.

Alessandro

Mi chiamo Alessandro e sono analista in una banca d'affari nel settore del credito. Lavoro qui da due anni. Il mio compito principale è di approvare linee di fido per i nostri clienti. La giornata lavorativa inizia normalmente con la lettura del Sole24Ore e una veloce lettura delle email. Uno dei miei compiti è il controllo, la gestione e il monitoraggio del rischio di credito dei clienti. Mi occupo poi della stesura della pratica di fido e dell'aggiornamento delle linee e delle informazioni finanziarie fornite dall'azienda. Infine faccio un'analisi della concorrenza e del mercato. Il cliente riceve un voto sul suo grado di bontà e, in base a questo, ottiene linee di fido.

Dopo, ho contatti con altri settori della banca, in particolare la forza vendita, i trader e l'ufficio legale. Ogni giorno i clienti eseguono delle operazioni con la nostra banca: qualche volta operazioni di cassa, altre volte transazioni strutturate, ad esempio azioni, tassi di cambio, obbligazioni, tassi di interesse o altro.

Mi piace il mio lavoro e mi dà la possibilità di fare carriera.

Francesca

Mi chiamo Francesca e ho 33 anni. Sono avvocato. Da quattro anni lavoro presso la sede di Londra di uno studio legale italiano. La mia specializzazione copre l'area dei mercati finanziari e della finanza strutturata. Il mio lavoro consiste nel dare assistenza legale ai clienti – banche e società di livello internazionale – che vogliono svolgere attività finanziaria in Italia, per esempio emettere e quotare nella Borsa Italiana un prestito obbligazionario. Coordino il mio lavoro con quello dei colleghi del mio gruppo. La mattinata passa tra telefonate ai clienti, memo o contratti e numerosissime email in entrata e in uscita. Faccio una breve pausa pranzo con colleghi o amici che lavorano in zona e prendo l'ennesimo caffè della giornata. Il resto della giornata passa tra una teleconferenza e una riunione con clienti per discutere la struttura di una operazione di finanziamento, o finalizzare i termini di una nuova emissione di titoli sul mercato italiano.

	Alessandro	Francesca
Dove lavora?		
Che lavoro fa?		
Da quanto tempo?		
Che compiti svolge?		

L'avvocato d'affari

> • Sono Andrew Jenkan
>   dello Studio legale Oldin.

 Prima leggi il testo sul profilo dell'avvocato d'affari. Dopo abbina l'area di attività nei box alla sua descrizione.

First read the text on the profile of a corporate lawyer. Then match the practice areas from the boxes to their description.

L'evoluzione è cominciata da diversi anni ormai. Da piccole boutique legali, gli studi italiani specializzati in diritto degli affari sono sempre più organizzati come grandi aziende. Hanno diversi dipartimenti, centinaia di dipendenti, soci, associati, praticanti, personale amministrativo e archivisti. L'avvocato d'affari lavora in studi legali che si trovano, spesso, in edifici storici ed eleganti. E dove c'è tutto: dalla palestra alla biblioteca. Quanto all'immagine, l'avvocato d'affari si veste generalmente con sobria eleganza. Preferisce l'abito blu all'abito gessato con gli inseparabili gemelli tipico, per esempio, della City di Londra.

Il lavoro dell'avvocato d'affari si svolge anche all'estero. Molti legali viaggiano tra la City, Piazza Affari e Wall Street per seguire le operazioni con la massima rapidità e professionalità. I clienti, che pagano alte parcelle per la loro consulenza, sono generalmente società multinazionali, istituzioni finanziarie ed enti pubblici italiani ed esteri.

adattato da: 'Avvocati grandi affari', D, La Repubblica delle Donne

---

Diritto Immobiliare e delle costruzioni	Diritto Amministrativo e Appalti	Diritto del Lavoro

~~Contenzioso e Arbitrato~~	Diritto Tributario	Diritto commerciale e societario

---

_____	Il Dipartimento si occupa di leggi e normative che regolano il diritto del lavoro e delle relazioni industriali.
_____	Il Dipartimento fornisce consulenza in materia di appalti e concessioni con le Pubbliche Amministrazioni.
_____	Il Dipartimento gestisce gli aspetti fiscali di operazioni di finanza strutturata. E presta anche consulenza per la tassazione dei gruppi e pianificazioni tributarie delle società.
_____	Il Dipartimento cura la preparazione e negoziazione di accordi commerciali di ogni genere.
Contenzioso e Arbitrato	Il Dipartimento si occupa di difendere gli interessi dei clienti in dispute legali, civili ed amministrative.
_____	Il Dipartimento fornisce assistenza e consulenza nella valutazione degli aspetti legali dell'acquisto immobiliare e del finanziamento.

> L'**appalto** è un contratto con il quale si assegna un determinato lavoro a un'impresa privata.

Le istituzioni in Italia

- Lavoro come funzionario per il Governo italiano.

 Leggi il testo e completa la tabella con le informazioni più importanti.
Read the text and take notes on the most important information.

L'Italia è membro fondatore dell'Unione europea. È membro della NATO e dell'ONU. Fa parte del Gruppo dei Paesi più industrializzati del mondo e dell'OCSE (Organizzazione per la Cooperazione e lo Sviluppo Economico).
L'Italia è una Repubblica parlamentare con sistema bicamerale: Camera e Senato hanno uguali poteri. Palazzo Montecitorio è la sede della Camera dei Deputati. Il Senato, invece, ha sede a Palazzo Madama. Le sedi dei palazzi governativi si trovano a Roma. Il Capo dello Stato è il Presidente della Repubblica. Non ha un ruolo di indirizzo politico e tra le sue funzioni ci sono quelle di proclamare le elezioni e nominare ufficialmente il Presidente del Consiglio dei Ministri. La sede del Presidente della Repubblica è il Palazzo del Quirinale. Il Presidente della Repubblica rimane in carica per sette anni.
Il Presidente del Consiglio dei Ministri, il Primo Ministro, promuove e coordina l'attività dei Ministri, è responsabile dello svolgimento del programma del Governo. Il Presidente del Consiglio rimane in carica per cinque anni. La sede del Consiglio dei Ministri è Palazzo Chigi.

1. Appartenenza a	*Unione europea,*
2. Sistema politico	
3. Sedi istituzionali	
4. Presidente della Repubblica	
5. Primo Ministro	

La Fiera di Milano

"Creatività è l'intuizione felice dell'im-
prenditore che intercetta un bisogno o
un'opportunità, o l'illuminazione del-
l'artista che racconta aspetti sconosciuti
del mondo e di noi."
Annamaria Testa, pubblicitaria

Abbina la definizione delle parole nella colonna A al loro significato nella colonna B.
Match the words in column A to their definition in column B.

A	B
1. manifestazioni	a. cambiamento, trasformazione
2. ristorazione	b. vasto, grande
3. gestione	c. insieme di attività per la preparazione e la realizzazione di un evento
4. operativa	d. conduzione, direzione di un'attività
5. allestimenti	e. eventi, mostre, esposizioni
6. erogazione	f. fornitura, distribuzione
7. ampio	g. attiva
8. accordo	h. catering
9. rinnovamento	i. intesa, patto

Fiera di Milano - dati societari

Sede legale: Piazzale Carlo Magno 1 - 20149 Milano

fieramilano: Strada Statale del Sempione, 28 - 20017 Rho (Milano)

fieramilanocity: Piazzale Carlo Magno 1 - 20149 Milano

Telefono: +39 02.4997.1

Fax: +39 02.4997.7379

Sito: www.fieramilano.com

Email: fieramilano@fieramilano.it

Ora leggi il testo sulla Fiera di Milano.

Now read the text on La Fiera di Milano.

Fiera Milano SpA è il più grande operatore fieristico italiano e uno tra i maggiori al mondo. Nasce come Fiera campionaria nel 1920. È diventata operativa il 1° ottobre del 2000 ed è quotata sul Mercato Telematico Azionario di Borsa Italiana dal 12 dicembre 2002.

Fiera Milano SpA è alla guida di un gruppo di società attive in tutti i segmenti del business espositivo-congressuale, dall'organizzazione e gestione di mostre e di congressi, all'erogazione di servizi specialistici nei campi degli allestimenti, della ristorazione, di Internet e dell'editoria specializzata. Fiera Milano ospita una settantina di manifestazioni all'anno con 30mila aziende espositrici. Gestisce il calendario delle manifestazioni e si occupa della vendita dei servizi prodotti dalle società controllate e della promozione internazionale. Ha una rete di uffici esteri che copre oltre 60 Paesi.

L'ampio complesso di Fieramilano, 345.000 metri quadrati lordi espositivi, comprende anche un vasto centro congressuale. Si trova a Rho nell'immediato hinterland milanese. Fieramilano è stato realizzato con un investimento di 755 milioni di euro da Fondazione Fiera Milano.

Nel gennaio 2008 Fiera Milano sottoscrive l'accordo di joint venture con Deutsche Messe, proprietaria del quartiere espositivo di Hannover. È un accordo senza precedenti, diretto allo sviluppo dell'attività fieristica di Milano e Hannover sui nuovi grandi mercati extraeuropei di Cina, India, Brasile e Russia.

Nel marzo del 2008 Milano vince la candidatura per l'Esposizione Universale del 2015. Fiera Milano si attiva per avere un ruolo di primo piano nella promozione e realizzazione dell'Esposizione universale, per rilanciare la città sulla scena internazionale e accelerare il suo rinnovamento urbanistico e infrastrutturale.

adattato da: www.fieramilano.it

Abbina ora le espressioni della colonna A a quelle della colonna B. Completa poi le frasi con 4 delle espressioni della lista.

Now match the expressions in column A to those in column B. Then complete the sentences with 4 of the expressions in the list.

A	B
1. il più grande operatore	a. esteri
2. erogazione di servizi	b. internazionale
3. rete di uffici	c. fieristica
4. sottoscrive l'accordo di	d. fieristico
5. sviluppo dell'attività	e. joint venture
6. grandi	f. mercati extraeuropei
7. ruolo di	g. primo piano
8. sulla scena	h. specialistici

1. La nostra azienda svolge un _____ _____ _____ _____ nel settore degli allestimenti fieristici.

2. La Landis si è internazionalizzata grazie a una _____ _____ _____ _____ in 40 Paesi.

3. Il Gruppo LIV _____ _____ _____ _____ _____ _____ con il gruppo editoriale News&Co per la pubblicazione di nuovi periodici in Italia.

4. I nuovi _____ _____ _____ rappresentano un'importante opportunità per la nostra società.

Beauty farm per manager e non solo

> • Il nostro Hotel dispone di un centro benessere.

Associa le parole nel box alle parole Centro benessere e città.

Match the words in the box to the words spa and città.

massaggi	trattamenti	sale relax	~~relax~~	~~stress~~	saune	maschera
rumori	inquinamento	stanchezza	calma	tensioni		

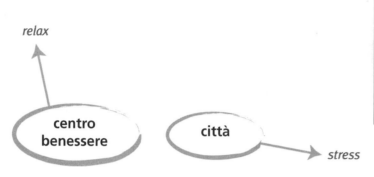

relax

centro benessere — città → stress

Leggi il testo e completa con i verbi nel box.

Read the text and fill in with the verbs in the box.

rappresentano	forniscono	oscilla	offrono
si trovano	viaggiano	amano	

Ritmi stressanti, traffico impazzito, tanto tempo al lavoro e poco per sé. Il rimedio? Benessere a portata di mano. Le nuove oasi del relax quotidiano _____ proprio in città a due passi dall'ufficio o da casa: sono le spa in pieno centro.

Contro i rumori, lo stress e l'inquinamento sono sempre più numerose le persone che scelgono questi templi del benessere per allontanare stanchezza e tensione per qualche ora. Sono spesso i grandi alberghi che _____ questo servizio con piscine, saune e sale relax, non solo per i clienti ma anche per i cittadini. "Il nostro centro benessere è frequentato da molti clienti esterni, principalmente dai Romani che _____ venire in pausa pranzo oppure in serata per rilassarsi e staccare dalla routine di tutti i giorni", dice Elena Castelli, del Centro benessere - Hotel de Russie. "La spa del nostro hotel è apprezzatissima dai Milanesi, oramai clienti abituali," conferma Attilio Marro, direttore dell'Hotel Bulgari di Milano. È proprio Milano sarebbe la capitale del wellness. Città della forma, ma non solo; con le palestre, ma soprattutto con i centri per la cura del corpo. Qui le spa metropolitane _____ il 50% di quelle dell'intero Paese. Oasi silenziose che _____ calma e ricercatezza nel design a manager e industriali in esclusivi alberghi della città. "All'Hotel Bulgari offriamo massaggi a clienti che _____ molto e che hanno problemi con il fuso orario", continua Attilio Marro. "Dalle 7 alle 23 di ogni giorno. Siamo aperti praticamente sempre, 365 giorni l'anno," spiega Carlotta Zampilloni, responsabile area fitness, Hotel Hilton, Roma. Due volte la settimana per un paio d'ore: è questa la media del tempo dedicato a occuparsi di sé. La spesa _____ tra i 120 e i 200 euro per rilassarsi, ringiovanire o magari diventare più belli con qualche maschera miracolosa.

adattato da: TG2, Costume e società

Milano

Milano, città simbolo del business, resta la destinazione per eccellenza del turismo d'affari, che deve a questa città oltre il 70% del suo fatturato.

Report, Il business del turismo

Abbina le parole nei box alle definizioni.

Match the words in the boxes to the definitions in the list.

Borsa Valori	brevetto	patrimonio	locali	pinacoteca	firma

1. complesso di risorse culturali, artistiche, ambientali ecc. di un Paese ....
2. ambienti pubblici di ritrovo (bar, ristorante ecc.) ....
3. museo o sezione di un museo per l'esposizione di quadri ....
4. compravendita di valori mobiliari (azioni, obbligazioni, titoli di Stato, valuta) o di merci ....
5. nome, personaggio molto rinomato in un dato campo (moda, giornalismo) ....
6. certificato di paternità di un'invenzione ....

 ## Prima leggi il testo su Milano e dopo completa la sintesi con le parole nel box.

First read the text on Milan and then complete the summary with the words in the box.

Milano, con oltre 1.300.000 abitanti, è la più grande città italiana dopo Roma. È la capitale finanziaria con circa 130 istituti bancari e grandi società di intermediazione finanziaria. Qui ha sede la **Borsa** Italiana, detta anche Piazza Affari, dal nome della Piazza dove si trova il suo edificio.

Milano è uno dei maggiori centri editoriali e televisivi. Sono presenti, infatti, oltre 700 editori, e qui si trovano le principali imprese del settore televisivo. A Milano ha sede lo storico quotidiano "Corriere della Sera", fondato nel 1876.

Nell'area milanese ci sono sette università, alcune di lunga e importante tradizione, come, ad esempio, l'Università Bocconi, con la sua prestigiosa Scuola di Direzione Aziendale. Si trovano anche molti tra i più qualificati centri e laboratori di ricerca del Paese. L'inclinazione all'innovazione tecnologica dell'area milanese è testimoniata dal numero di **brevetti** depositati, pari a circa il 30% dei brevetti italiani. E dalle spese in ricerca e sviluppo, sostenute in gran parte da imprese private. Le imprese milanesi sono leader in settori come la meccanica strumentale, la chimica, l'arredamento, il design, la consulenza di direzione e organizzazione aziendale, la pubblicità.

Milano è diventata famosa nel mondo come "Città della Moda". Le vie attorno al Duomo, via Montenapoleone, via Della Spiga e la Galleria Vittorio Emanuele ospitano i negozi delle più importanti **firme** internazionali.

La città è ricca di centri di cultura importanti come il Teatro alla Scala, il Piccolo teatro, la Biennale d'arte, la Triennale del Design, il Museo della Scienza e della tecnologia. Milano possiede un vasto **patrimonio** artistico nazionale: ci sono famosi musei, tra cui la **Pinacoteca** di Brera e l'Ambrosiana, e 150 gallerie e studi d'arte.

A Brera e lungo i Navigli si trovano alcuni tra i **locali** più alla moda della città.

adattato da: "Milano in cifre", Centro Studi Assolombarda

sede	all'avanguardia	stilisti	prelibati	cuore
Management	showroom	nato	aziende	

Milano, seconda città italiana per numero di abitanti dopo Roma, è il _____ finanziario del Paese. Le più grandi banche e società finanziarie hanno qui la loro _____ . A Milano opera la Borsa Valori, detta anche Piazza Affari.

A Milano ci sono grandi _____ dell'editoria – il "Corriere della sera" è _____ qui – e dell'industria televisiva.

Milano è rinomata per le sue università, autorevoli centri di studio e ricerca come, ad esempio, l'Università Bocconi, con la sua famosa Scuola di _____. Il numero dei brevetti depositati è molto elevato e anche l'investimento in ricerca e sviluppo. Sono le imprese private che sostengono attivamente questi settori. Le aziende milanesi sono _____ in vari campi.

Milano ha il primato come "Città della Moda". Infatti, gli _____ internazionali più acclamati hanno i loro _____ nelle vie centrali della città.

Milano è simbolo di cultura e di arte, con il suo Teatro alla Scala, la Pinacoteca di Brera e la Triennale del Design. E altri importanti luoghi di cultura e manifestazioni di grande rilievo.

I piatti più _____ si possono gustare nei bei ristoranti a Brera e lungo i Navigli.

Presentazione

Prepara una presentazione sulla tua città o una città che ti piace. Utilizza la scheda per raccogliere informazioni che non conosci sul web per la tua presentazione. Per il linguaggio delle presentazioni e lo schema vai all'Unità 9.

Prepare a presentation on your home town or a city you like. Use the table below to gather information you don't have from the web for your presentation. For the language of presentation and its structure go to Unit 9.

London

Frankfurt

New York

Madrid

Sydney

Hong Kong

Johannesburg

grandezza	
imprese / industrie	
università	
zone / luoghi da visitare	

Standard o burocratico?
Combatti il burocratese

- *Abbiamo inviato la documentazione nonché la fattura.*
- Abbiamo inviato la documentazione e anche la fattura.

 Leggi il testo e dopo prova a indovinare quale termine o espressione appartiene al linguaggio standard e quale a quello burocratico.

Read the text and then guess which term or expression belongs to standard language and which to bureaucratic language.

Da tempo, molti governi cercano di promuovere iniziative per semplificare il linguaggio burocratico. Il burocratese è una lingua poco chiara, lontana da quella comune e spesso incomprensibile al cittadino. Di queste iniziative fa parte *Fight the fog*, 'Combatti la nebbia', il noto manualetto per la semplificazione dei testi amministrativi prodotto negli ambienti della Direzione Generale della Traduzione della Commissione europea. In *Fight the fog* ci sono i punti chiave per rendere la lingua della Pubblica Amministrazione accessibile a tutti: chiarezza, precisione, uniformità, semplicità, economia.

ad esempio - a titolo esemplificativo

preliminarmente - innanzitutto

nonché - e anche

inoltre - aggiungasi

titolo di viaggio - biglietto

erogare - distribuire   inviare - trasmettere

burocratico	standard / formale

Eventi di networking
Che cosa pensi del networking?

Scrivi delle tue opinioni sul networking in generale o sugli eventi di networking, secondo il modello. Utilizza le parole ed espressioni nel riquadro.

Write your opinion about networking or networking events, as in the example. Use the words and expressions in the box.

Credo che il networking **sia** utile per raccogliere informazioni e mantenersi aggiornati sulle novità del mercato.
- **Credo / Penso / Ritengo che** fare networking / andare a eventi di networking ...
  - essere efficace / interessante / noioso ...
  - per la carriera / un colloquio di selezione / le relazioni di lavoro
  - altro ...?

_____

_____

Trova la giusta definizione per le seguenti espressioni e scrivila nel box.
Find the correct definitions for the following expressions and write them in the box.

a destra e a sinistra	rompere il ghiaccio
....	....
....	....

tagliare la corda	fare bella figura
....	....
....	....

1. Superare l'imbarazzo prima di iniziare una conversazione con persone che, in genere, non si conoscono.
2. Andare via da situazioni che non piacciono.
3. Dare un'impressione positiva di se stessi in pubblico.
4. In ogni direzione e a tutti.

> Fa parte del concetto di **bella figura**, curare il proprio aspetto e vestirsi bene. Gli Italiani, infatti, prestano una particolare attenzione all'abbigliamento.

Ora scegli nei box delle possibili risposte alla domanda:
Now choose from the boxes some possible answers to the question:

In generale, cosa fai a un rinfresco dopo una presentazione, una conferenza o a una serata aziendale?

e scrivi delle frasi come nell'esempio.
and write some sentences, as in the example.

• Prendere subito qualcosa da bere.
  Generalmente prendo subito qualcosa da bere.
  ....

• Prendere subito qualcosa da bere • Preferire non bere	• Cercare di *rompere il ghiaccio* con persone nuove • Aspettare di essere presentato/a	• Distribuire il biglietto da visita a destra e a sinistra • Dare il biglietto da visita solo ai contatti giusti
• Parlare solo con colleghi / conoscenti • Socializzare con varie persone	• *Tagliare la corda* se qualcuno inizia una conversazione noiosa • Ascoltare pazientemente	• Non rispondere mai al cellulare, se suona • Tenere sempre il cellulare acceso / spento

La fidelizzazione del cliente, rendere un cliente fedele, è uno degli obiettivi del *customer relationship management*. È uno dei principali fattori che consentono un reale ritorno di investimento.

Leggi ora il testo e dopo abbina il titolo al paragrafo giusto.

Now read the text and then match the heading to the correct paragraph.

a. Arte e palazzi storici

b. Al primo posto la buona tavola

c. Eventi per i clienti del private banking

d. Gli Americani in prima fila nei programmi di fidelizzazione. Gli Italiani seguono l'esempio.

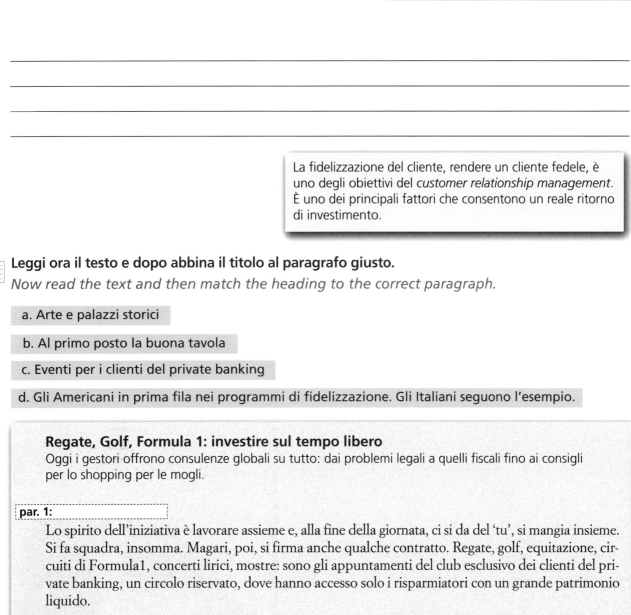

Regate, Golf, Formula 1: investire sul tempo libero
Oggi i gestori offrono consulenze globali su tutto: dai problemi legali a quelli fiscali fino ai consigli per lo shopping per le mogli.

par. 1:

Lo spirito dell'iniziativa è lavorare assieme e, alla fine della giornata, ci si da del 'tu', si mangia insieme. Si fa squadra, insomma. Magari, poi, si firma anche qualche contratto. Regate, golf, equitazione, circuiti di Formula1, concerti lirici, mostre: sono gli appuntamenti del club esclusivo dei clienti del private banking, un circolo riservato, dove hanno accesso solo i risparmiatori con un grande patrimonio liquido.

par. 2:

[…]Anche l'organizzazione di eventi, mostre, manifestazioni sportive è correlata alla strategia di rafforzamento della relazione con il cliente", afferma Bruno Zanaboni, segretario generale Aipb, l'associazione di categoria. In questo campo, fanno scuola gli Americani. Negli Usa i vip service rappresentano una delle aree specifiche dei programmi di fidelizzazione: si accompagnano addirittura le consorti a fare shopping. In questi programmi di fidelizzazione l'Italia segue le orme degli Americani.

par. 3:

Hanno molto successo i percorsi di degustazione enogastronomica, veri e propri mini corsi tenuti da sommelier e gourmet. Andare al ristorante, possibilmente stellato, è una delle attività preferite dai clienti del private banking, secondo una recente analisi condotta da Sint, in collaborazione con GfK, Eurisko e Università Bocconi. Da questo studio emerge che la customer satisfaction è uno dei punti centrali del settore.

par. 4:

Un'altra delle attività più seguite, il core business della fidelizzazione, è la visita a mostre e l'accesso a immobili storici. Le banche, spesso proprietarie di collezioni, hanno sedi prestigiose, che vengono aperte al club dei clienti del private banking. Le mostre riguardano anche artisti poco noti: occasioni per andare in galleria a comprare a prezzi minimi, puntando sulle quotazioni future.

adattato da: La Repubblica_Affari&Finanza

Scrivi un breve testo su un evento cui hai partecipato recentemente, rispondendo alle domande.
*Write a short composition about an event you have attended recently, answering
the questions.*

- Chi ha organizzato l'evento?
- Che tipo di iniziativa era?
- Quando / Dove l'evento ha avuto luogo?
- Hai parlato in italiano?
- Chi hai conosciuto?
- Hai distribuito il biglietto da visita a destra e a sinistra?
- Hai fatto bella figura?
- Sei rimasto/a fino a tardi o hai tagliato la corda?

Trascrizioni dei dialoghi

Unità 1

Alla reception di una società

A

Receptionist • Buongiorno, mi dica.
Andrew • Buongiorno. Sono Andrew Jenkan dello studio legale Oldin. Ho un appuntamento con il dottor Ferri.
Receptionist • Un attimo, per favore. Scusi, come si scrive il Suo nome?
Andrew • J-e-n-k-a-n. (i lunga-empoli-napoli-kappa-ancona-napoli)
Receptionist • Grazie. Prego, si accomodi.
Andrew • Grazie.

B

Receptionist • Buongiorno. Prego.
Luca • Buongiorno. Sono Luca Bernardis della Tiscali. Devo incontrare la dottoressa Carli.
Receptionist • Come, scusi? Può ripetere il Suo nome?
Luca • Sì, Bernardis. Luca Bernardis.
Receptionist • Grazie. Vuole firmare il registro, per favore?
Luca • Certo.
Receptionist • Ecco il Suo pass. L'assistente della dottoressa Carli arriva subito. Da questa parte, prego.
Luca • La ringrazio.

C

Architetto Borghi • Ah, buonasera dottoressa Benta. Come va?
Dottoressa Benta • Bene, grazie. E Lei, architetto?
Architetto Borghi • Bene, grazie. Sono qui per la conferenza.
Dottoressa Benta • Sì, certo. La sala conferenze è al primo piano.
Architetto Borghi • Sì, sì, grazie. A dopo.
Dottoressa Benta • Prego. ArrivederLa.
Architetto Borghi • Sì, a dopo.

Socializzare

A

Andrew • Buongiorno. Andrew Jenkan. Molto lieto. Scusi, sono un po' in ritardo.
Dottor Ferri • Si figuri. Carlo Ferri. Molto lieto. Come sta?
Andrew • Bene, grazie. E Lei?
Dottor Ferri • Abbastanza bene, grazie. Ah, ma Lei parla bene italiano!
Andrew • Grazie. Frequento da alcuni anni corsi di italiano. Mi piace molto imparare le lingue.
Dottor Ferri • E studia anche altre lingue?
Andrew • No, purtroppo non ho tempo. Ma parlo un po' di russo... Ecco, questo è il mio biglietto da visita.
Dottor Ferri • Grazie. Come Lei sa, siamo a buon punto con la pratica. Ha ricevuto gli ultimi aggiornamenti?

B

Fabio • Ciao Elena! Parliamo sempre al telefono, è un piacere conoscerti di persona!
Elena • Sì, anche per me. Come stai?
Fabio • Bene, un po' stanco. Sono sempre molto occupato. E tu? Com'è andato il volo?
Elena • Bene, grazie.
Fabio • Hai voglia di bere qualcosa?
Elena • Con piacere.
Fabio • La riunione comincia alle 12.30. Abbiamo un po' di tempo. Sai che a maggio Rebecca Dixon diventa responsabile dell'ufficio di Milano?
Elena • Ma dai?! Dimmi!
Fabio • Sì… Ah, ecco Riccardo... Ciao Riccardo, sei di fretta? Vieni un momento? Ti presento Elena.
Riccardo • Ah, molto lieto!
Elena • Ah, piacere di conoscerti!

Unità 2

Paola

Paola • Mi chiamo Paola e sono francese di origine italiana. Sono venditrice per una società americana di informazione che fornisce dati economici e notizie finanziarie. Offriamo questo servizio principalmente ai professionisti del settore finanziario. La nostra sede centrale è a New York.
Mi occupo di vendita: gestisco il portafoglio clienti in Italia, Svizzera, Francia e Spagna. Tra i nostri clienti abbiamo molte grandi banche di affari. Lavoro a stretto contatto con i trader per migliorare l'uso del nostro sistema. Svolgo un lavoro molto interessante che dà la possibilità di imparare cose nuove ogni giorno. Vivo a Londra, ma trascorro molto tempo all'estero. Infatti viaggio spesso per lavoro.
Nel tempo libero, per rilassarmi, frequento un corso di yoga, vado in piscina o esco con gli amici.

Massimo

Massimo • Mi chiamo Massimo e ho 36 anni. Lavoro a Roma come funzionario per il Governo italiano. Nel mio lavoro mi occupo di valutare i requisiti di legge per ottenere i fondi della Comunità Europea. Arrivo in ufficio alle 9.00 e discuto in riunione con il mio capo sulle decisioni da prendere. Il mio compito è fare ricerca su Internet sulle leggi di settore e di solito comunico telefonicamente con gli uffici legali per verificare dati e informazioni. A volte partecipo a corsi di aggiornamento fuori sede.
Nel tempo libero suono la chitarra jazz e faccio sport. Mi piace andare al cinema. Qualche volta, la sera, con gli amici beviamo qualcosa fuori o, se resto a casa, navigo un po' su Internet.

Unità 3

Al bar

Dottoressa Biasi • Allora, ingegnere, che cosa gradisce?
Ingegner Hernandez • Vorrei un caffè, grazie.
Dottoressa Biasi • Vuole anche qualcosa da mangiare?
Ingegner Hernandez • Sì, volentieri.
Dottoressa Biasi • Io prendo una pasta al cioccolato. Sa, in questo bar sono molto buone!
Ingegner Hernandez • No, grazie. Magari un'altra volta. Preferisco un cornetto.
Dottoressa Biasi • Allora, un caffè e …
Barista • Scusi, signora. Deve fare lo scontrino alla cassa, per favore.
Dottoressa Biasi • Ah, sì, certo, scusi … un caffè, un cappuccino, un cornetto e una pasta, per favore. Quant'è?
Cassiere • 6 euro e 50, grazie.
Dottoressa Biasi • Ecco a Lei. Ingegnere, oggi offro io!
Ingegner Hernandez • Ma no, dottoressa!
Dottoressa Biasi • Sì, questa volta tocca a me.
Ingegner Hernandez • Va bene. Però solo per questa volta!

In un locale

Cameriere • Buonasera.
Chiara • Buonasera. Ho un tavolo prenotato per due. Rocchi.
Cameriere • Sì, prego, da questa parte … Ecco il vostro tavolo e … ecco il menù. Torno fra qualche minuto.
Chiara • Julie, che cosa prendi da bere?
Julie • Mm… bevo volentieri un Bellini, grazie.
Chiara • Io invece prendo un Brachetto. E da mangiare? Gli stuzzichini sembrano davvero buoni…

Julie • Sì, infatti. L'unica cosa è che sono vegetariana.

Cameriere • Le signore vogliono ordinare?

Chiara • Senta, Allora, per favore… un Bellini, un Brachetto e degli stuzzichini vegetariani. Ci consiglia qualcosa in particolare? Mm… Come sono i pomodorini ripieni? Non c'è carne, vero?

Cameriere • No, sono solo con formaggio ed erbette. Sono ottimi. Vi consiglio anche i quadratini di polenta e funghi e le focaccine con crema di piselli.

Chiara • Benissimo. Julie, vanno bene per te?

Julie • Benissimo!

Chiara • D'accordo, grazie… Julie, come sei elegante stasera, hai degli orecchini bellissimi!

Julie • Oh, grazie, Chiara.

Chiara • Ma che tempo fa a Londra? Ho visto su Internet che diluvia.

Julie • Sì, diluvia. Eh, lo sai, il tempo è sempre variabile, anche ora in estate. È una settimana che non vado a correre per la pioggia. Ma dimmi, tu vai sempre in palestra la mattina?

Chiara • Ultimamente un po' meno perché sono molto occupata in ufficio. La mattina esco molto presto.
E tu? Fai ancora trekking?

Julie • Sì, recentemente sono stata con degli amici nei Pirenei dell'Aragona, nel Parco nazionale.

Chiara • Ah, davvero?

Julie • Ci sei stata? Conosci questa zona?

Chiara • No, non ci sono mai stata, ma ho sentito dire che è proprio una zona fantastica per il trekking.

Julie • Eh, è una zona che mi piace moltissimo. Sai, a proposito della Spagna, ho cominciato un corso di spagnolo con la prospettiva di gestire il portafoglio clienti per la Spagna.

Chiara • Ah! Bene, che buona idea! E da quanto tempo lo studi?

Julie • Beh, lo studio già da due mesi.

Chiara • E ti piace?

Julie • Sì, moltissimo.

Chiara • E quando?

Julie • Due volte alla settimana all'ora di pranzo…

Cameriere • Allora, ecco qui… gli stuzzichini e i drink.

Chiara • Ah, bene, grazie.

Julie • Grazie.

Cameriere • Prego.

Julie • Senti, volevo dirti che ieri è stata davvero una piacevole serata!

Al ristorante

 Cameriere • Per cominciare Vi ho portato un Salice del Salento, che si sposa bene con il Vostro antipasto. È un rosato.

Alberto • Grazie.

Dieter • Grazie… Che buono. Mi piacciono molto i vini pugliesi.

Alberto • Ah, anche a me. Lei, quindi, s'intende di vini?

Dieter • Abbastanza. Tra l'altro sono stato diverse volte in Puglia con la mia famiglia.

Alberto • Ah, sì?

Dieter • Sì, a me e a mia moglie piace molto questa regione … e la sua cucina, naturalmente. E poi ai ragazzi, … a loro piace il mare. L'anno scorso i miei figli sono stati con gli amici alle Isole Tremiti. Noi invece l'ultima volta abbiamo visitato Castel del Monte… C'è mai stato?

Alberto • Non ancora… È patrimonio dell'UNESCO, vero?

Dieter • Sì, sì.

Alberto • Beh, la Puglia è una regione bellissima, c'è un mare stupendo e si mangia davvero bene.

Dieter • Sì, sì, e che luce! E Lei, s'intende di vini?

Alberto • Sì, direi di sì. Mi interessano i vini veneti. Nel tempo libero visito spesso le cantine della mia regione.

Dieter • Ah!…

Cameriere • Ecco le penne, signori.

Alberto • Grazie.

Dieter • Grazie…

Alberto • Allora, come vanno gli affari? Il mercato, come Le sembra al momento?

Dieter • Mah, al momento mi sembra un po' statico. Ma ci sono segni di miglioramento.

Unità 4

In hotel

Receptionist • Buongiorno.

Julie Jones • Buongiorno. Sono Julie Jones. Ho prenotato una camera singola per tre notti.

Receptionist • Sì, bene. … Può darmi un documento e la carta di credito, per favore?

Julie Jones • Sì, ecco.

Receptionist • Conferma la prenotazione dal primo al 3 incluso?

Julie Jones • Sì, rimango fino a giovedì 3. Lascio la camera alle 8.00.

Receptionist • Bene. Può compilare il modulo di accettazione e firmarlo? Grazie.

Julie Jones • Certamente. Senta, scusi, posso avere alcune informazioni?

Receptionist • Sì, dica, prego.

Julie Jones • A che ora apre la palestra? E a che ora chiude?

Receptionist • La palestra apre alle 5.00 la mattina e chiude alle 10.00 la sera.

Julie Jones • E dove si trova?

Receptionist • Al secondo piano.

Julie Jones • Grazie. Senta, posso avere la colazione in camera domani mattina? Sarebbe possibile alle 7.00? Sa, devo andar via verso le 7.30.

Receptionist • Certamente. Il servizio in camera è disponibile 24 ore su 24.

Julie Jones • Benissimo. È stata prenotata una camera con vista sul parco, vero?

Receptionist • Certo signora. La camera dà sul parco, come ha richiesto. Vuole qualcuno per aiutarLa con i bagagli?

Julie Jones • Sì, grazie.

Receptionist • Se può attendere, viene subito qualcuno.

Julie Jones • Certamente.

Receptionist • Ecco la chiave. La camera è la numero 88 al quarto piano.

Julie Jones • Grazie. Scusi, mi dice, per favore, dov'è l'ascensore?

Receptionist • In fondo a sinistra, prego.

Julie Jones • Grazie.

Richieste e reclami in hotel, al ristorante

Cliente • Scusi, il conto non è esatto. Non abbiamo ordinato l'insalata. Per cortesia, può ricontrollare?

Cameriere • Sì, certo ricontrolliamo subito.

Cliente • Gentilmente, possiamo avere un tavolo vicino alla finestra?

Cameriere • Sì, però dovete attendere qualche minuto.

Cliente • Buongiorno, chiamo dalla stanza 84. La colazione in camera non è ancora arrivata. Per favore, può sollecitare il servizio?

Receptionist • Oh, sono spiacente. Provvediamo subito signore.

Cliente • Buonasera, vorrei prenotare un tavolo per quattro persone per sabato 15 alle 8.00.

Cameriere • Abbiamo un tavolo disponibile per le 8.30. Va bene lo stesso?

Cliente • Scusi, abbiamo ordinato da un po'. Dobbiamo attendere molto?

Cameriere • Un attimo, arrivo subito, signore.

Cliente • Mi scusi, Il riscaldamento in camera non funziona e manca

l'acqua calda nel bagno. Può mandare qualcuno a controllare? Grazie
Receptionist • Ma certamente signore …

Cliente • Mi scusi, non riesco a collegarmi a Internet dalla mia stanza. Ci deve essere un guasto.
Receptionist • Controlliamo subito signora.

Cliente 1 • Scusi, ero in fila prima di Lei.
Cliente 2 • Oh, scusi, non l'avevo vista.

Unità 5

All'aeroporto

Assistente • Buongiorno, signore. Biglietto e passaporto, prego.
Dottor Volta • Buongiorno. Ecco qui. Scusi, sono appena arrivato. Ho sentito che ci sono stati ritardi questa mattina a causa della nebbia.
Assistente • Non si preoccupi, signore, abbiamo avuto solo qualche leggero ritardo.
Dottor Volta • Ah, molto bene. Ho una riunione alle 3.00
Assistente • Ha preparato Lei le valigie?
Dottor Volta • Sì, certamente, le ho preparate io.
Assistente • Nel Suo bagaglio a mano c'è qualche oggetto vietato da questa lista?
Dottor Volta • No, nessuno.
Assistente • Ha solo un bagaglio a mano?
Dottor Volta • Sì, solo questa borsa.
Assistente • Conferma un posto accanto al finestrino?
Dottor Volta • Mah …, se è possibile, vorrei un posto vicino al corridoio.
Assistente • Un attimo che controllo … sì, c'è un posto disponibile.
Dottor Volta • La ringrazio.
Assistente • Bene, signore. Ecco la carta d'imbarco e l'invito per la lounge. L'uscita è la numero 45 e l'imbarco comincia alle 12.30.
Dottor Volta • Grazie. Scusi, dov'è la lounge?
Assistente • Sì, guardi, passi il controllo. E la lounge è subito a destra.
Dottor Volta • Grazie.
Assistente • Prego. Buon viaggio.

Al noleggio auto

a • Buongiorno.
b • Buongiorno, prego.
a • Senta, ho prenotato online un'Alfa Romeo a nome Marchi. Ecco il modulo di prenotazione.
b • Sì, grazie …. Conferma la riconsegna della vettura per martedì 28 aprile alle 12.00?
a • Sì, e riconsegno qui in aeroporto.
b • Posso vedere la patente di guida, per cortesia?
a • Certamente.
b • Conferma il pagamento con la carta di credito che ha riportato sul modulo?
a • Sì, ecco la carta.
b • Bene. L'importo complessivo è di €290.35. La tariffa include l'IVA.
a • Bene.
b • Dovrebbe leggere i termini e le condizioni del contratto di noleggio e firmare qui sotto.
a • Sì, … certo, termini e condizioni li ho già letti quando ho prenotato. Mi scusi, l'auto è già con il serbatoio pieno?
b • Sì, e deve essere riconsegnata con il serbatoio pieno.
a • Molto bene.
b • Ecco le chiavi. Per il ritiro, la macchina si trova nel parcheggio qui davanti. La preghiamo di verificare prima le condizioni della vettura ed eventualmente, se ci sono problemi, ritorni qui in ufficio. Grazie
a • Certamente. ArrivederLa.
b • ArrivederLa e buon viaggio.

Al duty-free

a • Buona sera.
b • Buona sera. Senta, vorrei vedere una borsa di pelle nera.
a • Sì, certo. Ha già visto qualcosa?
b • No, veramente, no. Cerco una borsa … un modello piuttosto classico.
a • Le mostro alcuni modelli. Vede, questi qui sono abbastanza classici. Conosce le borse di questa nuova marca?
b • Sì, le conosco. Ne ho già comprata una. Eh sì, questo modello mi piace. Mah … ne ha una un po' più piccola?
a • Sì, un attimo … Questa va bene?
b • Ah, … sì, sì, questa mi piace. Quanto costa?
a • 120 euro.
b • Perfetto, la prendo.
a • Vuole vedere qualcos'altro?
b • No. Grazie.
a • Posso vedere la carta d'imbarco, signora?
b • Certamente, eccola. Senta, per favore. Mi può fare un pacco regalo?
a • Sì, certo… Vuole la nostra rivista gratuita?
b • No, grazie. L'ho già presa all'ingresso. Scusi, mi sono ricordata che devo prendere … Dove sono gli ombrelli?
a • Sì, guardi, in fondo, lo vede il reparto? … Gli ombrelli li trova proprio lì accanto … a destra.
b • Ah, grazie.

Unità 6

In città

Receptionist • Buongiorno.
Cliente • Buongiorno. Senta, scusi…
Receptionist • Sì, dica.
Cliente • Devo andare alla Fiera Campionaria. È lontana da qui? Mi hanno detto che posso prendere la metropolitana. Mi può dire dov'è la stazione più vicina?
Receptionist • No, non si preoccupi, non è lontana. Guardi, appena fuori dall'hotel, prenda subito la prima a destra. Prosegua sempre dritto fino al semaforo. Al semaforo vede un negozio di abbigliamento. Non si può sbagliare.
Cliente • Ah, bene.
Receptionist • Allora, dopo il semaforo, giri a sinistra e attraversi la strada. La stazione della metropolitana è proprio lì.
Cliente • Grazie.
Receptionist • Si figuri!
Cliente • Ma scusi, ancora un'informazione. Sa che linea devo prendere?
Receptionist • Quella rossa.
Cliente • È diretta?
Receptionist • Sì, sì.
Cliente • E … scusi … Quanto tempo ci vuole più o meno?
Receptionist • Mah, circa 50 minuti.
Cliente • Oh, La ringrazio molto. È stato molto gentile. Arrivederci.
Receptionist • Prego. ArrivederLa e buona giornata.
Cliente • Buona giornata anche a Lei.

In taxi

Tassista • Buongiorno.
Cliente • Buongiorno. Devo andare in Corso Mazzini all'Hotel Due fontane, per favore.
Tassista • Sì, certo.
Cliente • Vedo che c'è molto traffico oggi.
Tassista • Sì, infatti. Ci sono dei lavori in corso.
Cliente • Ah, sì vedo. Scusi, ma quanto tempo ci vuole per arrivare?
Tassista • Mah… 25/30 minuti.
Cliente • Scusi, posso chiederLe alcune informazioni?
Tassista • Sì, prego. Dica.

Cliente • Domani devo vedere un cliente a Porta Vecchia. Quanto ci vuole dall'Hotel Due fontane?

Tassista • Guardi... Dipende... Dipende dal traffico. A che ora deve essere lì?

Cliente • Alle 12.00.

Tassista • E beh, sì, quella è ora di punta. Guardi, calcoli almeno 40 minuti.

Cliente • Ah, ok, grazie.

Tassista • … ecco siamo arrivati.

Cliente • Bene, quant'è?

Tassista • 25 euro.

Cliente • Ecco a Lei. Mi può fare una ricevuta, per favore?

Tassista • Sì, certo. Non c'è problema.

Unità 7
Al telefono
A

• *È in attesa di essere collegato con l'interno desiderato. I nostri operatori sono momentaneamente occupati. La preghiamo di attendere.*

• Buona sera. Fontim.

• Buona sera. Vorrei parlare con l'Ufficio Stampa, per favore.

• Attenda in linea, prego.

• La ringrazio.

• Mi scusi se l'ho fatta attendere, ma l'interno è occupato.

• Non c'è problema.

• Buona sera, Ufficio Stampa. Sono Veronica Bussi.

• Buona sera. Sono Luca Monti della Orion. La disturbo? Può parlare al momento?

B

• Claudia Valle?

• No, ha sbagliato interno.

• Oh, mi scusi.

• Un momento, gliela passo subito.

• Claudia Valle, buon giorno.

• Ciao Claudia, sono Andreas. Come va?

• Ah, ciao! Eh! Ho molto lavoro, come sempre. E tu?

• Anch'io. Oggi, poi, è una giornata piena! Hai un attimo di tempo?

• Sì, dimmi!

• Ecco,... ascolta... telefono per la transazione... Non abbiamo ancora ricevuto la conferma. Dobbiamo inviare i dati al più presto.

• Ah, sì, capisco.

• Potresti controllare, per favore? Vedi un po'.

• Sì, certamente. Controllo e ti telefono subito.

• Mandami pure un'email, se preferisci. Ti ringrazio. Ciao.

• Sì, certo, stai stranquillo, non preoccuparti. Ciao.

• Assicurazioni Internazionali, buona sera.

• Buona sera. Posso parlare con la Dottoressa Antoni, per cortesia?

• Sono spiacente, ma la dottoressa è fuori sede. Rientra nel tardo pomeriggio. Chi la desidera?

• Oh, mi scusi, sono Elena Sassi. Chiamo per conto della Sar.

• Prego, in che cosa posso esserLe utile?

• Guardi, chiamo per gli allegati inviati questa mattina.

• Ah, si, capisco, ma non mi occupo io di questa pratica. Ma, mi dica, pure. Le vuole lasciare un messaggio?

• No, non occorre, grazie. Le dica semplicemente che ho chiamato … no, anzi … può farmi richiamare?

• Certamente, riferirò senz'altro, prendo nota e La faccio richiamare. Per favore, può ripetere il Suo nome e può darmi il Suo numero di telefono?

Ingegnere • Pronto?

Architetto • Buongiorno, ingegnere. La disturbo?

Ingegnere • Ah, buongiorno, architetto, mi dica.

Architetto • La chiamo per la consegna del materiale…

(la linea sta andando via)

Ingegnere • Architetto…? La ricezione è debole… non La sento più…

Architetto • Mah, strano, la batteria del cellulare è carica. Forse la linea è disturbata. Un momento, provo a spostarmi… Mi sente adesso?

Ingegnere • Sì, va meglio. Ora La sento…

Architetto • Mi scusi, dicevo, la consegna del materiale…

Ingegnere • No, guardi… non La sento di nuovo …

Architetto • Senta, facciamo così. Faccio un salto più tardi in ufficio, anche perché preferisco discutere gli ultimi dettagli di persona.

Ingegnere • Va bene, ci vediamo più tardi.

Cristina • Cristina Zeli.

Simona • Ciao Cristina, sono Simona.

Cristina • Ciao Simona. Come va?

Simona • Abbastanza bene, grazie. E tu?

Cristina • Tutto bene, grazie. Dimmi tutto.

Simona • Senti, abbiamo il sistema bloccato, per questo ti chiamo.

Cristina • È per organizzare la videoconferenza?

Simona • Sì, sì. Volevo chiederti… John è disponibile giovedì 4 alle 3.00?

Cristina • Fammi controllare l'agenda un attimo… No… John non può. Senti, possiamo anticipare alle 2.30?

Simona • Credo di sì, ma devo parlare con Lorenzo. Forse possiamo spostare una riunione. Ti faccio sapere.

…

Cristina • Cristina Zeli.

Simona • Cristina, ciao. Sono io. Ho parlato con Lorenzo. Va bene. Possiamo fissare la videoconferenza per giovedì alle 2.30.

Cristina • Ok. Simona, più tardi mi puoi confermare tutto via e-mail?

Simona • Certo, ti scrivo entro domani. Ciao, grazie!

Cristina • Ciao! Buona giornata!

Unità 9
Presentazioni

• In questa prima fase Vi mostrerò un video dei nostri ultimi modelli.

• Dopo vorrei illustrare i fattori che hanno determinato la crisi del settore.

• Infine, parlerò del mercato estero e, in particolare, dei nuovi mercati di sbocco.

• Vediamo ora i vantaggi delle nuove direttive comunitarie per il nostro mercato.

• Questo esempio evidenzia le potenzialità di crescita del nostro mercato. È questa la ragione per cui è importante esaminarlo attentamente.

• Vorrei sottolineare il significativo aumento del nostro fatturato. La dottoressa Bianchi, che ha preparato la relazione, evidenzierà i punti principali.

Unità 10
Riunioni

1. Benvenuti e grazie per essere qui. Oggi discuteremo la possibilità di aggiornare il nostro sistema informatico e la sua fattibilità in termini di costi. Vorrei presentarvi Livio Macchi, della Infomat, la società che si

occuperà dell'operazione. Livio illustrerà sullo schermo fasi e costi.

2. Cari colleghi della Commissione, questo mercoledì esamineremo il nuovo progetto sull'ambiente. Apriamo quindi la riunione con l'intervento del professor Livi.

3. Buongiorno a tutti. Oggi illustreremo rapidamente i punti essenziali dell'evento. Dovremmo cercare di limitare i nostri interventi a 5/7 minuti massimo per dare spazio a tutti. Marco, per cortesia, puoi tenere il verbale? Marina comincerà con la sintesi degli obiettivi dell'evento, grazie.

1. Cominciamo con lo studio del nostro dipartimento sulle energie rinnovabili.

2. Vorrei mostrare un grafico che illustra il rendimento del nostro prodotto.

3. L'ufficio marketing ha contattato un'agenzia interna per promuovere l'evento. Ci sono domande o questioni?

4. Condividete la mia analisi sulle offerte della concorrenza?

5. Per la prossima riunione, potreste aggiornare la documentazione?

La riunione come luogo di negoziazione

Dialogo 1

a. Questo è tutto sui costi dell'operazione. Credo che abbiamo raggiunto un accordo.

b. Mi scusi, penso che Lei non prenda in considerazione l'altra nostra proposta. Mi corregga se sbaglio. Forse non ho capito bene.

Dialogo 2

a. Bene, allora, questa mattina direi di confermare subito il servizio catering.

b. Scusa Clara, sei d'accordo se contattiamo un'altra azienda di catering? Sembra che offrano prezzi migliori. So che non abbiamo molto tempo, ma al momento è importante che si limitino i costi. Che ne pensi?

a. Non so se sia una buona idea.

Dialogo 3

a. Dario, i nostri prezzi sono già abbastanza competitivi. Come sai, il prezzo è invariato da due anni. Comunque, vista la quantità richiesta, proporrei uno sconto del 3%. Che ne pensi?

b. Enrico, mah, non saprei ... eh, dipende da ... Siete disposti a farci uno sconto maggiore, magari del 10%, con pagamento in anticipo?

Unità 11

1. Inizio positivo per il Gruppo Viri. Il fatturato cresce del 9 %.

2. Poco entusiasmo tra gli analisti. La giornata chiude in ribasso. Perdono anche gli hedge fund.

3. Mercato immobiliare ancora debole. Diminuisce la richiesta di appartamenti e uffici commerciali.

4. Stabile il mercato europeo dell'auto. Rimane stazionario anche quello dei motori di grossa cilindrata.

5. Risultati soddisfacenti per TIRI. La società ha chiuso il primo trimestre con un utile in aumento del 3,5%.

Chiavi degli esercizi

Unità 1

pag. 11: Ascolto: A-3; B-2; C-1.

pag. 12: Ascolto: A) dica; dello; appuntamento; si accomodi. B) incontrare; firmare; subito; La ringrazio. C) ArrivederLa; a dopo. **Esercizio 2:** x; x; x; x;x; x; n1; n2/3; n3; n1/2.

pag. 15: 1-F; 2-V; 3-V; 4-F; 5-V.

pag. 16: Forme e usi Esercizio 1: 1. conserva la -e; perde la -e. 2. maschile.

Esercizio 2: 1. Ingegner / Ragionier / Dottor / Dottoressa / Avvocato; 2. Ragioniere / Ingegnere / Dottore / Dottoressa / Avvocato; 3. Avvocato; 4. Dottoressa; 5. Ingegner / Ragionier / Avvocato / Dottoressa / Dottor; 6. Professor.

pag. 17: Esercizio 1: 1. Scusi; 2. Come sta; 3. Parla italiano; 4. Prendi qualcosa da bere; 5. Mi dica. **Ascolto 1:** A. Formale; B. Informale. **Ascolto 2:** A) 1. Molto lieto; 2. Come sta; 3. Abbastanza bene; 4. Frequento; 5. E studia anche; 6. sa. B) 1. conoscerti; 2. Come stai?; 3. molto occupato; 4. volo; 5. Hai voglia; 6. piacere; 7. Ti presento.

pag. 20: Lessico 1. in orario; 2. in anticipo; 3. a buon punto; 4. di buon umore.

pag. 21: Forme e usi: Esempio 1. cominciata nel passato e che continua nel presente; Esempio 1. richiede il tempo presente; Esempio 2. limitata e definita nel futuro; Esempio 3. limitata e definita nel passato; Esempio 2 e 3 presente / passato prossimo. **Esercizio 2:** 2. per; 3. per; 4. da; 5. da.

Unità 2

pag. 22

1. vendite - agente di commercio; 2. relazioni pubbliche - addetto stampa; 3. moda - stilista; 4. import-export - ragioniere; 5. assicurativo - commercialista; 6. chimico - biologo; 7. umanitario - medico; 8. diplomatico - funzionario; 9. finanza - banchiere; 10. immobiliare/edile - costruttore; 11. informatico - programmatore.

pag. 24

Lessico: 1. fare; 2. avere; 3. fare; 4. scrivere; 5. dare.

Ascolto: Paola 2-F; 3-F; Massimo 4-V; 5-V; 6-F.

pag. 25

Ascolto 1: 1. fornisce; 2. offriamo; 3. mi occupo; 4. gestisco; 5. svolgo; 6. trascorro; 7. frequento. **Ascolto 2:** 1. funzionario; 2. requisiti; 3. decisioni; 4. leggi; 5.aggiornamento.

pag. 26

Forme e usi: 1. frequento; 2. svolgo; 3. offriamo; 4. fornisce.

	-are frequentare	-ere svolgere	-ire offrire	-ire (-isc) fornire
io	frequento	svolgo	offro	fornisco
tu	frequenti	svolgi	offri	fornisci
lui…	frequenta	svolge	offre	fornisce
noi	frequentiamo	svolgiamo	offriamo	forniamo
voi	frequentate	svolgete	offrite	fornite
loro	frequentano	svolgono	offrono	forniscono

pag. 28

Esercizio 1: 1. bevo; 2. facciamo; 3. escono; vanno; 4. fai; 1-d; 2-b; 3-a; 4-c. **Esercizio 2:** 2. spesso; 3. generalmente / di solito; 4.ogni tanto / a volte / qualche volta; 5. raramente.

Unità 3

pag. 32

Ascolto: 1. prendono qualcosa in piedi. **Esercizio:** 2. Vuole; 3. Sa; 4. Scusi; 5. Deve. **Funzioni:** offrire: che cosa gradisce?; ordinare: vorrei un caffè; accettare: sì, volentieri; rifiutare cortesemente: no, grazie. Magari un'altra volta; chiedere cortesemente: preferisco…; pagare: quant'è.

pag. 34

Esercizio 1: 1.Che cos'è? Una bevanda, un rito; 2.Con chi? Con amici, con colleghi; 3. Quando? Verso sera, dopo il lavoro o l'università; 4. Con che cosa? Con stuzzichini come pizzette, tartine, taglieri di salumi, formaggi, frittate, insalate e verdure. 5. Dove? In una vineria, in un caffè storico o in un locale alla moda. **Lessico:** Menù vegetariano: Crostini con paté di olive nere; Quadratini di polenta e funghi; Focaccine con crema di piselli; Menù non vegetariano: Involtini di prosciutto crudo e caprino; Tortini di pesce e patate.

pag. 35

Ascolto: 1. Prendono un Bellini e un Brachetto; 2. Prendono degli stuzzichini vegetariani: pomodorini ripieni, quadratini di polenta e funghi, focaccine con crema di piselli; 3. Diluvia, piove; 4. Perchè è molto occupata in ufficio; 5. Julie è stata con degli amici nei Pirenei dell'Aragona. Ha fatto trekking; 6. Julie studia spagnolo con la prospettiva di gestire il portafoglio clienti per la Spagna. Lo studia da due mesi.

pag. 36

Funzioni: 1. Apprezzare cose da mangiare / piatti: sembrano davvero buoni; 2. Chiedere consigli: consiglia; 3. Chiedere la descrizione di un piatto: come; vero?; 4. Parlare del tempo: che tempo; 5. Mantenere in equilibrio la conversazione: dimmi; 6. Riportare notizie: sentito dire che; 7. Mostrare apprezzamento: una piacevole serata.

pag. 38

Ascolto: 2-F; 3-V; 4-F; 5-V; 6-V.

pag. 39

Ascolto: 1. si intende; 2. piace; 3. bellissima; stupendo; 4. affari; 5. statico; miglioramento. **Esercizio:** 2. no, ma so che è bellissima; 3. certamente; 4. beh, anche da voi.

pag. 42

Esercizio: 1. Mi piacciono; 2. a loro.

pag. 43

Esercizio: 1. ti; 2. le; 3. vi;4. ci;5. gli.

pag. 44

Esercizio: 1-F; 2-V; 3-V; 4-F; 5-V; 6-V; 7-F.

Unità 4

pag. 47

1-e; 2-d; 3-f; 4-a; 5-c; 6-b.

pag. 49

Ascolto 1: J. camera singola; R. prenotazione; R.modulo; J. informazioni; J. colazione; R. bagagli; J. ascensore. **Ascolto 2:** 4. Sì, ecco; 6. Sì, rimango fino a giovedì 3. Lascio la camera alle 8.00; 14. Grazie. Senta, posso avere la colazione in camera domani mattina? Sarebbe possibile alle 7.00? Sa, devo andar via verso le 7.30; 22. Grazie. Scusi, mi dice, per favore, dov'è l'ascensore?

pag. 50

Funzioni: 1-b; 2-d; 3-g; 4-f; 5-a; 6-c; 7-e.

pag. 52

1. dà; 2. dicono; 3. rimanete;4. sale.

pag. 53

1. In Australia e in Nuova Zelanda; 2. In Cina; 3. In India; 4. Negli Stati Uniti e in Canada; 5. In Giappone; 6. Nei Paesi Arabi.

pag. 54

Ascolto: 2. ristorante / hotel; 3. hotel; 4. ristorante / hotel; 5. ristorante; 6. hotel; 7. hotel; 8. ristorante.

pag. 55

Ascolto: 2. Sì, però dovete attendere qualche minuto; 3. Oh, sono spiacente. Provvediamo subito signore; Ma certamente signore…; 4. Guardi, abbiamo un tavolo disponibile per le 8.30. Va bene lo stesso?;

5. Un attimo, arrivo subito, signore; 6. Oh, sono spiacente. Provvediamo subito signore; Ma certamente signore…; Controlliamo subito, signora; 7. Oh, sono spiacente. Provvediamo subito signore; Ma certamente signore…; Controlliamo subito, signora. 8. Oh, scusi, non l'avevo vista. **Funzioni:** Reclamare cortesemente: Per cortesia, può ricontrollare?; Gentilmente, può sollecitare il servizio?; Richiedere cortesemente: Per favore, possiamo avere un tavolo vicino alla finestra?; vorrei prenotare un tavolo…

pag. 56
Forme e usi: 2. possiamo - dovete; 3. può; 5. dobbiamo; 7. deve.

pag. 57

	potere	volere	dovere
io	posso	voglio	devo
tu	puoi	vuoi	devi
lui…	può	vuole	deve
noi	possiamo	vogliamo	dobbiamo
voi	potete	volete	dovete
loro	possono	vogliono	devono

A: 1. vuole; 2. deve; 3. vuoi; **B:** a. dobbiamo; b. posso; c. può. 1-b; 2-c; 3-a.

Unità 5

pag. 58
uomini; recupera; cenare; fastidiosa; maleducati; sale.

pag. 59
Ascolto 1: 2. ritardo; 3. bagaglio; 5. posto; 6. finestrino; 8. carta d'imbarco; 9. uscita; 11. viaggio.
Ascolto 2: 1. Biglietto e passaporto, prego.; 2. a causa della nebbia.; 3. Non si preoccupi; 4. Sì, certamente; 5. Nel Suo bagaglio a mano; 6. Sì, solo questa borsa; 7. vorrei un posto vicino al corridoio; 8. c'è un posto disponibile; 9. l'imbarco comincia alle 12.30; 10. Buon viaggio.

pag. 60
Funzioni: 2-c; 3-a; 4-b; 5-d.

pag. 62
1. sondaggio; 2. tensione; 3. efficienza; 4. socializzare; 5. videoconferenza.

pag. 63
Lessico 1: 1. riduzione; 2. lontananza; 3. stanchi; 4. permette; 5. vantaggi. **Lessico 2:** 1. vantaggi; svantaggi; 2. aumento; permette; 3. vicinanza; 4. riduzione. **Ascolto:** 1. vettura; patente di guida; serbatoio; parcheggio. 2. quanto costa?; pacco regalo; ombrelli; reparto.

pag. 64
Ascolto: al noleggio auto 1-b; 2-c; 3-d; 4-a. **al duty-free** 1-b; 2-d; 3-e; 4-c; 5-a. **Lessico:** 1. prenotazione; 2. riconsegna; 3. ritiro; 4. verificare; 5. conferma; 6. noleggio; 7. firmare.

pag. 65
Forme e usi 1: 2. le; ne; 4. lo; li. **Forme e usi 2:** 1. ne; 2. lo; 3. ne; 4. la.

pag. 68
1. è; sono; 2. sono; 3. ho; sono; 4. hai.

pag. 69
Esercizio 1: Alcune possibili combinazioni: Quando hai visto un bel film?; Per chi / Da chi hai comprato un regalo?; Dove hai fatto un colloquio di lavoro?; Con chi hai avuto una discussione?; Quando / Perché hai invitato degli amici a cena fuori?; Quando sei stato in una spa?; Che libro hai letto?; Perché un vicino di posto ti ha esasperato? **Esercizio 2:** 1. ne…riservate; 2. l'abbiamo noleggiata; 3. le… controllate; 4. li… ritirati.

Unità 6

pag. 71
Lessico: 2-f; 3-d; 4-c; 5-b; 6-e.

pag. 72
Esercizio 1: Alcune possibili combinazioni. Girare a destra/a sinistra; Prendere la prima/seconda/terza; Continuare sempre dritto; Attraversare la piazza. **Forme e usi:** 2-l; 3-f; 4-b; 5-e; 6-c; 7-g; 8-h; 9-d; 10-i.

pag. 73
Esercizio 1: del; della; dei; 2. al; alla; 3. dal; 4. nel. **Esercizio 2:** 1. dall'; 2. dall'; 3. al; 4. del. **Ascolto:** 1. Devo andare alla Fiera Campionaria; 5. Ma scusi, ancora un'informazione.

pag. 74
Ascolto: 1-V; 2-V; 3-F; 4-F; 5-V; 6-F. **Forme e usi:** 1. scusi; 2. si preoccupi; guardi; prenda; prosegua; 3. giri; attraversi.

pag. 75
Forme e usi 1: - are: scusi; non si preoccupi; guardi; giri; attraversi; si figuri; -ere: prenda; -ire: prosegua. **Forme e usi 2:** prenda; prosegua. **Esercizio 3:** 1. dica; 2. giri; attraversi; 3. prenda; 4. occupi; 5. parcheggi.

pag. 77
Esercizio: 1-b; 2-c; 3-a. **Ascolto:** 1-C; 2-T; 3-C; 4-C; 5-T; 6-T; 7-C; 8-C.

pag. 78
Ascolto: 6. Ah, sì, vedo. Scusi, ma quanto tempo ci vuole per arrivare circa?; 8. Scusi, posso chiederLe alcune informazioni?; 12. Alle 12.00; 18. Ecco a Lei. Mi può fare una ricevuta, per favore? **Esercizio:** C'è molto traffico oggi?; A che ora deve essere lì?; Senta, scusi, un'informazione, per favore.; Che linea devo prendere dall'Eur per andare alla Stazione Termini?; Quant'è?

Unità 7

pagg. 81-82
Esercizio: prima di una telefonata: procurarsi le informazioni e i documenti necessari; prevedere le possibili domande e preparare le risposte; **all'inizio di una telefonata:** comunicare lo scopo della telefonata in modo chiaro; **durante una telefonata:** verificare se il messaggio è chiaro.
Ascolto: dialogo A: 1-5-3-7 - 2-8-6-4; dialogo B: 5-4-13-11-2-7-9-15; 10-1-12-6-3-14-8. **Funzioni:** dialogo A: a. Buonasera. Vorrei parlare con l'Ufficio Stampa, per favore; c. Sono Luca Monti della Orion; d. Non c'è problema.

pag. 83
Funzioni: dialogo B: e. No, ha sbagliato interno; g. Telefono per la transazione.

pag. 84
Forme e usi 1: (-are) ascolta; stai; manda; (-ere) vedi; (-ire) senti; di'. **Forme e usi 2:** 2. b. -i; **Esercizio:** 1. Metti; 2. Invia; 3. Finisci; 4. telefonare; 5. Fammi.

pag. 85
Ascolto: la dottoressa è fuori sede; in che cosa posso esserLe utile?; Le vuole lasciare un messaggio?; Può farmi richiamare?; La faccio richiamare.

pag. 86
Funzioni: b. Chiamo per conto di …; c. Sono spiacente, la dottoressa è…; rientra …; d. la desidera; e. per gli; f. Le vuole lasciare; g. Le dica; h. La faccio richiamare.

pagg. 86-87
Esercizio: passare; sono; utile; per; inviarlo; faccio; urgenza; preoccupi.

pag. 88
Esercizio: 1. telefono; 2. richiamare; 3. ringrazio; 4. essere utile; 5. mando. **Ascolto:** mi dica; La; ricezione; La; carica; guardi; ufficio.

pag. 89
Lessico: (digitare) - il numero / il tasto; (premere) - il tasto; (inviare / mandare) - il messaggio di testo; (riattaccare / riagganciare / mettere giù) - il ricevitore / la cornetta; (chiamare) - il numero / il centralino / l'interno; (comporre) - il numero; inserire - la segreteria telefonica; (consultare) - l'elenco telefonico.

pag. 90
Ascolto: 1-V; 2-V; 3-F; 4-F. Lessico: 1-c; 2-d; 3-b; 4-e; 5-a
pag. 91
Esercizio: prendiamo; spostarlo; subentrato; confermare; anticipiamo; posticipato; rimandare; annulla; disdire.

Unità 8

pag. 92
Lessico: 1-e; 2-a; 3-d; 4-b; 5-c.
pag. 93
Esercizio 1: destinatari; mittente; allegati; cartelle.
Esercizio 2: 1-f; 2-b; 3-e; 4-c; 5-d; 6-a;
pag. 94
Esercizio: sollecitare un pagamento - e-mail n. 4; prendere appuntamenti - e-mail n. 2; fare inviti - e-mail n. 3; offrire informazioni - e-mail n. 1.
pag. 96
Funzioni: 1. Caro Giorgio / Cara Irene,... A presto; 2. Caro Damiani,... Cordiali saluti; 3. Gentile Dottor / Dottoressa Pieri,... Cordiali saluti; 4. Spettabile Ufficio,... Distinti saluti; 5. Cari Colleghi,... Saluti a tutti; 6. Egregio Avvocato Lettini,... Cordiali saluti.
pag. 97
Funzioni 1: (contatti precedenti) - da accordi; nostra conversazione telefonica; in risposta; (motivo dell'e-mail) - sono lieta; dispiace informarla; (contatti futuri) - in attesa di; in attesa di incontrarla; restiamo a sua disposizione. Funzioni 2: (richiedere) - La preghiamo gentilmente ...; (ringraziare) - La ringraziamo per ...; (scusarsi) - siamo spiacenti per il contrattempo; (invitare) - siamo lieti di invitarla ...; (inviare documenti) - in allegato vi inviamo ...; (sollecitare) - Vi preghiamo di provvedere al pagamento.
pag. 98
Esercizio: 1. fattura; 2. bonifico bancario; 3. contrassegno; 4. saldare; 5. estratto conto; 6. merce; 7. raccomandata; 8. importo; 9. IVA.
pag. 99
Testo 1: prodotti; merce; prossimi; importo. Testo 2: allegato; pratica; quanto prima; porgo.
pag. 100
Lessico: 1. aggiorniamo; 2. prego; 3. ricordiamo; 4. scrivo; invio; 5. saluto.
pag. 101
Esercizio: 1-c; 2-e; 3-a; 4-b; 5-d.
pag. 102
Esercizio: 1 - 5 - 2 (quindi) - 3 (Inoltre; anche; ma) - 4.
Forme e usi: troverà; troveranno; trasmetterò; trasmetterete; inserirai; inseriremo.
pag. 103
Esercizio: 1. effettueremo; 2. riscontreranno; 3. inserirò; trasmetteremo; 4. sarai; 5. sapremo.
pag. 104
Funzioni: 1-f; 2-a; 3-d; 4-c; 5-b; 6-e.

Unità 9

pag. 107
Testo: Cominciate con una frase...; Esponete la vostra tesi...; Le ultime parole sono...
pag. 108
Funzioni: (presentarsi) - Paolo Berni, il direttore commerciale della Zinchi; lieto di essere qui; (introdurre l'argomento) - presentazione; illustrare; presentazione durerà.
pag. 109
Esercizio: 1-c; 2-f; 3-b; 4-d; 5-a; 6-e. Ascolto: 1-2-4-6-8-9.

pag. 110
Funzioni: luogo; mostrare; tutto; concludere; prossimo; grafico; prendiamo; in sintesi.
pag. 111
Testo: In primo luogo; In secondo luogo; in seguito; infatti; Inoltre; Infine. Funzioni: 1-c; 2-f; 3-e; 4-a; 5-d; 6-b.
pag. 113
Funzioni: 1-d; 2-a; 3-b; 4-f; 5-e; 6-c.
pag. 114
Funzioni: 1. Mi scusi, posso farLe una domanda? - (fare domande); 2. Prego, fate pure domande quando desiderate durante la presentazione - (invitare a parlare / intervenire); 3. Mi scusi, posso interromperLa? - (interrompere); 4. Gentilmente, potreste fare tutte le domande alla fine? Grazie (fare domande / invitare a parlare / intervenire).
pag. 115
Forme e usi 1: (consiglio / suggerimento) - direi / dovrebbe contenere / consiglierei / preparerei / Utilizzerei / sceglierei / non dovrebbero essere / non userei / modererei / cercherei / inviterei; (ipotesi) - penso che sarebbe meglio; (desiderio) - vorrei ricordare; (richiesta) - vorrebbe cominciare; Forme e usi 2: utilizzerei / utilizzerebbe / utilizzerebbero; scriverei / scriveresti / scriveremmo; finirei / finiresti / finireste.
pag. 116
Lessico: 1. dire; 2. cancellare; 3. stipulare; 4. stringere; 5. aprire.
Forme e usi: 1. a,c; 2. a, b; 3. a, b; 4. a, c; 5. a, b.
pag. 117
Forme e usi: 1. cui; 2. che; 3. che; 4. che; 5. cui.

Unità 10

pag. 119
Lessico: 1. i partecipanti; 2. gli interventi; 3. il relatore / la relatrice; 4. il presidente; 5. il verbale; 6. gli argomenti; 7. l'ordine del giorno / l'agenda. Testo: ordine; partecipanti; interventi; verbale.
pag. 120
Lessico 1: 1-c; 2-d; 3-b; 4-e; 5-a.
Lessico 2: 1. una riunione; 2. il verbale; 3. l'ordine del giorno; 4. approvare; 5.votare.
Ascolto 1: 1. formale; 2. formale; 3. informale.
Ascolto 2: a-2; b-1; c-3.
pag. 121
Funzioni: (dare il benvenuto) - vi ringrazio; (dichiarare l'obiettivo) - parleremo; analizzeremo; (introdurre un relatore) - Vi presento; Inizierà; (nominare il segretario) - tenere.
pag. 122
Esercizio 1: 1. allora; 2. tra breve; 3. Successivamente; Infine; 4. Dopo.
Esercizio 2: 1-I; 2-F; 3-F; 4-I; 5-I; 6-F; 7-I; 8-I; 9-I; 10-F.
pagg. 122-123
Esercizio 3: 1. Benvenuti alla riunione di oggi; 2. Lo scopo di questo incontro è discutere l'aggiornamento del sistema; 3. Sono lieto di presentare la dottoressa Rossi che parlerà della situazione attuale; 4. Oggi abbiamo un'agenda fitta di punti all'ordine del giorno; 5. Dottor Lissi, può tenere il verbale della riunione, per favore?
pag. 123
Ascolto: 1. Cominciamo; 2. mostrare/prodotto; 3. promuovere/questioni; 4. analisi; 5. aggiornare. Funzioni: 1-e; 2-a; 3-b; 4-d; 5-c.
pag. 125
Lessico: 1. respingete; 2. firmato; 3. confermato; 4. Concluderemo.
Ascolto 1: 1-V; 2-F; 3-V.
pag. 125-126
Ascolto 2: 1. raggiunto; sbaglio; 2. confermare; costi; 3. competitivi; dipende; anticipo.
pag. 126
Funzioni: 1. sono d'accordo - d; 2. raggiungere - a; 3. interrompo - c; 4. dite - b.

pag. 127
Ascolto: 1. prenda; 2. offrano; 3. si limitino; 4. sia.
Forme e usi 2: 1. verbo di opinione; 2. verbo / struttura impersonale; 3. verbo / struttura impersonale; 4. verbo / espressione che esprime dubbio / incertezza.

pag. 128
Forme e usi 1: 1. Le terminazioni sono simili; 2. È la stessa terminazione del presente; 3. Le terminazioni sono simili; 4. La terminazione è la stessa delle prime 3 persone con l'aggiunta di 'no'. L'accento cade sulla stessa sillaba delle prime 3 persone; Forme e usi 2: sia - essere; vada - andare; possa - potere; abbia - avere; stia - stare; voglia - volere; dia - dare; venga - venire; dica - dire; sappia - sapere; tenga - tenere; debba - dovere.

pag. 129
Forme e usi: 1. ricevano; 2. confermi; 3. chiarisca; 4. si tenga; 5. sia.

Unità 11
pag. 131
Lessico: 1-c; 2-a; 3-d; 4-b.
pag. 132
Lessico: 1-c; 2-a; 3-b; 4-d. Esercizio: 1-d; 2-g; 3-c; 4-b; 5-e; 6-f; 7a.
pag. 133
Testo: 1-c (Il gruppo); 3-b (Siamo un team europeo); 4-a (la sfida come ragion d'essere).
pag. 134
Lessico 1: 1-c; 2-e; 3-a; 4-f; 5-d; 6-b. Lessico 2: 1. impegno; 2. sviluppo; 3. esigenze; 4. operatori; 5. gamma; 6. concorrenza.
Esercizio: 1. Quando - e; 2. Dove - d; 3. In quale - c; 4. Su quali - f; 5. Come - b; 6. Su quali - a.
pag. 136
Lessico: 1. utile; 2. fatturato; 3. Cda; 4. esercizio.
pag. 137
Lessico: 1.crescere - in crescita; incrementare - in incremento; aumentare - in aumento; diminuire - in diminuzione; calare - in calo.
Ascolto: 1. cresce; 2. in ribasso; 3. diminuisce; 4. stazionario; 5. in aumento.
pag. 138
Forme e usi 1: 1-a; 2-b; 3-a; 4-b. Forme e usi 2: 1. sono; 2. è; 3. ha; 4. è; 5. sono; 6. ha.
pag. 139
Esercizio 1: rispetto allo; sono aumentate; In ribasso; diminuzione; ha incrementato. Esercizio 2: 1. del; 2. al; 3. dell'; 4. del.
pag. 140
Lessico: maggiore / minore; migliori / peggiori; più positiva / più negativa; più costante / più instabile. Esercizio: 1. di; 2. che; 3. di.

Unità 12
pag. 143
Testo: 1-F; 2-V; 3-F; 4-F; 5-V. Testo: creavano; aveva; fabbricava; intuiva; avviava; iniziava.
pag. 144
Forme e usi 1: 1-c; 2-b; 3-c; 4-c; 5-a; 6-d. Forme e usi 2: creavo; creava; creavate; avevi; avevamo; finiva; finivate.
pag. 145
Esercizio: 1. si producevano; 2. volevano; 3. insegnavano; 4. viveva; scriveva; era; 5. erano.
pag. 146
Esercizio 1: 1. hanno creato; collaboravano; 2. era; ha avuto; 3. è cominciato; era. Esercizio 2: 1. durante gli anni '50; 2. all'inizio; agli inizi degli anni '60; 3. a metà degli anni '60; 4. alla fine degli anni '60; 5. a partire dagli anni '70; 6. tra gli anni '80 e '90; 7. nel 2009; 8. all'inizio

di quest'anno; 9. all'inizio del mese; 10. alla fine del mese.
pag. 147
Testo: 1. Direzione generale; 2. Direzione amministrazione; 3. Direzione acquisti; 4. Direzione personale; 5. Direzione ricerca; 6. Direzione produzione; 7. Direzione marketing; 8. Direzione finanza.
pag. 149
Testo: 1. ufficio legale; 2. Direzione generale; 3. Direzione marketing.
pag. 150
Lessico: insicurezza / insicuro – sicurezza / sicuro di sé; inefficienza / inefficiente – efficienza / efficiente; inaffidabilità / inaffidabile – affidabilità / affidabile; pigrizia / pigro – dinamicità / dinamico; disorganizzazione / disorganizzato – organizzazione / organizzato; inflessibilità / inflessibile – flessibilità / flessibile.
pag. 152
1-V; 2-V; 3-F; 4-V; 5-F; 6-V.

Report Il Business della tavola
pag. 153
Lessico: 1-b; 2-e; 3-g; 4-d; 5-h; 6-c; 7-a; 8-f.
pag.154
Testo: Agro-alimentare - è il secondo …; Numero di aziende - oltre 67.000; Numero addetti - più di 470.000; Maggiori concorrenti in Europa - Spagna, Francia, Olanda, Germania. Belgio; Maggiori concorrenti al di fuori dell'Europa - Stati Uniti, Cina, Australia; Maggiori regioni esportatrici e importatrici - molte regioni del Nord (Piemonte, Lombardi, Veneto, Emilia Romagna). Alcune regioni del Sud (Puglia e Campania) contribuiscono alle esportazioni di prodotti freschi; Soluzioni per il rilancio dell'export - 3 proposte: rinforzare turismo enogastronomico, attuare politiche fiscali per incentivare investimenti nell'innovazione tecnologica e rendere disponibili finanziamenti agevolati; Settore agro-alimentare biologico - settore molto dinamico, Italia è esportatrice mondiale con 50.000 aziende localizzate prevalentemente al Sud. La ricerca è condotta da istituti pubblici, privati e universitari, ma è ancora molto limitata.
pag. 155
Testo: 1. vastissimo; 2. accanto a; 3. caratteristiche; 4. di un determinato territorio; 5. propongono; 6. tutelata.

Report I marchi delle auto e delle moto
pag. 156
Testo: 1-c; 2-a; 3-a; 4-b; 5-b.
pag.157
Lessico: 1-d; 2-a; 3-e; 4-b; 5-c.

Report I distretti industriali
pag. 158
Testo: 3. occupa meno di 250 dipendenti; 2. occupa meno di 50 dipendenti; 1. occupa meno di 10 dipendenti.
pag.159
Testo: a-2; b-1; c-3; d-2; e-1; f-3.Lessico: organizzazione/organizzativo/organizzare; produzione/produttivo/produrre; diffusione/diffuso/diffondere; coordinamento/coordinativo/coordinare; globalizzazione/globale/globalizzare; innovazione/innovativo/innovare; formazione/formativo/formare.

Report I mass-media
pag. 161
Testo: 1-c; 2-e; 3-g; 4-b; 5-d; 6-f; 7-a.

Report Il business della moda

pag. 163
Lessico: 1-f; 2-d; 3-a; 4-c; 5-b; 6-e.
pag. 164
Testo: 1-F; 2-V; 3-V; 4-F; 5-F; 6-V; 7-F.
Esercizio: 1. marchi; 2. quota; 3. soglia; 4. comparti; 5. sbocco.

Report Il business del turismo

pag. 166
Testo: 1. Alberghi, pensioni …; 2. È una forma di turismo caratterizzato …; 3. Beni di particolare rilievo storico.
pag. 167
Testo: 1-b; 2c; 3-a; 4-b; 5-c; 6-b; 7-a. Lessico: 1. perdita; 2. abbondanza; 3. disuso; 4. diminuire; 5. elevato.

Report Le fonti energetiche

pag. 169
Lessico: 1. promozione; 2. composizione; 3. raggiungimento ; 4. miglioramento; 5. riduzione; 6. produzione.

Report Il design italiano

pag. 171-172
Testo: è la città italiana del design; creano oggetti che diventeranno il simbolo della rinascita economica; ha ideato modelli ispirati alla tradizione, ma li ha reinterpretati; si espongono oggetti e opere di artisti di tutto il mondo.

Workshop Forme e usi

Il presente dei verbi essere e avere - pag. 173
1. ha; 2. siamo; 3. avete; 4. hanno; 5. sono; 6. hai.
Le preposizioni di tempo da e per - pag. 173
1.da; 2.da; 3.per; 4.da; 5.per.
L'articolo determinativo - pag. 173
2 .il; 3. la; 4. il; 5. l'; 6. lo; 7. la; 8. il / la; 9. l'.
Il plurale dei nomi - pag. 174
2. i dottori; 3. le dottoresse; 4. i direttori; 5. gli avvocati; 6. gli scrittori; 7. le scrittrici; 8. i giornalisti/le giornaliste; 9. le addette stampa.
L'articolo indeterminativo - pag. 174
un: ufficio amministrativo; laboratorio; dipartimento; uno: studio legale; una: clinica; casa di moda; un': impresa di costruzioni; agenzia turistica.
Il presente dei verbi regolari - pag. 175
Esercizio 1: 1. prendo; 2. attendono; 3. ringrazio; 4. conosci; 5. capisco; 6. prepara; 7. stabiliscono; valutano; 8. gestisce.
Esercizio 2: 1. comincia; finisce; 2. durano; 3. partecipate; 4. riceviamo; vivono; 5. vive; 6. vedi; 7. Avvertono; 8. serve; 9. segue.
Esercizio 3: 1. parla; 2. viaggiate; 3. pago; 4. offrono; 5. investiamo; 6. discuti; 7. svolge.
Il presente dei verbi irregolari andare, bere, fare, uscire - pag. 176-177
Esercizio 1: 1. A luglio andiamo in Portogallo con gli amici; 2. Durante un pranzo d'affari non bevo mai alcolici; 3. Gianluca e Irene fanno sempre viaggi avventurosi; 4. Stasera Filippo non esce perché ha molto da lavorare.
Esercizio 2: A. 1. faccio; 2. beviamo; 3. facciamo; 4. uscite;5. esci; 6. vanno; 7. va; 1-g; 2-c; 3-d; 4-f; 5-a; 6-b; 7-e.
I pronomi indiretti - pag. 177
Esercizio 1: 1. mi; 2. Le; 3. gli; 4. vi; 5. Le.
Esercizio 2: 1. ti; 2. Le; 3. gli; 4. le; 5. vi; 6. mi; 7. gli.

La struttura impersonale - pag. 178
1. si accompagna; 2. si raggiunge; 3. si sposano; 4. si fa/ si spediscono.
I possessivi - pag. 178-179

maschile		femminile	
mio padre	i miei fratelli	mia madre	le mie sorelle
il mio giornale	i miei colleghi	la mia agenda	le mie riunioni
mio zio	i miei zii	mia nipote	le mie nipoti
il tuo colloquio	i tuoi colloqui	la tua ragione	le tue ragioni
il suo appuntamento	i suoi appuntamenti	la sua valutazione	le sue valutazioni
nostro figlio	i nostri figli	la nostra ricerca	le nostre ricerche
il vostro preventivo	i vostri preventivi	vostra figlia	le vostre figlie
il loro progetto	i loro progetti	la loro prenotazione	le loro prenotazioni

2. mio; 3. la loro; 4. le mie; 5. il suo; 6. I miei; 7. la sua; 8. La nostra; 9. la vostra; 10. il nostro.
Il presente dei verbi irregolari rimanere, salire, dare, dire - pag. 179
1. danno; 2. salgono; 3. date;4. sale; 5. dice; 6. rimaniamo; 7. dici; 8. rimango.
Il presente dei verbi servili dovere, volere, potere - pag. 180
1. volete; 2. vuoi; 3. potete; 4. deve; 5. voglio; 6. dobbiamo; 7. possiamo; devo.
Conoscere o sapere? - pag. 180
1. sa; 2. conosci; 3. so; 4. sappiamo; 5. conosciamo; 6. conosce.
I pronomi diretti e il partitivo ne - pag. 181
Esercizio 1: 1. La; 2. le; 3. ne; 4. Mi; 5. Lo; 6. Li; 7. Li.
Esercizio 2: b. Mi; c. lo; d. Le; e. ne; f. li; g. vi; h. La. 2-h; 3-b; 4-f; 5-c; 6-d; 7-e; 8-g.
Il passato prossimo - pag. 181-182
Esercizio 1: ato: lavorato; studiato; andato; viaggiato; uto: saputo; avuto; ito: uscito; dormito; pulito; irregolare: letto; messo; bevuto; venuto; detto; scritto; visto; stato; preso; fatto.
Esercizio 2: 1. è/c'è; 2. abbiamo; 3. siamo; 4. hai; 5. avete.
Esercizio 3: 1. vissuto; 2. offerto; 3. nata; 4. letto; 5. risposto; 6. venuti; 7. messo.
I pronomi diretti e il partitivo ne con il passato prossimo - pag. 182
1. l'ho vista; 2. li abbiamo comprati; li abbiamo ancora consegnati; 3. l'ho comprata; 4. Le ha preparate; 5. ne ho prese.
Le preposizioni articolate - pag. 183
Esercizio 1: 1. alla; 2. all'; 3. ai; 4. dall'; al; 5. del; 6. dell'; 7. al.
Esercizio 2: 3. da; a. della; la; b. all'; del; c. al; d. alla;la. 1-c; 2-d; 3-a; 4-b.
Ci vuole o Ci vogliono? - pag. 183
1. ci vogliono; 2. ci vuole; 3. ci vuole; 4. ci vogliono.
L'imperativo formale Lei - pag. 184-185

imperativo formale regolare	imperativo formale irregolare
prosegua (proseguire)	sia (essere)
scusi (scusare)	salga (salire)
continui (continuare)	dica (dire)
giri (girare)	faccia (fare)
prenda (prendere)	scelga (scegliere)
guardi (guardare)	stia (stare)
senta (sentire)	vada (andare)
arrivi (arrivare)	venga (venire)
non si preoccupi (preoccuparsi)	rimanga (rimanere)
	tenga (tenere)
	abbia (avere)
	esca (uscire)
	sappia (sapere)
	dia (dare)
	beva (bere)

Esercizio 2: 2.dica; 3. si ricordi; a. si preoccupi; si rivolga; d. vada; e. controlli; f. faccia; 1-f; 2-c; 3-b; 4-e; 5-d; 6-a.

Esercizio 3: 1. abbia; 2. dia; 3. Stia; 4. Rimanga; 5. tenga; 6. Faccia; 7. esca.

L'imperativo formale Lei e informale tu - pag. 185
1. Siediti; Accomodati;2. Lasciatemi; 3. Si prenda; Prenditi; 4. Vieni; 5. Assaggia; 6. Non prenoti; 7. Non vada.

I pronomi di cortesia La / Le - pag. 186
Esercizio 1: 1-c; 2-b; 3-g; 4-d; 5-f; 6-a; 7-e.

Esercizio 2: 1. Le; 2. La; 3. Le; 4. Le; 5. La; 6. La.

Esercizio 3: 1. La; 2. La; La; 3. Le; 4. La; 5. Le; 6. La; 7. Le; 8. La; La.

I verbi che si usano al telefono e nella corrispondenza con le preposizioni a e di - pag. 187
2. di incontrarLa; 3.di pagare; 4. a confermarvi; 5. di occuparsi; 6.a spedirvi; 7. a terminare.

I connettivi - pag. 188
Esercizio 1: 2. magari; 3. però; 4. Dunque; 5. Per essere sinceri; 6. difatti.

Esercizio 2: 1. ma; 2. Infatti; 3. Purtroppo; 4. oppure; 5. inoltre.

Il futuro - pag. 188-189
Esercizio 1: 1. La settimana prossima vi invieremo tutto il materiale informativo; 2. Riceverete le informazioni richieste via email o con raccomandata; 3. L'avvocato Marchi gestirà questa pratica in tempi molto brevi perché è una questione urgente; 4. Nei prossimi giorni ti contatterò con notizie più precise; 5. Entro il 18 dicembre l'azienda distribuirà tutti gli articoli regalo.

Esercizio 2: 1. dovremo; 2. sarà; 3. potrà; 4. avrà; 5. daremo; 6. vedrà; 7. farò.

Il condizionale - pag. 189-190
Esercizio 1: esaminerei; passerei; 2. riassumeresti; 3.stabilirei; 4. invitereste; 5. guarderemmo; analizzeremmo; 6. prenderebbero.

Esercizio 2: 1. saprebbe; 2. potremmo; 3. andrebbero; 4. dovreste; 5. vorrebbe; 6. saresti; 7. proporrei; 8. faresti; 9. verrebbero.

Esercizio 3: richiesta cortese: 1-6-8; suggerimento 2-7; consiglio / esortazione: 4; desiderio: 5; ipotesi / supposizione: 9.

I pronomi relativi - pag. 190
1. a cui; 2. per cui; 3. di cui; 4. a cui; che; 5. che; 6. in cui.

Il congiuntivo presente - pag. 191
1. chiarisca; 2. abbiano; 3. vengano; 4. possa; 5. abbia; 6. occorra; 7. voglia; 8. aiuti; 9. debbano.

I comparativi - pag. 191
1. che; 2. del; 3. che; 4. della; 5. che; 6. che; 7. dei; 8. che.

Verbi con il doppio ausiliare - pag. 192
1. è continuata; 2. è finita; 3. ha cominciato; 4. abbiamo continuato; 5. hanno iniziato; 6. abbiamo finito; 7. abbiamo passato; 8. sono salite; 9. è sceso.

L'imperfetto - pag. 192
Esercizio 1: 1. lavoravo; occupavo; 2. collaboravamo; coordinavamo; 3. svolgevate; eravate; 4. faceva; 5. lavoravano; produceva; 6. gestivamo.

Passato prossimo o imperfetto? - pag. 193
Esercizio 1: a. ha frequentato; si occupava; b. siamo andati; c. lavoravano; d. dirigevo; e. ci siamo trasferiti; c'erano; f. ho fatto; piaceva. 1-f; 2-a; 3-e; 4-b; 5-d; 6-c.

Esercizio 2: 1. Ho cominciato; 2. Sono entrato; 3. studiavo; 4. Frequentavo; 5. Era; 6. pagava; 7. è migliorata; 8. Riuscivo; 9. mi limitavo; 10. facevo; 11. è aumentato; 12. sono cresciute.

Il presente progressivo - pag. 194
1. sta realizzando; 2. sta immettendo; 3. sta sviluppando; 4. stiamo gestendo; 5. stanno curando.

Workshop Lessico
Professioni e luoghi di lavoro - pag. 195
Esercizio 1: 1-f; 2-b; 3-e; 4-a; 5-d; 6-c.

Esercizio 2: 2. Riddhi è medico e lavora in una clinica; 3. Lukas è geometra e lavora in un'impresa di costruzioni; 4. Alia è architetto e lavora in uno studio di architettura; 5. Charles è banchiere e lavora in una banca di investimento; 5. Marcus è ingegnere e lavora in un' azienda automobilistica; 7. Irina è commercialista e lavora in una società di revisione.

Le nazionalità - pag. 196

singolare	plurale
francese	francesi
italiana	italiane
svizzero	svizzeri
tedesco	tedeschi
americana	americane
spagnolo	spagnoli
portoghese	portoghesi

1. Ferrari è un marchio italiano; 2. Aston Martin è un'automobile inglese; 3. Amoy Food Limited è una società cinese; 4. Cobra è una birra indiana; 5. Chanel è una casa di moda francese; 6. Adidas è un'azienda tedesca; 7. Ralph Lauren è un marchio statunitense; 8. Banco Bradesco è una banca brasiliana; 9. Honda è una moto giapponese; 10. Sberbank Rossii è una banca russa.

Dove si trova? - pag. 197
2. ONU - Stati Uniti, New York; 3. La Défense - Francia, Parigi; 4. aeroporto Guarulhos - Brasile, San Paolo; 5. Piazza Rossa - Russia, Mosca; 6. il Lingotto - Italia, Torino; 7. Piazza Affari - Italia, Milano; 8. la Città proibita - Cina, Pechino; 9. Marine Drive - India, Bombay; 10. Frankfurter Wertpapierbörse - Germania, Francoforte; 11. Palazzo Pitti - Italia, Firenze; 12. Hayao Miyazaki - Giappone, Tokyo; 13. il MAXXI - Italia, Roma.

Al ristorante - pag. 198-199
Esercizio 1: 1. bicchiere; 2. coltello; 3. cucchiaio; 4. forchetta; 6. tovaglia; 7. tovaglioli. **Esercizio 2**: 1. Antipasti; 2. Primi; 3. Secondi; 4.Contorni; 5. Frutta; 6. Dessert. **Esercizio 2**: pomodoro e basilico; Prosciutto e melone; Carote e asparagi con aceto balsamico; Crostata di fragole; Sorbetto al limone; Filetto di manzo al tartufo.

Che tempo fa?
Le previsioni del tempo - pag. 200
Possibili combinazioni:1-g/f; 2-h; 3-b; 4-d; 5-d; 6-c; 7-a; 8-e.

L'hotel - pag. 200-201
Esercizio 1: 1-f; 2-d; 3-g; 4-c; 5-b; 6-e; 7-a. **Esercizio 2**: 2. effettuato; 3. garantire; 4. data di scadenza; 5. formulario; 6. titolare.

Dove si trova? Dove si trovano? - pag. 201

in camera da letto	in bagno
le lenzuola	lo spazzolino da denti
la coperta	il dentifricio
l'armadio	il lavandino
la gruccia	l'asciugamano
il cuscino	la vasca
la presa	l'accappatoio
	il sapone
	il dopobarba
	la spazzola
	la doccia
	il bagnoschiuma
	la presa
	il pettine
	il rubinetto

Meteo negli aeroporti - pag. 202
Esercizio 1: 2-d; 3-e; 4-a; 5-b; 6-c; 7-g. Esercizio 2: 1-c; 2-d; 3-b; 4-f; 5-e; 6-a.

I Numeri
Gli ordinali - pag. 203

1°	primo	11°	undicesimo
2°	secondo	12°	ventesimo
3°	terzo	33°	trentatreesimo
4°	quarto	40°	quarantesimo
5°	quinto	45°	quarantacinquesimo
6°	sesto	53°	cinquantatreesimo
7°	settimo	67°	sessantasettesimo
8°	ottavo	70°	settantesimo
9°	novo	75°	settantacinquesimo
10°	decimo	98°	novantottesimo

I cardinali - pag. 203-204

0	zero	21	ventuno	75	settantacinque
2	due	23	ventitré	80	ottanta
4	quattro	27	ventisette	90	novanta
6	sei	28	ventotto	99	novantanove
8	otto	30	trenta	100	cento
9	nove	34	trentaquattro	120	centoventi
10	dieci	40	quaranta	200	duecento
12	dodici	41	quarantuno	300	trecento
13	tredici	50	cinquanta	508	cinquecentotto
15	quindici	58	cinquantotto	611	seicentoundici
18	diciotto	60	sessanta	823	ottocentoventitré
20	venti	70	settanta	1000	mille

tre; cinque; undici; quindici; diciassette; diciannove; ventiquattro; trentuno; quarantotto; cinquantatré; sessantadue; settantanove; ottantasei; novantatré; cento.

L'orario - pag. 206
2. Il volo LG 504 per Lussemburgo parte alle dieci e cinque e arriva alle dodici e quindici; 3. Il volo FR 5212 per Stoccolma parte alle quattordici e venti e arriva alle diciassette; 4. Il volo A6 650 per Roma Fiumicino parte alle sei e trentotto e arriva alle sette e trentotto; 5. Il volo X3 3859 per Monaco di Baviera parte alle venti e trenta e arriva alle ventuno e quarantacinque.

Acquisti al duty-free - pag. 207
abbigliamento: una giacca; un vestito; una cravatta; un impermeabile; un tailleur; un paio di pantaloni; una gonna; una camicia.
pelletteria, calzature e accessori: un borsone da viaggio; un paio di stivali; un'agenda; un portafoglio; i gemelli.
ottica: gli occhiali da sole.
gioielleria e orologeria: una collana; un anello; un paio di orecchini; un orologio.
profumeria: i trucchi.
vini e liquori: una bottiglia di spumante; un amaro.
telefonia: un cellulare.

All'aeroporto - pag. 207
Esercizio 1:1-d; 2-f; 3-e; 4-b; 5-c; 6-a.
Esercizio 2: 1. modulo di prenotazione; 2. confezione regalo; 3. condizioni del contratto.

Il telefono - pag. 208
1. telefonino; 2. segreteria; 3. occupato; 4. tasti; 5. suoneria; 6.fisso; 7. numero verde; destinatario.

Un messaggio in segreteria - pag. 208
1. Risponde il 33408072. Lasciate il vostro nome e numero di telefono. Vi richiamerò appena possibile. Grazie; 2. Ciao Elio, sono Clara. Ti telefono per invitarti alla presentazione. Non riesco a contattarti. Hai ricevuto la mail? Richiamami appena puoi. A presto.

Sms - pag. 209
1-m; 2-d; 3-a; 4-h; 5-i; 6-e;7-g; 8-l; 9-f; 10-b; 11-c.

Oggetti in ufficio - pag. 209-210
2. lo schedario; 3. il vassoio; 4. la lavagna magnetica; 5. il cassetto; 6. i raccoglitori; 7. la tastiera; 8. la stampante; 9. il portapenne; 10. la fotocopiatrice; 11. lo scaffale; 12. la scrivania.

Biglietti - pag. 210
Esercizio 1: 1. festività; 2. ringraziamenti; 3.risultati aziendali; 5.inviti.
Esercizio 2:5/a; 1/b; 2/c; 3/d.

Durante una presentazione - pag. 211
Esercizio 1:1-e; 2-c; 3-b; 4-f; 5-a; 6-d. Esercizio 2: 1.lista puntata; 2. gamma di prodotti; 3. quadro della situazione; 4. progetto a breve termine.

Performance finanziaria aziendale - pag. 212
Possibili combinazioni: società/fondare; fatturato/ realizzare; prodotto/ vendere; concorrenza/ battere.

Descrivere i gradi del cambiamento - pag. 212
Esercizio 1: 1. leggermente; 2. considerevolmente; 3. contenuto; 4. improvviso. Esercizio 2: 1. fatturato; 2. espansione; 3. filiale; 4. sede; 5. utile.

Testi

Le Banche d'affari - pag. 215-216
2. società; 3. obbligazione; 4. emissione; 5. azioni.

Nome	Verbo
sottoscrizione	sottoscrivere
collocamento	collocare
emissioni	emettere
negoziazione	negoziare
consulenza	consultare
investimento	investire
gestione	gestire

Alessandro, analista in una banca d'affari
Francesca, avvocato in uno studio legale
internazionale - pag. 217

	Alessandro	Francesca
Dove lavora?	in una banca d'affari	in uno studio legale italiano
Che lavoro fa?	analista	avvocato
Da quanto tempo?	da due anni	da quattro anni
Che compiti svolge?	approva linee di fido per i clienti monitora il rischio di credito dei clienti.	controlla, gestisce e dà assistenza legale ai clienti – banche e società di livello internazionale – che vogliono svolgere attività finanziaria in Italia.

L'avvocato d'affari - pag. 218
1. Diritto del lavoro: il Dipartimento si occupa di leggi e normative che regolano il diritto del lavoro e delle relazioni industriali; 2. Diritto Amministrativo e Appalti: il Dipartimento fornisce consulenza in materia di appalti e concessioni con le Pubbliche Amministrazioni; 3. Diritto Tributario: il Dipartimento gestisce gli aspetti fiscali di operazioni di finanza strutturata. E presta anche consulenza per la tassazione dei gruppi e pianificazioni tributarie delle società; 4. Diritto Commerciale e societario: il Dipartimento cura la preparazione e negoziazione di accordi commerciali di ogni genere; 5. Diritto Immobiliare e delle costruzioni: il Dipartimento fornisce assistenza e consulenza nella valutazione degli aspetti legali dell'acquisto immobiliare e del finanziamento.

Le istituzioni in Italia - pag. 219

1. Appartenenza a	Unione europea,… NATO, ONU, Gruppo dei Paesi più industrializzati del mondo, OCSE
2. Sistema politico	Repubblica parlamentare con sistema bicamerale
3. Sedi istituzionali	Palazzo Montecitorio, sede della Camera dei Deputati. Palazzo Madama, sede del Senato. Palazzo del Quirinale, sede del Presidente della Repubblica. Palazzo Chigi, sede del Consiglio dei Ministri.
4. Presidente della Repubblica	non ha un ruolo di indirizzo politico e tra le sue funzioni ci sono quelle di proclamare le elezioni e nominare ufficialmente il Presidente del Consiglio dei Ministri. Rimane in carica per sette anni.
5. Primo Ministro	promuove e coordina l'attività dei Ministri, è responsabile dello svolgimento del programma del Governo. Rimane in carica per 5 anni.

La Fiera di Milano - pag. 220-221

Esercizio 1: 1/e; 2/h; 3/d; 4/g; 5/c; 6/f; 7/b; 8/i; 9/a. **Esercizio 2**: 1/d; 2/h; 3/a; 4/e; 5/c; 6/f; 7/g; 8/b. 1.ruolo di primo piano; 2. rete di uffici esteri; 3. sottoscrive l'accordo di joint venture; 4. grandi mercati extra-europei.

Beauty farm per manager e non solo - pag. 222

Esercizio 1: Centro benessere: maschera; massaggi; trattamenti; sale relax; saune; calma.; Città: stanchezza; tensioni; rumori; inquinamento. **Esercizio 2**: 1. si trovano; 2. forniscono; 3. amano; 4. rappresentano; 5. offrono; 6. viaggiano; 7. oscilla.

Milano - pag. 223

Esercizio 1: 1. patrimonio; 2. locali; 3. pinacoteca; 4. Borsa Valori; 5. firma; 6. brevetto. **Esercizio 2**: 1. cuore; 2.sede; 3.aziende; 4.nato; 5. Management; 6. all'avanguardia; 7. stilisti; 8. showroom; 9. prelibati.

Standard o burocratico? - pag. 225

standard / formale: ad esempio; innanzitutto; e anche; Inoltre; biglietto; distribuire; inviare

burocratico: a titolo esemplificativo; preliminarmente; nonché; aggiungasi; titolo di viaggio; erogare; trasmettere.

Eventi di networking - pag. 225-227

Esercizio 1: a destra e a sinistra - 4; rompere il ghiaccio - 1; tagliare la corda - 2; fare bella figura - 3. **Esercizio 2**: 1-c; 2-d; 3-b; 4-a.

Glossario

A

a breve termine (loc.) short-term, short-run
a causa di (loc.) because of
a destra di (loc.) on the right-hand side of
a discrezione di (loc.) at discretion of
a livello globale (loc.) globally
a livello internazionale (loc.) internationally
a lungo termine (loc.) long-term, long-run
a maggioranza (loc.) by majority
a metà degli anni '60 (loc.) in the mid-1960s
a mezzanotte (loc.) at midnight
a mezzogiorno (loc.) at midday
a nome di (loc.) on behalf of
a partire dagli anni '70 (loc.) from the beginning of 1970s
a sinistra di (loc.) on the right-hand side of
a stretto contatto con (loc.) in harness with
a Sua disposizione (loc.) at your disposal
a volte (avv.) sometimes
abitazione (s. f.) house, home, residence
abituale (agg.) habitual, usual, customary
accanto a (prep. / loc.) next to
accappatoio (m. s.) bathrobe
accendere (v.) to switch / turn on
accento regionale (m. s.) regional accent
accesso (m. s.) to be on, switched on
accettabile (agg.) acceptable, reasonable
accettare una proposta to accept a proposal, suggestion
acciaio inossidabile (m. s.) stainless steel
accogliente (agg.) cosy, homely
accomodarsi (v.) to make oneself at home / comfortable, to take a sit
accompagnarsi a (v.) to go with
accordo (m. s.) agreement
accorgersi di / che (v.) to notice, realise
acquisire (v.) to acquire, gain, develop
acquisizione (f. s.) acquisition
acquistare (v.) to purchase
acquisto (m. s.) purchase
ad alta velocità (loc.) at high speed
adattabilità (f. s.) adaptability
addetto/a (m. e f. s.) person in charge of, responsibile for
aereo (m. s.) airplane
affare (m. s.) deal, bargain
affari (m. p.) business
affermarsi (v.) to establish oneself
affidabile (agg.) reliable
affidabilità (f. s.) reliability, trustworthiness
agenda (f. s.) diary, agenda
agente di commercio (m. e f. s.) sales representative

agente immobiliare (m. e f. s.) estate agent
aggiornamento (m. s.) updating
aggiornare (v.) to update
aglio (m. s.) garlic
agricolo/a (agg.) agricultural
agricoltore (m. s.) farmer
agricoltura (f. s.) agriculture
agriturismo (m. s.) farm-house holidays
al cinema (loc.) at / to the cinema
al contrario (loc.) on the contrary, actually
al più presto (loc.) as soon as possible
al ponte (loc.) at / to the bridge
al primo piano (loc.) on the first floor
al volante (loc.) driving, behind the wheel
albergo (m./s) hotel
alcolico (agg.) alcoholic
all'angolo (loc.) at / on the corner
all'avanguardia state-of-the-art, cutting edge
all'edicola (loc.) at / to the newsagent
all'estero (loc.) abroad
all'inizio di (loc.) at the beginning of, at the outset
all'inizio/agli inizi degli anni '60 (loc.) at the beginning of the 1960s
all'ordine del giorno (loc.) on the agenda
all'unanimità (loc.) unanimously, with one accord, as one man
alla cassa (loc.) at / to the till
alla fine (loc. / cong.) in the end, eventually
alla fine degli anni '60 (loc.) at the end of the 1960s
alla guida (loc.) at the wheel, in the driver's seat
allegato (m. s.) attachment
allontanare (v.) to remove
allora (avv. / cong.) then, at that moment
ambiente (m. s.) place, enviroment, ambience
ambiente confortevole (m. s.) comfortable, cosy ambience
ambiente di lavoro (m. s.) workplace
ambizione (f. s.) ambition
ambizioso/a (agg.) ambitious
ammanco (m. s.) shortage, cash deficit
amministratore delegato (m. s.) managing director
ammobiliato/a (agg.) furnished
ammontare (v.) to amount, come to
analcolico/a (agg.) nonalcoholic
analizzare (v.) to analyse, to review
anche (cong.) as well, too
andamento (m. s.) performance, the run of, course, trend
andare a concerti to go to concerts
andare fuori con colleghi to go out with colleagues
andare in campeggio to go camping
andare sempre dritto to go straight on
aneddoto (m. s.) anecdote
annullare (v.) to cancel, write off, annul
annullare un accordo to rescind an agreement
annuncio (m. s.) advertisement, announcement
anticipare (v.) to bring forward, to advance
aperitivo (m. s.) aperitif
appartamento (m. s.) apartment, flat
appena (avv. / cong.) just
appena fuori (loc.) just outside
apprezzamento (m. s.) appreciation
approccio (m. s.) approach
approfondire (v.) to deepen, to delve into, to elaborate on
approvare (v.) to approve
appuntamento (m. s.) appointment, date
aprire (m. s.) to open

architetto (m. s.) architect
argomento (m. s.) topic, issue
aria condizionata (f. s.) air conditioning
arredamento (m. s.) furnishing, furniture, decor
arredato/a furnished
arredo (m. s.) furnishing
articolarsi (v.) to be structured
articolo (m. s.) item, article
artigianale (agg.) hand-built, traditional
artigiano (m. s.) craftsman, artisan
ascensore (m. s.) lift, elevator
asciugacapelli (m. s.) hairdryer
assemblea (f. s.) meeting, assembly
assicurativo/a (agg.) relates to insurance
attendere in linea to hold on the line
attentamente (avv.) carefully
attore (m. s.) male actor
attraversare (v.) to cross
attrice (f. s.) female actor
attuale (agg.) present
attualità (f. s.) current affairs, topicality
augurio (m. s.) wish
aumento (m. s.) increase
autobus (m.) autobus
autorevole (agg.) authoritative
autorevolezza (f. s.) authoritativeness, authority
avere bisogno di to need sth
avere contatti con to have connection with
avere intenzione di to intend to, to think of, to have in mind to
avere ragione to be right
avere sede to be based, to have one's headquarter in/at
avere torto to be wrong
avere una settimana piena to have a busy week
avere voglia di to feel like
avvocato (m. s.) lawyer, solicitor, barrister, counsel
azienda (f. s.) company, corportation
aziendale (agg.) corporate, business
azionista (m. e f. s.) shareholder, stockholder, investor

B

B&B (m.) B&B
bacino (m. s.) basin
badge (m. s.) visitor pass
bagaglio (m. s.) luggage
bagaglio a mano (m. s.) hand luggage
bagno (m. s.) bathroom, bath
bagno turco (m. s.) turkish bath
ballerina (f. s.) female dancer
ballerino (m. s.) male dancer
banca (f. s.) bank
banca dati (f. s.) data bank
banchiere (m. s.) banker
banda larga (loc.) broad band
bar (m. s.) bar, café
basato su based on, founded on
batteria (f. s.) battery
battistrada (m. s.) tread
ben collegato (agg.) well served
ben organizzato (agg.) well organised
bene (avv.) well, properly
benzinaio (m. s.) petrol station attendant
bevanda (f. s.) drink
biglietto (m. s.) ticket
biglietto d'auguri (m. s.) greeting card
biglietto da visita (m. s.) business card

bilancio (m. s.) balance-sheet
birra alla spina (f. s.) draft beer
bisogno (m. s.) need
blasfemo/a (agg.) blaspemous
bonifico bancario bank transfer
borsa (f. s.) bag
bottiglia (f. s.) bottle
brevetto (m. s.) patent
briefing (m. s.) briefing

C

c.a. (alla cortese attenzione) for the attention of
C.d.a. (Consiglio di amministrazione) Board of
   Directors
caffè (m. s.) coffee, espresso
caffè corretto (m. s.) espresso coffee with alcoholic
   drink
calare di (v.) to drop, to come down by
cambiare linea to change line
camera doppia (f. s.) double room
camera singola (f. s.) single room
cameriera (f. s.) waitress
cameriere (m. s.) waiter
campagna pubblicitaria (f. s.) advertising campaign
campionario (m. s.) sample book
campione (s. m..) sample
cancellare (v.) to cancel
capacità (f. s.) skill, ability, capacity
capacità comunicative (f. p.) comunicative skills
capitale (m. s.) capital
capo (m. s.) boss
capoluogo (m. s.) county town
cappuccino (m. s.) cappuccino
carne (f. s.) meat
caro/a (agg.) dear
carta d'imbarco (f. s.) boarding pass
carta di credito (m. s.) credit card
cartella (f. s.) file
casa in affitto (f. s.) rented house
cassaforte (f. s.) safe
cassetta di sicurezza (f. s.) safe-deposit box
cellulare (m. s.) cell phone
cena (f. s.) dinner
cena d'affari (f. s.) business dinner
cenare (v.) to have dinner, to dine
centrale (agg.) central, well served
centralino (m. s.) switch-board
centro benessere (m. s.) well-being centre
cercare di (v.) try to
chiamare (v.) to call
chiave (f. s.) key
chiedere (v.) to ask
chimico (m. s.) chemist
chirurgia (f. s.) surgery
chiudere (v.) to close, to shut
cibo (m. s.) food
cifra (f. s.) figure, amount, digit
cinema (m. s.) cinema
cintura di sicurezza (f. s.) safety belt, seatbelt
cioccolata (f. s.) hot chocolate
cioccolato (f. s.) chocolate
citazione (f. s.) citation, quotation
civiltà (f. s.) civilisation
classifica (f. s.) ranking, table
cliente (m. e f. s.) client
clientela (f. s.) customers, clientele
climatizzatore (m. s.) air-conditioner
codice della strada (m. s.) highway code
codice di condotta (m. s.) code of conduct
cognome (m. s.) surname

collaborare (v.) to cooperate, to team up with
collaborativo (agg.) collaborative
collaboratore (m. s.) co-worker, assistant
collaborazione (f. s.) cooperation, partnership
collega (m. e f. s.) colleague
collegato a (agg.) to be connected with, well served
collezione (f. s.) collection
colloquio di lavoro (m. s.) job interview
commercialista (m. e f. s.) tax consultant, accountant
comodamente (avv.) easily
compagna (f. s.) partner
compagno (m. s.) partner
competente (agg.) expert, competent, qualified
competenza (f. s.) expertise
competitivo/a (agg.) competitive
compilare il modulo to fill in the form
compito (m. s.) task, duty
componenti (f. p.) parts, components
comporre il numero to digit the number
compravendita di titoli (f. s.) equities buy and sell
comprendere (v.) to understand
comunicare (v.) to comunicate, to inform, to convey
comunicazione (f. s.) communication
comunque (cong.) however, anyway
con (prep.) with
con comodo (loc.) with no rush, comfortably,
   conveniently
con corriere espresso (loc.) by pony express
con urgenza (loc.) urgently
concedersi (v.) to indulge oneself with
concentrarsi su (v.) to focus on
concludere (v.) to close
concludere un affare to make, to close a deal
concorrente (m. e f. s.) competitor
concorrenza (f. s.) competiton
condividere (v.) to share
conduzione d'impresa (f. s.) business management
conferenza (f. s.) conference
conferma (f. s.) confirmation
confermare (v.) to confirm
confermare la prenotazione to confirm the
   reservation / the booking
conforme alla legge (agg.) complying with the law
confort (m. s.) confort
confortevole (agg.) comfortable
connessione Internet/Wi.Fi. (f. s.) Internet connection
consegna (f. s.) delivery, hand in
consegnare (v.) to deliver
consigliere (m. s.) councilor
consuetudine (f. s.) normality
consulente aziendale (f. s.) business consultant
consulenza (f. s.) consulting, consultancy
consultare un elenco (v.) to look up
consultare un esperto (v.) to consult, to get advice
   from an expert
consumatore (m. s.) consumer
contabilità (f. s.) accounting
contare su (v.) to rely, count on
contattare (v.) to contact
contenitore (m. s.) container
continuare (v.) to continue, to carry on
conto (m. s.) bill, account
contrattempo (m. s.) setback
contratto (m. s.) contract
contribuente (m. e f. s.) tax payer
controllare (v.) to check, to control
controllo di gestione (m. s.) management control
convegno (m. s.) conference, congress
convenzione sociale (f. s.) convenzione sociale
conversare (v.) to converse
conversazione (f. s.) leggera small talk

convocare una riunione to call for a meeting
coordinare (v.) to coordinate
cordiali saluti (m. p.) Best wishes, Your sincerely
cornetta (f. s.) receiver, handset
cornetto (m. s.) croissant
correntemente (avv.) corrently, usully
corridoio (m. s.) corridor
corriere espresso (m. s.) pony express
corsia di emergenza (f. s.) hard shoulder
corso di formazione (m. s.) training course
corso di studi (m. s.) course of study
cortesemente (avv.) kindly
costruire un rapporto to built up a rapport
costruttore (m. s.) developer
creare (v.) to create, to develop
creativo/a (agg.) creative
creatività (f. s.) creativity
crescente (agg.) growing
crescere (v.) to grow
crescita (f. s.) growth
cucina (f. s.) cuisine
curare (v.) to look after, to deal with

D

da bere (loc.) to drink
da mangiare (loc.) to eat
da solo/a (loc.) on your own
danneggiato/a (agg.) damaged
dare fastidio a to bother s.one, to be a nuisance to
   sb.
dare per scontato to take for granted
dare su to overlook
darsi del 'tu'/ 'Lei' to address each other as 'tu' / 'Lei'
data di pagamento (f. s.) date of payment
dati economici economic / financial data
davanti a (loc.) in front of, ouside
debito (m. s.) debt
decisione (f. s.) decision
decollo (m. s.) take-off
delicato/a (agg.) delicate, dainty, mellow
delineare (v.) to outline
delizioso/a (agg.) delicious
desiderare (v.) to consider
destinatario/a (m. s.) addresse
determinare (v.) to determine
dettagliato/a (agg.) detailed, comprehensive,
   thorough
di interesse paesaggistico (loc. / agg.) of naturalistic
   interest
di interesse storico (loc. / agg.) of historical interest
di lusso (loc. / agg.) luxury
di persona (loc.) in person
di solito (avv.) usually
di successo (loc. / agg.) succesful
di tendenza (loc. / agg.) trendy, fashionable
di valore (loc. / agg.) valuable, pricey, of value
diapositiva (f. s.) slide, transparancy
dietro (prep.) behind
diffuso/a (agg.) popular, common
digitare (v.) to digit
digitare il numero to digit the number
dilettante (m. s. e agg.) amateur
diminuire di (v.) to decread by
diminuzione (f. s.) decrease
dinamicità (f. s.) energy, dynamism
dinamico/a (agg.) dynamic
dipartimento (m. s.) department
dipendente (m. s.) employee
dipendere da (v.) to depend on
diplomatico/a (agg.) diplomatic

dire (v.) to say
direttiva (f. s.) directive, instruction
direttore (m. s.) director
direzione (f. s.) head office
direzione acquisti (f. s.) purchase directors
direzione amministrazione (f. s.) executive directors
direzione finanza (f. s.) finance directors
direzione generale (f. s.) general directors
direzione marketing (f. s.) marketing directors
direzione personale (f. s.) HR directors
direzione produzione (f. s.) production directors
direzione ricerca (f. s.) research directors
dirigente (m. e f. s.) executive
discreto/a (agg.) decent
disdire una riunione to cancel a meeting
disguido (m. s.) hitch
disorganizzato/a (agg.) disorganised
disorganizzazione (f. s.) disorganasation
disponibile (agg.) available
disponibilità (f. s.) availability (servizio), willingness
    (persona)
disporre di (v.) to have
distinguersi (v.) to stand out, to distinguish yourself
distinti saluti (loc.) kind regards
distributore (m. s.) petrol station
disturbare (v.) to disturb, to bother
divergenza (f. s.) difference, disagreement
divertire (v.) to amuse
divieto di sosta (loc.) no parking
divisa dei soldati (f. s.) soldier uniform
doccia (f. s.) shower
docente (m. e f. s.) teacher, lecturer
documentazione (f. s.) documentation
documento (m. s.) document
donazione (f. s.) donation
dopo (avv. / cong.) then, after, later
dopo cena (loc.) after dinner
dopo il lavoro (loc.) after work
dopo l'ufficio (loc.) after work
dopo l'università (loc.) after the university
dopo la pausa (loc.) after the break
dopo lo studio (loc.) after studying
dopo pranzo (loc.) after lunch
dotato di (agg.) equipped with
doti organizzative (f. p.) organisational skills
dottore (m. s.) male doctor
dottoressa (f. s.) female doctor
dovere (m. s.) duty
dovere (v.) must, to have to
drink (m. s.) drink
due volte al mese (loc.) twice a month
dunque (cong.) so, therefore
durante gli anni '50 (loc.) during the 1950s
durante la giornata (loc.) during the day

E

ecco! (escl.) here it is, here you are
economico (agg.) economic, financial, economical,
    cheap
edicola (f. s.) newsagent
edificio (m. s.) building
edile (agg.) building, construction
editoriale (agg.) editorial
effetto serra (m. s.) greenhouse effect
effettuare un pagamento (v.) to pay
efficace (agg.) effective
efficiente (agg.) efficient
efficienza (s. f.) efficiency
egregio (agg.) Dear
elenco telefonico (m. s.) telephone directory

email (f. s.) email
emergenti (agg.) emerging
emergere (v.) to emerge, to come out
emettere (v.) to issue
entro oggi (loc.) by today
errore di calcolo (m. s.) calculation mistake
esauriente (agg.) exhaustive, thorough
eseguire (v.) to execute, to carry out
esercizio (v.) exercise
esperto (m. s.) expert, specialist, skilled
esporre (v.) to display
esportare (v.) to export
esposizione (f. s.) exhibition
espressione (f. s.) expression
essere a buon punto to be half way through
essere appassionato di to be fond of / keen on, to be
    a … lover
essere avanti to be ahead
essere bloccato to be frozen (computer)
essere d'accordo to agree
essere d'accordo con to agree with
essere d'obbligo to be required
essere di buon umore to be in a good mood
essere di cattivo umore to be in a bad mood
essere di fretta to be in a hurry
essere di origine to come from, to be of … origin
essere fondato to be funded, established
essere fuori sede to be away from the office
essere gradito a to go down , to be liked to
essere in chiusura to be closing
essere in diminuzione to be decreasing
essere in espansione to be expanding
essere in fila to stand in a line
essere in trasferta (loc.) to be on secondment, to be
    away on business
essere indietro con to be behind with
essere indifferente a to be indifferent to
essere lieto to be happy, pleased
essere occupato to be busy
essere permesso to be allowed
essere quotato/a to be quoted
essere realizzato in to be made out of
essere scarico to be out of battery
essere sconveniente to be improper, inconvenient,
    unsuitable
essere spiacente to be sorry
essere stabile firm, stable
essere stazionario to be stable
essere suddiviso to be divided, broken down
essere utile a to be useful to
essere vietato to be forbidden
estratto conto (m. s.) bank statement
etichetta aziendale (f. s.) corporate etiquette
evidenziare (v.) to highlight
evitare (v.) to evoid

F

facoltativo/a (agg.) optional
fai-da-te (m. s.) D-I-Y
famoso/a (agg.) famous
fare acquisti to do shopping
fare briefing to brief
fare carriera to advance one's career, to work one's
    way up, to the top
fare i complimenti to give sb. one's compliments, to
    compliment sb
fare i convenevoli to pay one's respects, to make
    polite conversation, to exchange pleasantries
fare il pendolare to commute
fare ordini to place orders

fare prenotazioni to make bookings
fare ricerca to do reserch
fare spese to do shopping
fare sport to do sport
fare un reclamo to complain
fare un salto to pop in, to visit
fare una proposta to make a proposal
fare una scaletta to make a list
fare vela to sail
fare volontariato to do voluntary work
farla franca to get away with
fascia alta (loc.) high-end
fattore (m. s.) factor
fattorino (m. s.) deliverer
fattura (f. s.) invoice
fatturato (m. s.) turn-over
fedeltà (f. s.) loyalty, fidelity
fermata (f. s.) stop
festività (f. s.) bank holiday
fetta di (f. s.) slice of
fiasco di vino (m. s.) wine flask
fiera campionaria (f. s.) trade fair
figlia (f. s.) daughter
figlio (m. s.) son
filato (m. s.) yarn
filiale (f. s.) subsidiary, branch
finalizzare un accordo to finalise an agreement
finalizzare una trattativa to finalise a negotiation
finanza (f. s.) finance
finanziamento (m. s.) funding, financing
finanziario (agg.) financial
finestra (f. s.) window
finestrino (m. s.) window
finire (v.) to finish
fino al semaforo (loc.) till, up to the traffic-light
fioraio (m. s.) flower shop
firma (f. s.) signature
firmare (v.) to sign
firmare un accordo to sign an agreement
fissare la videoconferenza to arrange a
    videoconference
fissare un appuntamento to make an appointment
flessibile (agg.) flexible
flessibilità (f. s.) flexibility
fon (m. s.) hairdryer
fondamentale (agg.) fundamental, essential,
    paramount
fondare (v.) to found, to establish
formaggio (m. s.) cheese
formazione (f. s.) training, education
fornire consulenza to provide consultancy
fornire q.sa a q.no to provide someone with s.thing
fornire stime to provide quotations, evaluations
fornitore (m. s.) provider, supplier
fornitura (f. s.) provision, supply
fortemente (avv.) highly, strongly
forze dell'ordine (f. p.) security force
fotografa (f. s.) photographer
fotografo (m. s.) photographer
fra un po' (loc. / avv.) in a while
frase a effetto (f. s.) phrase with an impact on the
    audience
freccia (f. s.) arrow
frequentare (v.) to attend (a course, event), to hang
    out with
frittata (f. s.) omelette
frutti di bosco (m. p.) berries
funzionare (v.) to work, to function
funzionario (m.s.) officer, civil servant
fuori (avv.) out, ouside, outdoors

G

gamma (f. s.) range
garage custodito (m. s.) metered/guarded parking space
gastronomia (f. s.) delicatessen, gastronomy
gemelli (m. p.) cufflink, twins
generalmente (avv.) generally
gentile (agg.) Dear
gentilmente (avv.) kindly
geometra (m. s.) surveyer
gerarchico (agg.) hierarchic
gestione (f. s.) management
gestione crediti (f. s.) credit management
gestire (v. -isco) to manage, to run
gesto (m. s.) gesture
gesto scortese (m. s.) unpolite gesture
ghiaccio (m. s.) ice
giornale di settore (m. s.) corporate paper
giornalista (m. e f. s.) journalist
giornata (f. s.) day, daytime
giornata piena (f. s.) busy day
giorno lavorativo (m. s.) working day
girare a (v.) to turn at
giro (m. s.) trip, journey, short walk
gradire (v.) to like, to care for , to appreciate
grafico (m. s.) chart, graph
grandi magazzini (m. p.) department store
grandinare (v.) to hail
grassetto (m. s.) bold
grazie a (loc.) tank to
guardarobiere/a (m. s.) cloakroom attendant
guasto (m. s.) fault
guidare in stato di ebbrezza to drive under the influence of alchool
gustoso (agg.) tasty, flavoury

H

hotel (m. s.) hotel

I

illegale (agg.) illegal
imbarazzare (v.) to embarass
imbarco (m.s.) boarding
immettere un prodotto sul mercato to launch, to put a product on the market
immobiliare (agg.) property, real estate
immorale (agg.) immoral
imparare (v.) to learn
impegno (m. s.) engagement, commitment
implementazione (f. s.) implementation
importare (v.) to import
importo (m. s.) amount
impresa (f. s.) enterprise, company
imprevisto (m. s.) invconvenience, hitch
impulsivamente (avv.) impulsively
in allegato (loc.) attached
in ambito globale (loc.) globally
in attesa di (loc.) looking forward to
in aumento (loc.) increasing
in contrassegno (loc.) cash on delivery
in crescita (loc.) increasing
in crisi (loc.) in crisis
in discesa (loc.) decreasing, falling
in ferie (loc.) on annual leave
in fondo a (loc.) at the end of, at the bottom end of
in genere (avv.) normally
in linea con (loc.) in line with
in particolare (avv.) in particular, particularly
in primo luogo (cong.) firstly, first of all

in rialzo (loc.) on the increase
in ribasso (loc.) on the decrease
in secondo luogo (cong.) secondly
in seguito (cong./avv.) afterwards, later on, then
in sintesi (loc.) in short, in brief
in un secondo tempo (loc./cong.) susequently
inaffidabile (agg.) unreliable, untrustworthy
inaffidabilità (f. s.) unreliability
inaugurazione (f. s.) opening, launch, inauguration
inavvertitamente (avv.) inadvertendly
incantevole (agg.) enchanting
incontrarsi (v.) to meet up, to gather
incontro (m. s.) meeting
indicare (v.) to indicate, to point
indire una riunione to call a meeting
indirizzo (m. s.) address
indirizzo di posta elettronica (m. s.) email address
indirizzo e-mail (m. s.) email address
inefficiente (agg.) inefficient
inefficienza (f. s.) inefficiency
infatti (avv. / cong.) indeed, as a matter of fact
infine (avv. / cong.) finally, at last, lastly, in the end
inflessibile (agg.) inflexible
inflessibilità (f. s.) inflexibility
influire (v.) to affect, to influence
informare (v.) to inform
informarsi (v.) to enquire after sb
informatico (m. s.) IT expert
infrangere la legge to break the law
ingegnere (m. s.) engineer
innovazione (f. s.) innovation
inoltrare (v.) to forward
inoltre (cong.) forthermore, moreover
insalata (f. s.) salad, lettice
inserire la segreteria telefonica to put on the answering machine
insicurezza (f. s.) lack of self-confidence
insonorizzato/a (agg.) sound-proof
instaurare un rapporto to establish a rapport
integrità (f. s.) integrity
intendersi di (v.) to be an expert at
interessante (agg.) interesting
interlocutore (m. s.) interlocutor
interlocutrice (f. s.) interlocutor
interno (m. s.) extension (telephone)
interno/a (agg.) internal
intervento (m. s.) speech, paper
intervistata (f. s.) interviewee
intervistato (m. s.) interviewee
intestazione (f. s.) letterhead
intraprendere (v.) to undertake, to begin
intrattenimento (m. s.) entertainment
invariato/a (agg.) unchanged
investitore (m. s.) investor
investitrice (f. s.) investor
inviare (v.) to forward
invio (m. s.) forwarding
invitante (agg.) inviting, appealing
invitare (v.) to invite
isolato acusticamente (agg.) sound-proof
IVA (Imposta valore aggiunto) (sigl.) VAT

L

lapideo/a (agg.) stone
lasciare un messaggio to leave a message
lattina (f. s.) can
lavabo (m. s.) sink
lavandino (m. s.) sink
lavorare (v.) to work
lavori in corso (loc.) work in progress

legale (agg.) legal
legge (f. s.) law
leggere relazioni to read reports
leggere romanzi to read novels
lì (avv.) there
liberalizzazione del mercato market deregulation / privatisation
limitare i costi to limit, to minimise the costs
linea diretta (f. s.) direct line
linea disturbata f. s.) bad line
lingua (f. s.) language
lingua comune (f. s.) common language
lista di distribuzione (f. s.) distribution list
lista numerata (f. s.) numbered list
lista puntata (f. s.) bullet-points
listino prezzi (m. s.) price list
locale (agg.) local, regional
locale (m. s.) place, room, premises, restaurant, club
località (f. s.) location
lontananza (f. s.) distance
lontano da (prep.) far from
lontano/a (agg.) far, distant

M

ma (cong.) but
magari (avv.) maybe, perhaps
maggioranza (f. s.) majority
maggiore (m. e f. s.) the higher/bigger than
maggiore di/che (agg.) bigger, greater than
mah! (escl.) well
mail (f. s.) email
maiuscola (f. s.) capital letter
manager (m. e f. s.) executive, manager
mancanza di tempo (f. s.) lack of time
mancare (v.) to be missing
mancia (f. s.) tip
mandare (v.) to send
mansione (f. s.) duty
marca (f. s.) brand, make
marchio (m. s.) brand
marketing (m. s.) marketing
materia prima (f. s.) raw material
medico (m. s.) medical doctor, GP
memorizzare (v.) to memorise
mercato emergente (m. s.) emerging market
mercato in rialzo (m. s.) bull market
mercato in ribasso (m. s.) bear market
merce (f. s.) goods, commodity
messaggio (m. s.) message
messaggio di posta elettronica (f. s.) email
messaggio di testo (sms) (m. s.) text message
metropolitana (f. s.) underground, subway
mettere (v.) to put
mettere giù (v.) to put , to drop down
miglioramento (m. s.) improvement
migliorare (v.) to improve
migliore (agg.) better
minore (agg.) smaller, lower
mirato/a a (agg.) aimed at, targeted
misurarsi con (v.) to measure oneself against
mittente (m. s.) sender
moda (f. s.) fashion
modalità di pagamento (f. p.) payment conditions
modello (m. s.) model, design, specimen
moderatore (m. s.) moderator
modulo (m. s.) form
modulo di accettazione (m. s.) check-in form
modulo di prenotazione (m. s.) booking form
mostra (f. s.) exhibition
mostrare (v.) to show

motivo (f. s.) reason
motorino (m. s.) scooter
movimento bancario (m. s.) bank transaction
museo (m. s.) museum
musica dal vivo (loc.) live music
musicista (m. e f. s.) musician

N

naturalmente (avv.) naturally, of course
navigare su Internet (v.) surfing Internet
nazionalità (f. s.) nationality
nebbia (f. s.) fog
negozio di abbigliamento (f. s.) clothing shop
nel 2009 (loc.) in 2009
nel campo di (loc.) in the field of
nel tardo pomeriggio (loc.) in the late afternoon
nel tempo libero (loc.) in your spare time
netto/a (agg.) net
neve (f. s.) snow
noioso/a (agg.) boring
noleggio (m. s.) hiring
nome (m. s.) name
non … mai (avv.) never
nota di credito (f. s.) credit note
numero (m. s.) number
nuovamente (avv.) again

O

o (cong.) or
obbligo (m. s.) obligation
occorrere (v.) to be necessary
occupare (v.) to occupy
occuparsi di (v.) to deal with, to be involved in
occupato/a (agg.) busy, engaged
offerta (f. s.) offer
offesa (f. s.) offence
offrire (v.) to offer
oggetto (m. s.) object
ogni tanto (avv.) occasionally, every now and then, every so often
omaggio (m. s.) complimentary gift
ombrello (m. s.) ombrella
operare (v.) to operate, to funcion, to work, to act
operatore (m. s.) person dealing with
operatore finanziario (m. s.) male transactor
operatrice (f. s.) person dealing with
operatrice finanziario (m. s.) female transactor
opportunità (f. s.) opportunity
oppure (cong.) or
ora di punta (loc.) rush hour
orario continuato (loc.) open all day
ordinare (v.) to order
orecchini (f. p.) earrings
oreficeria (f. s.) goldsmith's shop
organigramma (f. s.) organisation chart
organizzare (v.) to organise
organizzatore (m. s.) male organiser
organizzatrice (f. s.) female organiser
organo (m. s.) body (organisation)
ottenere (v.) to get, to obtain
ottenere un finanziamento to get funding, financing
ottimo/a (agg.) very good, excellent

P

pagamento in contanti (m. s.) payment on cash
pagare alla consegna (v.) to pay on delivery
palazzo (m. s.) block of flats, palace
palestra (f. s.) gym
panino (m. s.) sandwich

panna (f. s.) cream
paragonare (v.) to compare
paragone (m. s.) comparison
parcheggiare (v.) to park
parcheggiatore (m. s.) parking attender
parcheggio (m. s.) parking place
parco (m. s.) park
pari a (loc.) equivalent to
parmigiano (m. s.) parmisan
parrucchiera (f. s.) female hairdresser
parrucchiere (m. s.) male hairdresser, hairdresser (shop)
partecipante (m. e f. s.) participant, partaker
partecipare a (v.) to attend, to partecipate
partecipazione (f. s.) attendance, presence, intervention
partner (m. e f. s.) partner, compagno/a
pass (m. s.) pass, badge
passaporto (m. s.) passport
passare con il rosso to jump the lights, the traffic light
passare q.no al telefono to pass on sb. to sb else
passeggero (m. s.) passenger
pasticcino (m. s.) petit four
patente di guida (m. s.) driving licence
patrimonio (m. s.) assets, estate, property
pausa (f. s.) break
pausa pranzo (f. s.) lunch break
peggiore (m. e f. s.) the worst in
peggiore di / che (agg. / m. e f. s.) worse than
pensione (f. s.) B&B
per affari (loc.) on business
per conoscenza (loc.) copy to
per conto di (loc.) on behalf of sb.
per cortesia (loc.) please
per lavoro (loc.) for work
per piacere (loc.) please
perché (cong.) because, why
periodo di soggiorno (m. s.) period of stay
perlopiù (avv.) mainly
permettere a q.no di fare q.sa to allow sb to do sth
pesca (f. s.) peach, fishing, fishery
pesce (m. s.) fish
piacere (m. s.) pleasure
piano (m. s.) floor, plan
piazza (f. s.) square
pigrizia (f. s.) laziness
pigro (agg.) lazy
piscina (f. s.) swimming pool
pittore (m. s.) male painter
pittrice (f. s.) female painter
più tardi (avv.) later on
pizzetta (f. s.) small pizza
poi (avv. / cong.) then, after
pomodorino (m. s.) cherry tomato
ponte (m. s.) bridge
portafoglio clienti (m. s.) client portfolio
portare alla scomunica to bring, to cause excommunication
portiere (m. s.) doorman, porter
posata (f. s.) piece of cutlery
posticipare (v.) to postpone, to defer
posto (m. s.) place
potere (m. s.) power
potere (v.) can, may to be able to,
pranzare (v.) to have lunch
pranzo (m. s.) lunch
pranzo d'affari (m. s.) business lunch
prassi commerciale (f. s.) commercial procedure
pratica (f. s.) file, dossier, practice
praticare sport to do sport
pregare (v.) to ask, to request, to beg

pregiato (agg.) rare, valuable
prendere decisioni to make decision
prendere in considerazione to take into consideration
prendere un appuntamento to make an appointment
prendere un appunto / prendere appunti) to take a note(s)
prenotare (v.) to book, reserve
prenotazione (f. s.) booking, reservation
presa per rasoio (f. s.) rasor sucket
presentare (v.) to introduce, to present
presentarsi (v.) to introduce oneself
presidente (m. s.) president, chairperson
prestazione (f. s.) performance
prevedere (v.) to anticipate, to predict
prevenzione (f. s.) prevention
prezzo (m. s.) price
prezzo accessibile (m. s.) affordable price
prima (avv. / cong.) before
prima colazione (f. s.) breakfast
prima di (cong.) before
prima di tutto (loc.) first of all
procedere (v.) to proceed, to go ahead
processo decisionale decision-making
procurarsi (v.) to get hold of, to secure
prodotto (m. s.) product
prodotto di lusso (m. s.) luxury product
professione (f. s.) profession
professore (f. s.) male professor
professoressa (f. s.) female professor
profumeria (f. s.) perfumery
progettista (m. e f. s.) designer
progetto a breve termine (m. s.) a long-term project
promozionale (agg.) promotional
promozione (f. s.) promotion
pronta risposta (f. s.) ready answer
proporre (v.) to propose, to suggest
propositività (f. s.) proactiveness
propositivo (agg.) proactive
proprio lì (avv.) right there
prosciutto cotto (m. s.) cooked ham
prosciutto crudo (m. s.) Parma ham
proseguire (v.) to continue, to carry on
prossimo/a (agg.) next
provare a (v.) try to
provvedere a to take steps, to see to, to look after
Pubblica Amministrazione (f. s.) Public Service
pubblicare (v.) to publish
pulito/a (agg.) clean
punto chiave (m. s.) key-point
punto vendita (m. s.) outlet
purtroppo (avv.) unfortunately, alas

Q

quadro (m. s.) picture, point
qualche volta (avv.) sometimes
qualità (f. s.) quality
quantità (f. s.) quantity
quattro volte all'anno (loc.) four times a year
questione (f. s.) issue, question
qui (avv.) here
quindi (avv. / cong.) therefore, hence

R

raccomandata (f. s.) recorded delivery
raddoppiare (v.) to double
raffinato/a (agg.) sophisticated
rafforzare la presenza to strenghen the presence
raggiungere un accordo to reach an agreement
ragioniere/a (m. f. s.) accountant
rallentare (v.) to slow down, to delay
rapporto d'affari (m. s.) business relationship

raramente (avv.) rarely, seldom
rasoio (m. s.) razor
reagire (v. -isco) to react
reclamare (v.) to complain
reclutamento (m. s.) recruitment
redigere (v.) to write, to draw up
regalo (m. s.) present
regione (f. s.) region
registro (delle presenze) guest book
relatore (m. s.) male speaker
relatrice (f. s.) female speaker
relax (m.) relax
relazione (f. s.) report, relationship
relazione commerciale proficua (f. s.) profitable commercial relationship
relazioni pubbliche (f. p.) public relations
rendimento (m. s.) return, earning, productivity
reparto (m. s.) deparment
requisito (m. s.) requirement
residenza (f. s.) residence, address
respingere una proposta to reject a proposal
responsabile (agg.) person in charge of
rete (f. s.) network
riagganciare (v.) to hang up (telephone)
riassumere (v.) to sum up, to summarise
riattaccare (v.) to hang up (telephone)
ricerca (f. s.) research, search
ricevere (v.) to receive
ricevitore (m. s.) receiver, handset
ricevuta (f. s.) receipt
ricevuta fiscale (f. s.) receipt, invoice
ricezione (f. s.) reception
richiamare (v.) to call back, to draw attention
richiedere (v.) to request
riconsegnare (v.) to redelivery
ricontrollare (v.) to doublecheck
ricordare (v.) to remember, to remind, to recall
ricorrenza (f. s.) anniversary, occasion
rientrare (v.) to come back
rientro (m. s.) return, coming back
riferire (v. -isco) to report, to let know
rifiutare una proposta to reject a proposal
rifornire di (v. -isco) to supply with
riga "oggetto" (f. s.) reference (letter/email)
riguardo a (loc.) regarding, in regard to, with respect to
rilassarsi (v.) to relax
rilevatore elettronico del fumo (m. s.) fire detector
rimandare (v.) to postpone, to defer
rimanere (v.) to stay, to remain
ringraziare (v.) to thank
rinnovabile (agg.) renewable
rinviare una riunione (v.) to postpone, to refer
ripetere (v.) to repeat
riportare (v.) to report
riposato/a (agg.) rested
ripresa (f. s.) recovery
riscaldamento (m. s.) central heating
rischio (m. s.) risk
riscontrare interesse to notice some interest
riscontrare mancato pagamento to notice a missed payment
riservare (v.) to reserve
riservatezza (f. s.) discretion
riso (m. s.) rice
risorse (f. p.) resources
risotto (m. s.) risotto rice
rispettare regole to comply with the rules
rispetto a (loc.) compared to
rispettoso/a (agg.) respectful
rispondere (v.) to respond, to reply
ristorante (m. s.) restaurant

ristrutturazione (f. s.) restructuring
risultare (v.) to seem, to come out
risultati (m. p.) results
ritardo (m. s.) delay
ritrovarsi (v.) to meet again, to get together, to meet up
riunione (s. f.) meeting
rivolgersi a (v.) to turn to, to address
rucola (f. s.) rocket
ruolo aziendale (m. s.) corporate function/role, position

S

sala conferenze (f. s.) conference hall
sala d'attesa (f. s.) waiting room
sala riunione (f. s.) meeting room
saldare (v.) to settle, to pay
salire (v.) to go up, to increase
salmone (m. s.) salmon
salone di bellezza (m. s.) beauty saloon
salumi (m. p.) sliced cold meat
salutare (v.) to greet
sapore (m. s.) taste, flavour
sauna (f. s.) sauna
sbagliare (v.) to make a mistake, to be wrong, to be mistaken
scadere (v.) to be due, to expire
scambio (m. s.) exchange, swap
scambio di favori (m. s.) exchange of favours
scendere (v.) to go down, to decrease
scienze della comunicazione (f. p.) Communication Studies
sconto (m. s.) discount
scontrino (m. s.) receipt
scrittore (m. s.) writer
scrittrice (f. s.) writer
scrivania (f. s.) desk
scrivere (v.) to write
scuola superiore (f. s.) high school
sede (f. s.) premises, head office
sede centrale (f. s.) headquarter, head office
seduta (f. s.) session
segno (m. s.) sign, clue
segreteria telefonica (f. s.) answering machine
seguire una prassi to follow a procedure, to comply with a procedure
selezionare (v.) to select
selezione del personale (f. s.) personnel selection
semaforo (m. s.) traffic light
sembrare (v.) to seem, to appear
seminario (m. s.) workshop, seminar
semplicità (f. s.) semplicity
sempre (avv.) always, all the time
senso dell'umorismo (m. s.) sense of humour
senso generale (m. s.) gist
sentire (v.) to hear, to sense
senza (prep.) without
serata (f. s.) night, nightitime
serbatoio (m. s.) tank (car)
serie (f. s.) series
servire (v.) to serve, to be useful
servizio in camera (m. s.) 24-hour room service
servizio lavanderia (m. s.) lauderette service
servizio navetta (m. s.) shuttle service
settore (m. s.) sector
sfida (f. s.) challenge
sfortunatamente (avv.) unfortunately
sfumatura (f. s.) nuance
sicurezza (f. s.) security, confidence
sicuro/a di sé (agg.) confident
significato (m. s.) meaning

signora (f. s.) madam, mrs, lady
signore (m. s.) sir, mister
sintetizzare (v.) to summurise, to sum up
sistemazione in famiglia (f. s.) host family accomodation
sito (m. s.) site
sito web (m. s.) website
smaltire (v.) to go through, to sort out
sobrio (m. s.) umpretentious, sober
socializzare (v.) to socialise
società (f. s.) company, society
socio (m. s.) partner, associate
soddisfare le esigenze to meet the needs
sole (m. s.) sun
solitamente (avv.) usually
sollecitare un pagamento to remind sb. about an outstanding payment
sollecito (m. s.) prompt, reminder
soltanto (avv.) only
sondaggio (f. s.) survey, research
spa (f. s.) spa
spazioso/a (agg.) spacious, wide
specchio per il trucco (m. s.) make-up mirror
specialità locale (f. s.) regional specialty
spedire (v.) to send
spedizione (f. s.) dispach, shipping
spegnere (v.) to switch off, to turn off
spesso (avv.) often
spettabile (agg.) Dear (addressing a company)
spinaci (m. p.) spinach
spostarsi (v.) to move
spostamento (m. s.) movement, transfering
spostare (v.) to move
spremuta (f. s.) freshly squiced juice
spumante (s. m.) Italian sparkling wine
spuntino (m. s.) snack
squadra (f. s.) team
squisito (agg.) delicious
stabilimenti (m. p.) industrial plants
stanco/a (agg.) tired
stare (v.) to stay, to remain
stare tranquillo (v.) not to worry
statico/a (agg.) static
stazione (f. s.) station
stendere il verbale to draw up the minutes
stilare il verbale to draw up the minutes
stile (m. s.) style
stilista (m. e f. s.) designer
stima (f. s.) respect, appreciation
stipulare (v.) to stipulate, to draw up
strada (f. s.) street
straniero/a (m. s.) foreign
strategia (f. s.) strategy
stress (m.) stress
stressante (agg.) stressful
stretta di mano (f. s.) handshake
studio legale (m. s.) legal firm
stupire (v.) to surprise, to amaze, to astonish
stuzzicante (agg.) stimulating, tantalising
stuzzichino (m. s.) appetiser
su Internet (loc.) on internet
subentrare (v.) to arise
successivamente (avv.) afterwards, subsequently
suggestive/a (agg.) attractive, striking
sul mercato (loc.) on the market
suonare la chitarra to play guitarre
suoneria (f. s.) ringtone
superare i limiti di velocità to expeed, to break the speed limit
superfluo/a (agg.) unececessary, superflous
superiore (m. s.) person in senior position

superiore a (agg.) higher than
svantaggio (m. s.) disadvantage
sveglia (f. s.) alarm clock
sviluppare (v.) to develop
svolgere ricerca (v.) to carry out reserch
svolgere un lavoro (v.) to do, to carry out a job
svolgere un compito to carry out a task, a duty

T

tabaccheria (f. s.) tobacconist
tabella (f. s.) table, chart
tagliere di salumi (m. s.) cutting board
tartina (f. s.) appetiser, canapé
tartufo (m. s.) truffle
tassista (s.) taxi driver
tasto (m. s.) tasto key, button
tavola calda (f. s.) snack bar, coffe bar
tè (m. s.) tea
telecomunicazioni (f. p.) telecommunications
telefonare a (v.) to telephone
telefonino (m. s.) mobile
tema (m. s.) theme, topic, subject
tendenza (m. s.) trend
tenere il verbale to take the minutes
termine (m. s.) term
tesi (f. s.) tesi, dissertation
tessera (f. s.) card
tessuto (m. s.) fabric
titolo professionale (m. s.) professional title
tonno (m. s.) tuna
tortino (m. s.) patty-cake
tovagliolo (m. s.) napkin, serviette
tra (prep.) between, among (place), in (time)
tra breve (loc.) in a while
tra gli anni '80 e '90 (loc.) between the 1980s
    and the 1990s
tracciare (v.) to outline
trader (m. e f.) trader
traffico (m. s.) traffic
tragitto (m. s.) journey
tramezzino (m. s.) sandwich

transazione (f. s.) transaction
trarre forza (v.) to gain strenght
trascorrere (v.) to spend
trasferirsi (v.) to move
trasmettere (v.) to pass on to
trattare (v.) to cover, to deal with, to negotiate
trattativa (f. s.) negotiation
tre volte alla settimana (loc.) three times a week
trimestre (m. s.) quarter
trovare interessante to find interesting

U

ufficio (m. s.) office
Ufficio delle Entrate (m. s.) Inland Revenue
ufficio legale (m. s.) law department
ufficio Stampa (m. s.) Press office
ultimamente (avv.) lately, recently
ultimare un accordo to finalise an agreement
ultimo/a (agg.) last, latest
umanitario/a (agg.) humanitarian
un attimo! (escl.) just a second/a minute
un po' di (avv.) a little of
una volta al giorno (loc.) once a day
uniformare (v.) to uniform
uomini d'affari (m. p.) business men
usanza (f. s.) custom, tradition
usare (v.) to use
uscita (f. s.) exit, way out
utente (m. s.) user
utile (agg.) useful, handy
utilizzare (v.) to use, to utilise
utilizzo (m. s.) use

V

validità (f. s.) validity
valigia (f. s.) suitcase
valore (s. m..) value
valore aggiunto (m. s.) added value
valori di fondo (m. p.) fundamental values
valutare (v.) to assess, to estimate, to evaluate
vantaggio (m. s.) advantage

vedere (v.) to see
vela (f. s.) sail
vendita (f. s.) sale
venditore (m. s.) sale person
venditrice (f. s.) sale person
vento (m. s.) wind
verbale (m. s.) minutes, records, proceedings
verdure (f. p.) green vegetables
verifica (f. s.) check, confirm
verificare (v.) to check, to confirm, to verify
verificare la comprensione to check understanding
vettura (f. s.) car
viaggiare (v.) to travel
viaggiatore (m. s.) traveller
viaggio (f. s.) trip, journey
viaggio d'affari (m. s.) business trip
vicinanza (f. s.) vicinity
vicino a (loc.) near to
videocomunicazione (f. s.) videocommunication
videoconferenza (f. s.) videoconference
villaggio turistico (m. s.) holiday resort
vineria (f. s.) wine bar
vino (m. s.) wine
VIP Lounge (f. s.) Vip Lounge
visionare (v.) to view, to examine
visitare mostre (v.) to visit exhibitions
vista su (f. s.) view of
viticultore (m. s.) wine producer
volentieri (avv.) with pleasure
volerci (v.) to take, to be needed, to be required
volere (v.) to want
volo (m. s.) flight
vongole (f. p.) clams
votare a favore (v.) to vote for
votare contro (v.) to vote against
votare per alzata di mano to vote by a show of hands

Z

zona soggiorno (f. s.) living room area

Note

L'italiano per stranieri

Albano, Barreiro e Bossa
Danielina e il mistero dei pantaloni smarriti
• libro + cd audio

Ambroso e Di Giovanni
L'ABC dei piccoli

Ambroso e Stefancich
Parole
10 percorsi nel lessico italiano
esercizi guidati

Anelli
Tante idee…
per (far) apprendere l'italiano

Avitabile
Italian for the English-speaking

Balboni
GrammaGiochi
per giocare con la grammatica

Barki e Diadori
Pro e contro
conversare e argomentare in italiano
• **1** livello intermedio - libro dello studente
• **2** livello intermedio-avanzato - libro dello studente
• guida per l'insegnante

Barreca, Cogliandro e Murgia
Palestra italiana
esercizi di grammatica
livello elementare / intermedio

Battaglia
Grammatica italiana per stranieri

Battaglia
Gramática italiana
para estudiantes de habla española

Bettoni e Vicentini
Passeggiate italiane
lezioni di italiano
livello avanzato

Blok-Boas, Materassi e Vedder
Letture in corso
corso di lettura di italiano
• **1** livello elementare e intermedio
• **2** livello avanzato e accademico

Bonacci e Damiani
Animali a Roma
un vocabolario fotografico
tra arte, lingua, cultura e curiosità italiane

Buttaroni
Letteratura al naturale
autori italiani contemporanei
con attività di analisi linguistica

Camalich e Temperini
Un mare di parole
letture ed esercizi di lessico italiano

Carresi, Chiarenza e Frollano
L'italiano all'Opera
attività linguistiche
attraverso 15 arie famose

Chiappini e De Filippo
Un giorno in Italia 1
corso di italiano per stranieri
principianti · elementare · intermedio
• libro dello studente con esercizi + cd audio
• libro dello studente con esercizi (senza cd audio)
• guida per l'insegnante + test di verifica
• glossario in 4 lingue + chiavi degli esercizi

Chiappini e De Filippo
Un giorno in Italia 2
corso di italiano per stranieri
intermedio · avanzato
• libro dello studente con esercizi + cd audio
• libro dello studente con esercizi (senza cd audio)
• guida per l'insegnante + test + chiavi

Cini
Strategie di scrittura
quaderno di scrittura
livello intermedio

Deon, Francini e Talamo
Amor di Roma
Roma nella letteratura italiana del Novecento
testi con attività di comprensione
livello intermedio-avanzato

Diadori
Senza parole
100 gesti degli italiani

du Bessé
*PerCORSO GUIDAto guida di **Roma***
con attività ed esercizi di italiano per stranieri

du Bessé
*PerCORSO GUIDAto guida di **Firenze***
con attività ed esercizi di italiano per stranieri

du Bessé
*PerCORSO GUIDAto guida di **Venezia***
con attività ed esercizi di italiano per stranieri

Gruppo CSC
Buon appetito!
tra lingua italiana e cucina regionale

Gruppo CSC
Gramm.it
grammatica italiana per stranieri
con esercizi e testi autentici

Gruppo CSC
Gramm.it *for English-speakers*
Italian Grammar
complete with exercises and authentic materials

Gruppo META
Uno
corso comunicativo di italiano - primo livello
- libro dello studente
- libro degli esercizi e grammatica
- guida per l'insegnante
- 3 cd audio

Gruppo META
Due
corso comunicativo di italiano - secondo livello
- libro dello studente
- libro degli esercizi e grammatica
- guida per l'insegnante
- 4 cd audio

Gruppo NAVILE
Dire, fare, capire
l'italiano come seconda lingua
- libro dello studente
- guida per l'insegnante
- 1 cd audio

**Istruzioni per l'uso
dell'italiano in classe**
- **1**: 88 suggerimenti didattici
  per attività comunicative
- **2**: 111 suggerimenti didattici
  per attività comunicative
- **3**: 22 giochi da tavolo

Jones e Marmini
Comunicando s'impara
esperienze comunicative
- libro dello studente

Maffei e Spagnesi
Ascoltami!
22 situazioni comunicative
- manuale di lavoro
- 2 cd audio

Marmini e Vicentini
Passeggiate italiane
lezioni di italiano
livello intermedio

Pallotti e Cavadi
Che storia!
la storia italiana
raccontata in modo semplice e chiaro

Pontesilli
Verbi italiani
modelli di coniugazione

Quaderno IT - n. 4
esame per la certificazione
dell'italiano come L2 - livello avanzato
prove del 2000 e del 2001
- volume + audiocassetta

Quaderno IT - n. 5
esame per la certificazione
dell'italiano come L2 - livello avanzato
prove del 2002 e del 2003
- volume + cd audio

Radicchi
Corso di lingua italiana
livello intermedio

Radicchi
In Italia
modi di dire ed espressioni idiomatiche

Stefancich
Cose d'Italia
tra lingua e cultura

Stefancich
Quante storie!
(di autori italiani contemporanei)
con proposte didattiche
livello intermedio e avanzato

Stefancich
Tracce di animali
nella lingua italiana tra lingua e cultura

Svolacchia e Kaunzner
Suoni, accento e intonazione
corso di ascolto e pronuncia
- manuale
- set 5 cd audio

Tamponi
Italiano a modello
dalla letteratura alla scrittura
livello elementare e intermedio

Tettamanti e Talini
Foto parlanti
immagini, lingua e cultura

Ulisse
Faccia a faccia
attività comunicative
livello elementare-intermedio

Urbani
Le forme del verbo italiano

Verri Menzel
La bottega dell'italiano
antologia di scrittori italiani del Novecento

Linguaggi settoriali

Ballarin e Begotti
Destinazione Italia
l'italiano per operatori turistici
- manuale di lavoro
- 1 audiocassetta

Cherubini
Convergenze: iperlibro di italiano per affari
consapevolezze, conoscenze e strumenti per la comunicazione negli affari e nel lavoro
livello B2-C2
- libro + DVD-rom

Cherubini
L'italiano per gli affari
corso comunicativo di lingua e cultura aziendale
- manuale di lavoro
- 1 audiocassetta

Costantino e Rivieccio
Obiettivo professione
corso di italiano per scopi professionali
livello A2-B1
- libro + cd audio

Costantino e Rivieccio
Obiettivo professione for English-speakers
corso di italiano per scopi professionali
livello A2-B1
- libro + cd audio

Dica 33
il linguaggio della medicina
- libro dello studente
- guida per l'insegnante
- 1 cd audio

L'arte del costruire
- libro dello studente
- guida per l'insegnante

Una lingua in pretura
il linguaggio del diritto
- libro dello studente
- guida per l'insegnante
- 1 cd audio

Classici italiani per stranieri
testi con parafrasi a fronte* e note

1. Leopardi • *Poesie* *
2. Boccaccio • *Cinque novelle* *
3. Machiavelli • *Il principe* *
4. Foscolo • *Sepolcri e sonetti* *
5. Pirandello • *Così è (se vi pare)*
6. D'Annunzio • *Poesie* *
7. D'Annunzio • *Novelle*
8. Verga • *Novelle*
9. Pascoli • *Poesie* *
10. Manzoni • *Inni, odi e cori* *
11. Petrarca • *Poesie* *
12. Dante • *Inferno* *
13. Dante • *Purgatorio* *
14. Dante • *Paradiso* *
15. Goldoni • *La locandiera*
16. Svevo • *Una burla riuscita*

Libretti d'Opera per stranieri
testi con parafrasi a fronte* e note

1. *La Traviata* *
2. *Cavalleria rusticana* *
3. *Rigoletto* *
4. *La Bohème* *
5. *Il barbiere di Siviglia* *
6. *Tosca* *
7. *Le nozze di Figaro*
8. *Don Giovanni*
9. *Così fan tutte*
10. *Otello* *

Letture italiane per stranieri

1. Marretta • *Pronto, commissario...? 1*
   16 racconti gialli con soluzione ed esercizi per la comprensione del testo

2. Marretta • *Pronto, commissario...? 2*
   16 racconti gialli con soluzione ed esercizi per la comprensione del testo

3. Marretta • *Elementare, commissario!*
   8 racconti gialli con soluzione ed esercizi per la comprensione del testo

Mosaico italiano

1. Santoni • *La straniera* (liv. 2/4)
2. Nabboli • *Una spiaggia rischiosa* (liv. 1/4)
3. Nencini • *Giallo a Cortina* (liv. 2/4)
4. Nencini • *Il mistero del quadro di Porta Portese* (liv. 3/4)
5. Santoni • *Primavera a Roma* (liv. 1/4)
6. Castellazzo • *Premio letterario* (liv. 4/4)
7. Andres • *Due estati a Siena* (liv. 3/4)
8. Nabboli • *Due storie* (liv. 1/4)
9. Santoni • *Ferie pericolose* (liv. 3/4)
10. Andres • *Margherita e gli altri* (liv. 2-3/4)
11. Medaglia • *Il mondo di Giulietta* (liv. 1/4)
12. Caburlotto • *Hacker per caso* (liv. 4/4)
13. Brivio • *Rapito!* (liv. 1/4)

Pubblicazioni di glottodidattica

Pallotti - A.I.P.I. Associazione Interculturale Polo Interetnico
Imparare e insegnare l'italiano come seconda lingua
un percorso di formazione
• DVD + libro

AA. VV.
(Far) apprendere, usare e certificare una lingua straniera - studi in onore di Serena Ambroso
a cura di Bonvino, Luzi, Tamponi

Progetto ITALS

Progetto ITALS
L'italiano nel mondo
a cura di Balboni e Santipolo

Progetto ITALS
CEDILS. Certificazione in didattica dell'italiano a stranieri
a cura di Serragiotto

Progetto ITALS
Il 'lettore' di italiano all'estero
a cura di Pavan

Progetto ITALS
ITALS, dieci anni di formazione
a cura di Balboni, Dolci, Serragiotto

I libri dell'arco

2. Diadori
L'italiano televisivo

3. **Test d'ingresso di italiano per stranieri**
a cura di Micheli

4. Benucci
La grammatica nell'insegnamento dell'italiano a stranieri

5. AA.VV.
Curricolo d'italiano per stranieri

6. Coveri, Benucci e Diadori
Le varietà dell'italiano

Bonacci editore

www.bonacci.it

Finito di stampare da CDC Arti Grafiche di Città di Castello (PG) nel mese di maggio 2012